COFIO
TRYWERYN

Watcyn L. Jones

Gwasg Gomer
1988

Argraffiad cyntaf—1988
Adargraffiad—1997

ISBN 0 86383 443 4

(h) Watcyn L. Jones ©

Cedwir pob hawl. Ni chaniateir atgynhyrchu unrhyw ran o'r cyhoeddiad hwn na'i gadw mewn cyfundrefn adferadwy na'i drosglwyddo mewn unrhyw ddull na thrwy unrhyw gyfrwng electronig, electrostatig, tâp magnetig, mecanyddol, ffotogopïo, recordio, nac fel arall, heb ganiatâd ymlaen llaw gan y cyhoeddwyr, Gwasg Gomer, Llandysul, Dyfed.

Dymuna'r cyhoeddwyr gydnabod cymorth a chyfarwyddyd
Adrannau'r Cyngor Llyfrau Cymraeg a noddir gan Gyngor Celfyddydau Cymru.

Argraffwyd gan J. D. Lewis a'i Feibion, Cyf.,
Gwasg Gomer, Llandysul, Dyfed

I
Elizabeth

Elizabeth Jones, ysgrifenyddes y Pwyllgor Amddiffyn.

CYDNABYDDIAETH

Dymuna'r awdur a'r cyhoeddwyr ddiolch am gydweithrediad y canlynol ac am eu caniatâd i ddefnyddio lluniau o'u heiddo: Archifdy Gwynedd, Casgliad Geoff Charles, Llyfrgell Genedlaethol Cymru, *The Times*, *Y Cymro*. Diolch i Mr Ifor Owen a Mr Elwyn Edwards am ganiatâd parod i atgynhyrchu darnau o'u gwaith yng nghorff y gyfrol.

CYNNWYS

RHAGARWEINIAD

Ar fore dydd hwyaf y flwyddyn 1965, bu farw Elizabeth, fy chwaer hynaf, yn yr ysbyty. Hi oedd Ysgrifenyddes Pwyllgor Amddiffyn Capel Celyn, ac yr oedd wedi bwriadu ysgrifennu hanes y frwydr i achub cymoedd Tryweryn a Chelyn. Cadwodd lythyrau, rhestri a thoriadau o wahanol bapurau newydd i'w hatgoffa am drefn y digwyddiadau ond, yn anffodus, daeth ei bywyd prysur i ben cyn iddi gael cyfle i ddechrau ysgrifennu'r gwaith; o leiaf, ni ddarganfuwyd unrhyw nodiadau. Fodd bynnag, derbyniais y dogfennau ac ati gyda diolch drwy law fy chwaer o Ddinas Mawddwy.

Yn angladd Elizabeth, awgrymodd y Parch. Huw Jones y dylai rhywun gymryd drosodd yr orchwyl er mwyn cofio'r ardal, felly dyma fi, ar ôl cyfnod maith, yn ceisio cyflawni'r dasg—nid o deimlad gorchestol nac o awydd ysgrifennu, ond oherwydd fy ymwybyddiaeth o'm dyled iddi hi ac o ddyletswydd i'n henfro.

Mae fy nyled yn fawr hefyd i eraill, rhy niferus i'w nodi yma, a hyrwyddodd y gwaith naill ai drwy drosglwyddo dogfennau, lluniau ac atgofion neu drwy adael i mi gynnwys eu gwaith, bydded yn fap neu yn farddoniaeth. Perthyn i'm brodyr hŷn gysylltiad hwy ac atgofion craffach na'm heiddo i a gwerthfawrogais bob hwb gan aelodau fy nheulu. Rhoddodd fy mrawd Albert nodiadau defnyddiol iawn imi ynglŷn â phreswylwyr y gwahanol ffermydd a thai tua throad y ganrif a chynhwysais nifer ohonynt er imi orfod cwtogi llawer ar y gwaith.

Ysgrifennwyd yr ail ran, sef hanes brwydr y boddi, gan geisio mabwysiadu'r safbwynt y byddai fy chwaer wedi ei gyfleu, er y buasai hi, wrth gwrs, wedi gallu ysgrifennu gyda gwybodaeth ac atgofion personol; ond ni ddaw ddoe yn ôl a rhaid bodloni ar gofio Tryweryn fel y ceisiwyd ei groniclo yma. Os methais enwi cyfeillion a chydnabod sylwadau neu ddyfyniadau fel y dylaswn, hyderaf y maddeuir imi. Gosoder y bai arnaf hefyd am unrhyw ddiffygion eraill. Bu dewis y lluniau i'w cynnwys yn dasg digon anodd, ac yn y cyfeiriad hwn rhaid diolch i'r *Cymro* am y caniatâd parod a roddwyd i gynnwys lluniau a ymddangosodd yn rhifynnau'r papur hwnnw.

Dymunir diolch hefyd i'r Llyfrgell Genedlaethol ac Archifdy Gwynedd am y ffotograffau o'u casgliadau hwythau. Diolch i'r Cyngor Llyfrau am eu gwasanaeth, a diolch i Wasg Gomer am eu gwaith cymen.

Rhan 1

CWM CELYN

Hen ruddin ein gwareiddiad, dihafal
   Cyn dyfod diddymiad;
   Mae'r cyfan o'r diflaniad
   Ynghlwm wrth lwfrdra fy ngwlad.

Elwyn Edwards

PENNOD 1

Yr Olwg Gyntaf

I'r gogledd o'r Bala i gyfeiriad Ffestiniog, gorwedd cwm hyfryd o'r enw Cwm Tryweryn. Yn ystod saithdegau'r ganrif hon daeth afon Tryweryn yn fyd-enwog fel man cynnal gornestau llywio canŵod, ond ugain mlynedd yn gynharach brwydr boddi'r cwm a gysylltid â'r lle. Daeth yr enw Tryweryn yn adnabyddus trwy Gymru gyfan a gwelid sloganau ar fin y ffordd mewn llawer lle yn annog y teithiwr i 'Gofio Tryweryn'.

O deithio tua thair milltir i'r gorllewin o'r Bala heibio i bentref Fron-goch, yn hytrach na throi i'r dde am Gwm Tirmynach a Cherrig-ydrudion, cyn hir gwelir llinell wastad ar y gorwel sy'n arwyddo ein bod yn dynesu at argae Llyn Celyn a agorwyd fel cronfa ddŵr dan awdurdod Corfforaeth Dinas Lerpwl yn 1965.

Tryweryn Reservoir oedd yr enw a roddwyd ar y llyn i ddechrau, ond yn ddiweddarach ailenwyd y gronfa yn Llyn Celyn a chollodd Corfforaeth Lerpwl ei gafael uniongyrchol ar y lle.

Wedi mynd heibio i Fron-goch teithir heibio i fynwent sy'n gorwedd ar ochr chwith y ffordd. Dyma lle y safai eglwys Fron-goch a adeiladwyd yng nghanol y ganrif ddiwethaf ond a dynnwyd i lawr ychydig cyn iddi gyrraedd ei chanmlwyddiant.

Ryw hanner milltir arall i fyny'r cwm, gydag afon Tryweryn ar y chwith, gwelir adeilad dymunol a fu hefyd yn fan cysegredig yn ei ddydd. Dyma gapel Ty'n-y-bont a berthynai gynt i'r Annibynwyr ac a gawsai weinidogion o fri yn bugeilio yno. Yn 1986 agorwyd ffatri yn yr adeilad, a thrist i'r rhai a gofia'r capel bach deniadol fel yr oedd, yw sylweddoli'r tro a fu ar fyd.

Ar adegau arbennig daw cannoedd o ymwelwyr i gyffiniau'r hen gapel—nid i addoli, ond yn hytrach i ymweld â man cychwyn y rasus canŵod.

Wedi mynd heibio i Dy'n-y-bont, wynebir rhiw pur serth a ddaw â ni i ben yr argae. Cyn hir gellir gweld ar ochr ogleddol y ffordd ar y tir uchel, y ffermdy helaeth o'r enw Ciltalgarth. Rydym yn awr yn yr ardal a elwid yn yr hen amser yn Gwmwd Ciltalgarth, ond ffermdy arall ar y chwith yn nes at yr argae oedd y Ciltalgarth gwreiddiol. Tŷ Ucha yw'r enw presennol ar y ffermdy hwn, a saif ychydig yn uwch na'r Tŷ Isa sydd ar yr hen ffordd sy'n arwain i waelod yr argae a'r adeiladau lle rheolir llif y dŵr. Dyma'r ddau le isaf yn ardal Capel Celyn.

Mae'r llechwedd o gwrs yr afon gerllaw'r adeiladau i fyny i ben yr argae eang, gwastad ei frig, yn arwydd o'r cludo mawr a fu yn ystod blynyddoedd adeiladu'r argae. Gorchuddir y llechwedd gan laswellt hyfryd, ac mae golygfa wych i'w chael ar ddiwrnod teg, o edrych i lawr dros ran isaf Cwm Tryweryn i gyfeiriad y Bala. Pan yw lefel y dŵr yn isel, gwelir y cerrig enfawr a gludwyd o bob cornel o'r tir a foddwyd.

Cychwyn afon Tryweryn o Lyn Tryweryn, sef llyn bach sy'n gorwedd ar ben uchaf Cwm Prysor i gyfeiriad Trawsfynydd, a rhed yr afon i lawr heibio i weddillion prin pentref Arenig nes ymuno â Llyn Celyn ger safle'r hen raeadr lle'r arferai plant yr ardal ymgynnull i edrych ar yr eogiaid yn neidio.

Ceir rhai pobl yn defnyddio'r sillafiad Arennig am y mynydd, a dyma'r ffurf a welir ar fapiau y dyddiau hyn, ond er i'r gair Arenig awgrymu (yn gywilyddus!) mai chwaer fach i'r ddwy Aran arall ydyw (cf. afon, afonig), dyma'r ffurf y penderfynwyd ei defnyddio yn y gyfrol

Olion y rhaeadr. Diflannodd y coed hyfryd a'r cerrig mawr.

hon. Yr oedd cryn anghysondeb ym mro Tryweryn ynglŷn ag enwau. Er enghraifft, clywid y ffurfiau Arenig Fach ac Arenig Bach, ond ni ddefnyddiwyd erioed Arenig Mawr.

I osgoi unrhyw gamddealltwriaeth ynglŷn ag enwau a ddefnyddir yn y penodau dilynol, hwyrach y dylid egluro bod Tryweryn, Celyn a Chapel Celyn yn cael eu defnyddio, fel arfer, am yr un ardal, ond mai 'pobl Celyn' oedd yr enw a roddid ar y trigolion.

Yn ystod ail hanner 1956, fodd bynnag, yr enw Tryweryn a ddaeth i'r amlwg, ac fe ddaeth yn rhyw fath o arwyddair i'r Cymry hynny a fynnai ddatgan pa mor ddiffrwyth fu ymdrechion y genedl dros y blynydd-oedd i geisio gwrthsefyll y dylanwadau oddi allan. Wrth gwrs, dim ond darn o Gwm Tryweryn a foddwyd, a phaheir i alw'r afon yn Dryweryn uwchlaw'r llyn ym mro Arenig yn ogystal ag islaw'r argae i gyfeiriad y Bala.

Erbyn hyn, ar ôl y boddi, dim ond rhyw bwt o afon yw afon Celyn, a chwyd yn yr ucheldir i gyfeiriad Ysbyty Ifan. Cyn boddi pentref Capel Celyn, rhedai'r afon dan y bont garreg un bwa rhwng y capel a'r ysgol ac i lawr am ryw hanner milltir i ymuno ag afon Tryweryn. Mae'r fan honno yn awr yn ddwfn dan y dŵr tua chanol y llyn.

Ar y mapiau cynharaf o Sir Feirionnydd, sef eiddo Speed a Saxton tua dechrau'r ail ganrif ar bymtheg, cyfeirir at y Tryweryn Flu a'r Kelyn Flu. Felly, mae'r enwau mor hen â hynny os nad yn llawer hŷn.

Er mwyn cynefino â'r ardal, doeth fyddai dechrau sôn am fro Tryweryn o un safle, a pha le mwy addas na chanol pen yr argae ei hun?

O edrych i'r gorllewin dros wyneb y dŵr, gwelir ar y chwith, ryw bwt o fynydd. Dyma Fynydd Nodol. Ymhellach i ffwrdd, eto i'r gorllewin, saif yr Arenig Fawr gyda chreigiau cadarn o'i blaen. Pan oeddwn yn blentyn, clywais yr enw Simdde Ddu ar yr ochr hon i'r Arenig Fawr, ond ni welais yr enw erioed mewn print. Mae'n wir fod yr Arenig tua chan troedfedd yn is na'r Aran, ond yng ngeiriau'r enwog George Borrow yn ei lyfr *Wild Wales:*

> There is something majestic in its huge bulk. Of all the hills which I
> saw in Wales, none made a greater impression than the Arenig.

Ar ochr dde'r Arenig Fawr, wrth edrych dros y llyn, ceir tir is, sef rhan uchaf Cwm Tryweryn uwchlaw'r llyn; ond o symud ein golygon

Nin ar lan afon Celyn, ger y pentref.

Y gwartheg yn y dŵr lle'r ymunai Afon Celyn ag Afon Tryweryn. (Llun: *Y Cymro*)

ymhellach ac edrych i'r gogledd-orllewin, cwyd y tir eto. Dyma grib yr Arenig Fach. Ni ellir gweld a gwerthfawrogi ochr greigiog y mynydd hwn heb fynd yn bur agos at y llyn bychan sy'n cuddio dan ei glogwyn. Fodd bynnag, o'r tir uwchben y bont a adeiladwyd dros afon Celyn gan Gorfforaeth Lerpwl ceir cipolwg o ben y clogwyn.

O ochrau'r Arenig Fach gellir gweld sawl copa a chrib, gan gynnwys Moel Siabod, y Carneddi a'r Wyddfa i'r gogledd-orllewin, gyda'r Berwyn a'r Aran i'r de-ddwyrain. Islaw'r clogwyn, gyda cherrig ateb yn atsain brefiadau'r defaid a chlegar y grugieir, perthynai rhyw awyr-gylch eithriadol o hudol i'r lle. Dywedir na welir y grugieir mwyach, ond deil y distawrwydd mae'n siŵr.

Mae llyn bach hyfryd hefyd yng nghesail yr Arenig Fawr. Dyma gronfa ddŵr tref y Bala. Pan oedd yn ddwy ar bymtheg oed, ysgrifen-nodd llanc o'r Llidiardau gerllaw englyn i'r llyn.

> Llyn araul sy'n llen arian,—cu ydyw
> Mewn caeëdig hafan.
> Llyn croyw, gloyw a glân
> Iach erw fel drych arian.

Fel llawer bachgen o Gymro, ymfudodd Robert Thomas i Utica yn nhalaith Efrog Newydd. Yn 1912 y bu hyn, ond dychwelyd a wnaeth toc ar ôl diwedd y Rhyfel Byd Cyntaf. Dros y blynyddoedd, gyda'i fryd ar 'y pethe', gwasanaethodd 'Bob y Cloddiau' ei ardal fel cynghorydd, adeiladydd a hanesydd lleol. Cysylltai â mi yn achlysurol, gan gyfrannu nifer o ffeithiau am achau ei ochr ef o'n teulu ni.

Ar ein hochr dde o barhau i edrych dros y llyn, gwelir llechweddau a berthynai gynt i dir mynydd Cae Fadog a'r ffermydd eraill. Oddi ar amser y boddi plannwyd cannoedd o goed cóniffer ar y tir hwn, ac mae'r lle'n edrych yn wahanol iawn i'r hyn ydoedd.

Cyn gadael yr argae, hwyrach y dylid ailedrych ar Fynydd Nodol. Ryw filltir i ffwrdd ar y llechwedd gwelir yr hyn a erys o'r ffermdy Penbryn Bach. Saif hwn ychydig uwchben lefel arferol glan y llyn, a rhyw ddau canllath i fyny ochr chwith y mynydd, gellir gweld ychydig o'r graith a adawyd gan y twnelu am fango (fel y galwem ni fanganîs) tua 1890. Yr oedd ceg y gwaith yn amlwg iawn ers talwm ond bellach rhaid craffu i'w gweld. Rhaid craffu rhywfaint hefyd i ddatrys ble y rhedai cledrau'r rheilffordd gynt, ond gellir gweld o hyd y toriad a fu'n llwybr i'r trenau ar eu taith gylchog uwchben ffermdy Penbryn Fawr. (Sylwer mai 'Fawr' fel ar ôl enw'r Tywysog Llywelyn oedd y ffurf ar yr enw a glywid fel arfer, ond clywid yr enw Penbryn ar ei ben ei hun hefyd.)

Diflannodd safle Penbryn Fawr yn ddwfn dan y dŵr, ac er i lawer o gerrig y graig uwchben y tŷ gael eu cludo i adeiladu'r argae, ni ellir gweld o ben yr argae y tri ffermdy arall ar ochr ddeheuol y llyn, sef Gwerngenau, Bryn Ifan a Boch y rhaeadr. Ni foddwyd y ffermdai hyn.

Ymlwybrai'r hen ffordd dyrpeg o'r Bala ryw ganllath neu ddau islaw glan ogleddol y llyn presennol, a daeth hon i'r golwg yn ystod y ddau haf sych a gafwyd oddi ar y boddi. Ar bob ochr i'r ffordd hon safai'r ffermdai y cyfeirir atynt isod. Er mwyn gwneud eu safle'n gliriach, gweler y braslun o'r llyn gyda safleoedd y trigfannau wedi eu rhifo.

Yr agosaf o'r rhain oedd y Tyddyn, neu'r Tyddyn Bychan, a safai ger pen gogleddol yr argae a'r maes parcio.

Ar y dde ar hyd y ffordd i gyfeiriad Capel Celyn o'r Tyddyn, safai'r Tyrpeg, tebyg ei olwg i fwthyn Llainfadyn yn yr Amgueddfa Werin yn Sain Ffagan gyda'i gerrig mawr a'i ffenestri bach. I'r tŷ hwn y cludwyd y post pan ddaeth y cyfleuster hwnnw gyntaf i'r ardal yn y ganrif ddiwethaf.

Ychydig yn nes at Gapel Celyn, eto ar ochr dde'r ffordd, safai Hafod Fadog gydag ochr y tŷ yn cydredeg â'r ffordd, a llidiart bychan yn

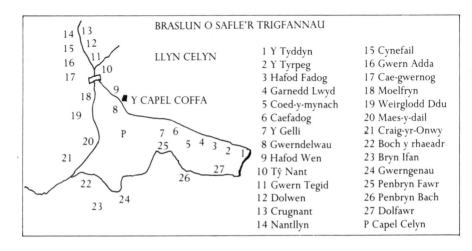

BRASLUN O SAFLE'R TRIGFANNAU

LLYN CELYN

Y CAPEL COFFA

1 Y Tyddyn	15 Cynefail
2 Y Tyrpeg	16 Gwern Adda
3 Hafod Fadog	17 Cae-gwernog
4 Garnedd Lwyd	18 Moelfryn
5 Coed-y-mynach	19 Weirglodd Ddu
6 Caefadog	20 Maes-y-dail
7 Y Gelli	21 Craig-yr-Onwy
8 Gwerndelwau	22 Boch y rhaeadr
9 Hafod Wen	23 Bryn Ifan
10 Tŷ Nant	24 Gwerngenau
11 Gwern Tegid	25 Penbryn Fawr
12 Dolwen	26 Penbryn Bach
13 Crugnant	27 Dolfawr
14 Nantllyn	P Capel Celyn

arwain i dramwyfa a lediai heibio i ffenestr y parlwr at y drws ffrynt a wynebai i'r dwyrain. Arweiniai'r ffordd wedyn i fyny drwy wig o goed cnau ac eirin duon at Garnedd Lwyd a safai ar ochr chwith y ffordd beth pellter oddi wrth, a thipyn yn uwch ei lefel nag, afon Tryweryn.

Gwahanol iawn oedd safle Coed-y-mynach. Safai hwn ryw dri chan-llath i lawr rhiw pur serth o Garnedd Lwyd i gyfeiriad Capel Celyn eto. Yr oedd y ffermdy hwn gryn dipyn yn is na lefel y ffordd ac mewn man digon gwlyb, ond ar y llaw arall roedd y drigfan nesaf, sef Cae Fadog, tua thri chanllath ymhellach i'r gorllewin ac mewn man deniadol uwchben y ffordd, yn dŷ gwych ac urddasol.

Y ffermdy olaf cyn cyrraedd y pwt o bentref oedd y Gelli, neu'r Gelli Uchaf. Fel Coed-y-mynach safai'r Gelli lathenni islaw lefel y ffordd. Yn union uwchben ffermdy'r Gelli ar ochr y ffordd safai arwyddbost haearn y cyngor sir yn dynodi bod y lle chwe milltir o'r Bala. Rhedai nentydd heibio i Hafod Fadog a Chae Fadog, a rhedai dŵr mewn ffos, haf a gaeaf, heibio i'r Gelli.

Hanner milltir arall o deithio, heibio i ddwy fasarnen a elwid gynt 'y goeden fawr' (nad oedd mor fawr), a'r 'goeden fach' (coeden enfawr a gafodd ei henwi pan oedd eto'n fechan), a dyna ni wedi cyrraedd pen y daith, sef pentref Capel Celyn.

Yn wahanol i'r drefn adeg boddi Llanwddyn a'r cylch tua diwedd y ganrif ddiwethaf gan yr un awdurdod, sef Corfforaeth Dinas Lerpwl, dinistriwyd yn llwyr bob adeilad yn ardal Celyn a oedd i gael ei orchuddio gan y dŵr. Cludwyd muriau'r fynwent i ffwrdd hefyd.

Safai'r capel a'r fynwent a dau dŷ ar ochr Ffestiniog i afon Celyn ac o dan y dŵr yr aeth y cyfan. Defnyddiwyd cerrig o furiau'r fynwent a'r capel i amgylchynu'r ardd ger y Capel Coffa ar fin y dŵr wrth ochr y ffordd newydd. Wedyn gosodwyd cerrig beddau'r meirwon a adawyd yn y fynwent ar hyd muriau'r ardd, ond ni chladdwyd neb yn yr ardd ei hun.

Erbyn heddiw mae'r llyn a'r ffordd newydd wedi cymryd eu lle fel rhan naturiol a dymunol o'r olygfa ar y daith o'r Bala i'r Blaenau ac nid hawdd yw dychmygu'r gorffennol. Eto dylid, yn ystod ein golwg gyntaf, fynd i ben pellaf y llyn gyferbyn â'r argae ac edrych yn ôl.

O adael pen yr argae wrth y maes parcio a theithio ymlaen ar hyd y ffordd newydd i gyfeiriad Ffestiniog, sylwir bod y ffordd bob yn dipyn

Cerrig beddau a symudwyd o'r fynwent sy'n awr ger y capel coffa.

Golygfa i lawr Cwm Tryweryn. (Llun: *The Times*)

yn gwyro i'r dde tua'r gogledd ac yn dilyn braich y llyn nes cyrraedd y bont a godwyd dros afon Celyn pan adeiladwyd y ffordd. Try'r ffordd i'r chwith wedyn gan godi heibio i Faes-y-dail, sy'n dal i sefyll ar y chwith, a mynd cyn belled â'r maes picnic ger Craig-yr-Onwy lle'r ymuna'r ffordd newydd â'r hen. Mae'n werth chweil oedi ar y maes picnic ac edrych i lawr i'r dwyrain dros wyneb y llyn gyda'r argae yn y pellter. O'r fan hon gwelir holl hyd y dŵr sy'n gorchuddio'r tir a elwid yn Gwm Tryweryn.

PENNOD 2

Hanes Cynnar yr Ardal

Mae nifer o awgrymiadau wedi eu cynnig ynglŷn â tharddiad y gair Celyn. Ar y mapiau cynharaf ceir y gair Kelyn sy'n cyfeirio at yr afon. Hefyd yn 'Inspeximus', Siarter Edward I, gyda'r dyddiad 12 Mawrth 1287 cyfeirir at y ddwy afon Tarwerign a Kelin. Felly, mae'n amlwg bod yr enwau yn hen iawn ac yn faes ffrwythlon i'r dychymyg.

Ai hwn, tybed, oedd cwm y gelyn lle byddai milwyr neu herwyr yn llechu ac yn gwylio eu cyfle i ymosod ar deithwyr neu elynion, a'r rheini, efallai, yn cilio 'am nodded' i Gwm Amnodd gerllaw'r Arenig Fawr? Wedi'r cyfan, yr oedd dau lwybr, neu ddwy rodfa, yn croesi'r cwm. Deuai un o Lanuwchllyn, heibio i Fryn Ifan i fyny at Ysbyty Ifan (neu Ysbyty Ieuan i roi ei enw cynharach), a oedd yn un o ganolfannau Ysbytywyr Sant Ioan o Gaersalem yng ngogledd Cymru. Derbyniodd yr Ysbytywyr y tir yng Nghwm Dolgynwal gan Llywelyn ab Iorwerth yn 1190 a buont yno tan 1541 pryd y diddymwyd yr ysbyty a meddiannu'r tir gan Harri VIII. Yr oedd y rhan fwyaf o'r canolfannau dan reolaeth Ysbyty Halston ger Amwythig, ond beth bynnag oedd eu swyddogaeth, mynnai Siôn Wynn o Wydir eu bod fel ogofâu lladron yn croesawu ffoaduriaid ac yn rhoi lloches i droseddwyr. Mae'n bur sicr felly i ardal Tryweryn weld llawer o'r teithwyr hyn.

Awgrym arall a wnaed oedd bod gŵr sanctaidd o'r enw Celi wedi teithio drwy ardal Tryweryn a bod y lle wedi mabwysiadu'r enw, ond ni welwyd tystiolaeth i gefnogi'r awgrym.

Yn Nyffryn Clwyd ceir pentref o'r enw Pentre Celyn, ac awgrymodd y diweddar Frank Price Jones, awdur *Crwydro Gorllewin Dinbych*, mai Pentref Cae Heilyn oedd sylfaen yr enw. Er bod yr eglurhad hwn yn un diddorol, prin y gellir ei dderbyn mewn cysylltiad â Chelyn. Credir yn gryf i'r enw Capel Celyn gael ei ddefnyddio ar ôl adeiladu'r capel cyntaf yn 1820.

Wrth y sarn a groesai'r afon, y cyfeiriwyd ati uchod, yr oedd pistyll na sychodd unrhyw haf ac mae'n eithaf tebyg i'r teithwyr ddiwallu eu syched yma. Bu'r pistyll hefyd yn cyflawni anghenion dŵr y pentrefwyr ac Ysgol Celyn nes i'r cyngor dosbarth, yn y tridegau, benderfynu cael tap ar ochr y ffordd. Yr oedd pwmp dŵr hefyd ar ochr y ffordd islaw'r ysgol, ond ni welais erioed ddŵr yn dod ohono.

Ymddengys mai tenau iawn oedd poblogaeth ochrau'r Berwyn a'r Arenig yn yr hen amser. Rhywbeth a ddaeth gyda'r Normaniaid oedd y cestyll mawr a'r trefydd. Cyn hynny yr oedd Cymru wedi ei rhannu yn gantrefi a chymydau, a chafwyd rhaniadau o'r fath ym mro Tryweryn. Yr oedd Ciltalgarth yng nghwmwd Penllyn, a bryd hynny rhennid plwyf Llanfor yn ddarnau gyda'r enwau Tre'r Llan, Rhiwaedog Uwch ac Is Afon, Pen Maen, Llawr y Betws, Ucheldref, Garth, Nant Lleidiog a Chiltalgarth, ond ni pharhaodd y rhaniadau i lawr yr oesoedd. Yng Nghelyn ers talwm, defnyddid y ffurfiau Tre Ciltalgarth am dir ar ochr ogleddol afon Tryweryn, ac Uwch Mynydd ym mhlwyf Llanycil am y tir ar yr ochr ddeheuol.

Yn amser y tywysogion Cymreig, y tebygrwydd yw i'r ardal ddod dan reolaeth Bleddyn ap Cynfyn a fu farw tua 1075. Yr oedd ef yn hanner brawd i Gruffudd ap Llywelyn a fu farw yn 1063, ond nid oedd Bleddyn yn dysywog annibynnol fel Gruffudd. Ymddengys mai ŵyr i'r Bleddyn hwn, a mab i Faredudd, oedd y Madog a fu farw yn 1160 ac a oedd yn briod â Susanna, merch Owain Gwynedd. Tybir mai Madog oedd yr olaf o'i linach i reoli fel tipyn o frenin ar Bowys.

Perthynai'r enw Madog i deulu Nannau ond daeth Ciltalgarth yn eiddo iddynt gyda Madog Hyddgam o Giltalgarth yn haeddu'r sylw amlycaf am iddo werthu cryn dipyn o dir y faenor i fynachod Sister-saidd Ystrad Marchell. Ceir tipyn o achau teuluol yr uchelwyr a drigodd yn y maenordy gan J. Y. W. Lloyd, Clochfaen, yn ei *The History of the Princes, the Lords Marcher and the Ancient Nobility of Powys Fadog* (Whiting 1887), Cyfrol 5, ond ni roddir fawr o le i enwau'r merched a briodwyd.

Dywedodd fy nhad, a ysgrifennodd nifer o erthyglau yn *Y Seren* am ardal Celyn, iddo glywed eglurhad arall eto ynglŷn ag enw'r ardal gan ŵr dawnus o Benmachno a oedd yn adeiladydd adnabyddus yn ei ddydd. Ei enw oedd O. Cethin Jones a chredir bod copi neu ddau o'i lyfryn ar hanes Ysbyty a'r cylch yn dal ar gael. Daliai'r hanesydd lleol hwn bod y rhan uchaf o Gwm Celyn, sy'n terfynu â Thir Ifan, sef Ysbyty, yn agos i derfyn tair sir ac yn ganolbwynt gogledd Cymru; bod yr ardal hon yn y canol rhwng llys Owain Gwynedd yn Aberffraw a llys

Bleddyn ap Cynfyn yn y Castell Coch ym Mhowys, ac mai'r un pellter sydd oddi yma i Gastell Cricieth yn y gorllewin ag sydd i Gastell y Waun (Chirk) yn y dwyrain. Y traddodiad yn ôl Cethin Jones oedd bod brwydrau gwaedlyd wedi digwydd yn y cyffiniau hyn gyda chymoedd Celyn a Thryweryn o fewn tywysogaeth Bleddyn a bod un frwydr arbennig iawn wedi cael ei hymladd ar y gwastadedd gerllaw yr afonig Celyn islaw fferm o'r enw Cefn Gwyn ar ochr Arenig Fach i Ysbyty Ifan. Yn y fan hon yr oedd rhyd ar yr afon a ddefnyddid o leiaf hyd ddechrau'r ganrif hon, a dywedid fod y lladdedigion ar ôl y frwydr yn bentyrrau duon o amgylch y rhyd. Cynigiai'r hanesydd yr enwau canlynol fel tystiolaeth i ddilysrwydd y frwydr, sef Cefn Coch, Nant Goch, Nant y Fyddin a Chwm y Gylchedd, sef cwm y cylch hedd lle bu'r ymladdwyr yn ymgasglu i geisio cytuno ar amodau heddwch. Cyn dyfodiad y trenau a'r ceir modur yr oedd cysylltiad agos iawn rhwng Ysbyty Ifan a Chelyn, a gwyddai'r trigolion yn dda am y lleoedd hyn.

Yn ôl Syr John E. Lloyd yn ei *History of Wales*, ymunodd Llywelyn Fawr, a oedd yn ŵyr i Madog ap Maredudd, â'i gefndyr, meibion Cynan ab Owen, i gipio rhan helaeth o'r Berfeddwlad yn 1194. O ganlyniad, daeth yn nerthol iawn rhwng 1193 a 1203, a gorchmynnodd i fân dywysogion yn ardaloedd Penllyn, gan gynnwys broydd Tryweryn, ddod i'w wasanaeth ar gyfer ei anturiaeth filwrol i Bowys yn Awst 1202.

Ymddengys i bob un ohonynt, ar wahân i Elise ap Madog a oedd yn berchen tir yng Nghwm Tryweryn, roi eu gwasanaeth. O ganlyniad, difeddiannwyd Elise yn llym. Collodd bron ei holl dir ym Mhenllyn a'i gastell yn y Bala, a bu'n rhaid iddo fodloni ar fân diroedd a Chastell Crogen ym mhlwyf Llandderfel.

Yn cydoesi â Llywelyn yr oedd Madog ap Gruffydd, Arglwydd Powys a thad Madog Fychan, a chredir mai hwn a roddodd ei enw i Hafod Fadog a Chae Fadog yng Nghwm Tryweryn.

Yn ogystal â'r ddwy fferm hyn, yr oedd enwau tra diddorol ar leoedd eraill yn yr ardal hefyd. Hyd y gwyddys, nid oedd yn y fro ddim y gellid ei olrhain i'r cyfnod derwyddol, ond mae carnedd hirgron ar dir Bryn Ifan, nid nepell o'r Arenig Fawr. Gelwid y fan yn Bedd Cawr ac mae traddodiad bod cleddyf wedi cael ei ddarganfod yn y ddaear yno, ond ni ŵyr neb ble'r aeth y cledd! Y posibilrwydd yw mai claddfa o'r cyfnod cynnar ydyw. Yn ddigon rhyfedd, ni sylwyd ar enw'r safle ar unrhyw fap. Pan welais John Morris Jones, gynt o Fryn Ifan, ddiwethaf, gofynnais iddo a gofiai ef lle'r oedd y fan. Treuliodd John dros drigain mlynedd yno a chofiai ef yn dda am y lle.

Yn ogystal â'r llwybrau pererinion y cyfeiriwyd atynt uchod, mae profion amlwg i'r Rhufeiniaid hefyd adeiladu o leiaf ddwy ffordd yn yr ardal y gellir eu holrhain hyd heddiw. Er enghraifft, ar yr ochr dde i ffordd y Migneint uwchben gweddillion Tai-hirion, gall y teithiwr sy'n wynebu Ffestiniog weld pont un bwa fechan yn croesi nant islaw'r ffordd. Dyma'r bont Rufeinig yn ôl traddodiad bro.

Erbyn hyn, ar ôl adeiladu'r gronfa ddŵr, anodd iawn yw gwa-haniaethu rhwng tyrrau o gerrig a gweddillion cabanau a hafotai, ond mynnai fy nhad fod olion nifer o gabanau—cutiau Gwyddelod, fel y gelwid hwy—wedi eu darganfod ar lechweddau uchaf y mynyddoedd. Yr eglurhad a gynigiwyd am eu lleoliad oedd bod y tir isel ym mro Tryweryn ac afon Celyn yn gors, gwern a choedwig. Awgrymir hyn gan enwau'r ffermdai, sef Gwern Adda, Cae-gwernog, Gwerndelwau a Gwerngenau.

Dyma englyn i'r gors o eiddo Gwynlliw Jones, Crugnant, a dreuliodd ei oes yng Nghwm Celyn ac sydd, yn yr wythdegau, yn dal i fyw a bar-ddoni ym mhen uchaf y cwm, gyda'i ddefaid yn pori yng nghyffiniau cors Cefn Gwyn.

> Tir brwynog rhwng tor bryniau,—neu siglen
>   Fwsoglyd y pyllau.
>   Gorwyllt a lleithiog erwau,
>   Yn nhir hon ofer yw hau.

Er bod ardal Celyn ar y ffin ac mewn lle diarffordd, ceir cyfeiriadau at 'Moch Raiadr', neu 'Foch y rhaeadr', yn *History of Powys Fadog*, Cyfrol 6, gan J. Y. W. Lloyd. Cyfeirir at y lle 'situated in the parish of Llanvihangel in the comote of Mignant', a gwelir bod cwmwd Mignant yn cynnwys plwyfi Llan Uwch Llyn a Llanvihangel.

Yn annisgwyl iawn, ni welir Boch y rhaeadr ar fapiau o'r ardal tan yn ddiweddar iawn. Ni cheir dim ar fapiau Speed a Saxton yn yr ail ganrif ar bymtheg, ac ni nodir y lle gan Archer yn 1850 ychwaith, ond yr oedd y fferm yno yn bendant.

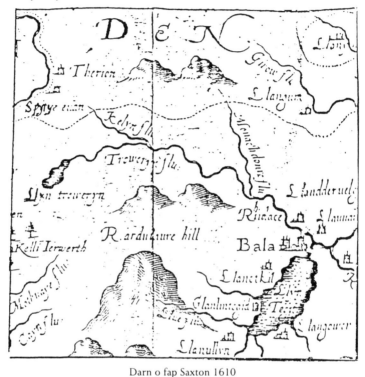

Darn o fap Saxton 1610
Sylwer bod Tai-hirion wedi ei leoli i'r gogledd o Ysbyty Ifan yn lle ar y Migneint.
The Times Saturday 20 October 1956

Yn yr archifdy yn Nolgellau, ceir dogfennau yn cyfeirio at y lle. Er enghraifft, cyfeirir at achos a chytundeb yn 1584 mewn cysylltiad â Llys Mawr Meirionnydd yn y Bala. Wedyn yn 1632 ceir cyfeiriad at gytundeb mewn cysylltiad â phriodas rhwng John Price, mab ac etifedd Ellis Price 'of Boch yr Hayad—township Gwernhefin commote of Penllyn' ac Ann, merch 'Robert ap Richard of Prysor'. Yn 1670, ar y llaw arall, 'Boch y rhayadr' a geir yng nghytundeb priodas Robert Price â Gaynor o Graig Ronw. Wedyn yn 1697, cyfeirir at briodas Ellis Price ag Elizabeth Evans, merch y Cyffty, sef plasty yn ardal y Parc. 'Boch y Rhauadr' oedd y sillafiad erbyn hyn.

Yn ôl *History of Powys Fadog* eto, cafodd Boch y rhaeadr ei drosglwyddo i fynachod Ystrad Marchell gan Wenwynwyn, Tywysog Powys, a throsglwyddwyd y tir i fyny at y lle hefyd ar yr amod bod dau ebol o 'frid uwch', a ddygwyd yn wreiddiol o Sbaen gan Robert de Belesme, Iarll Amwythig, yn cael eu rhoi bob blwyddyn i'r Tywysog Llywelyn ap Iorwerth, sef Llywelyn Fawr (1173-1240), a bod y Tywysog a'i osgordd ar eu taith drwy'r Migneint, i gael hawl lletya noson. Golygai hynny y gallai'r mynach neu'r mynachod a drigai yno gael eu gorfodi i fwydo cymaint â phum cant o helwyr a'u cŵn, ond ni ddarllenwyd i'r fath niferoedd erioed aros yno.

Ymddengys i Edward I roi i uchelwr o'r enw Hugo de Turberville, 'the liberty of hunting through Merionethshire all kinds of wild beasts'. Bu gan deulu'r Turberville gysylltiad â Chastell y Bere ac mae'n bosibl i Hugo, a deithiodd yn helaeth yng Nghymru, ymweld â'r ardal. Hefyd, yn 'Inspeximus', Siarter Edward I, ceir sôn am Elise ap Madog a daliad tir gan y mynachod ym Mhenllyn. Wedyn, yn nechrau'r bymthegfed ganrif, cofnodir hawliau a dyletswyddau Kyltalgarth yn Stent Sir Feirionnydd.

Perthynai i'r mynachlogydd diroedd a hawliau eang yng ngogledd Cymru. Er enghraifft, cafodd mynachlog Ystrad Marchell hawliau pori helaeth yn ardal Cwm Tirmynach yn ogystal ag yng Nghwm Tryweryn. Esiampl arall o fynachlog yn derbyn tir, dŵr a hawliau ym Mhenllyn oedd Abaty Dinas Basing ger Treffynnon. Daliwyd tir yn ardal Tryweryn ganddynt yn yr unfed ganrif ar bymtheg a chyflwynodd Owen de Brogyntyn Lyn Tegid iddynt. Er i'r llyn gymryd ei enw oddi ar Tegid Voel, Arglwydd Penllyn, sef mab Cadell Deyrnllug, cawsai'r enw Pemblemere am gyfnod hir yn y Canol Oesoedd.

O ganlyniad i Ystatud Rhuddlan yn 1284, ffurfiwyd tair sir yng Ngwynedd dan ofal y prif farnwr Odo de Havering, ac yr oedd ardal Celyn a Thryweryn o fewn Meirionnydd a than bawen de Havering yn y cyfnod hwn.

Yn y Canol Oesoedd wynebai'r Cymry nifer o rwystrau. Er enghraifft, yn 1446-47 aethpwyd ati i rwystro unrhyw Gymro rhag masnachu mewn ffair na marchnad, rhag pobi a gwerthu bara, rhag bragu a gwerthu cwrw mewn unrhyw dref yng ngogledd Cymru. Oherwydd uchder y tir, mae'n eithaf tebyg, yn ôl cyfraith Hywel Dda, mai eiddo'r cwmwd oedd y tir gwyllt, y bryniau a'r ucheldir yn ardal Celyn, gyda dim gwahaniaeth i fod, felly, rhwng hawliau uchelwr a thaeog ynglŷn â'r borfa gyffredin. Ond i ddwylo'r uchelwyr yr aeth y berchenogaeth o dipyn i beth.

Yn Siarter y Bala yn 1344, gorchmynnwyd rhwystro unrhyw un rhag byw yn y dref er mwyn masnachu os na fyddai'n aelod o'r Urdd Fasnachol; ond gallai'r masnachwyr lleol roi caniatâd iddynt fasnachu a chodi arian am wneud hynny. Yn nwylo'r Bwrdais yr oedd y felin ŷd hefyd, yn wahanol i leoedd eraill fel Caernarfon lle cedwid melinau gan unigolion.

Oherwydd bod cymoedd Celyn a Thryweryn yn rhai anghysbell, mae'n bosibl na fu'r rhwystrau a'r amodau marchnata annheg hyn yn hollol effeithiol, ond diddymwyd hwy, maes o law, gan Harri VIII yn 1507. Mae'n debyg i drigolion tlawd y wlad glodfori'r Brenin am hyn, ond cythruddwyd pobl y Bala, ac anfonwyd deiseb i Harri Tudur yn cwyno na fyddai'r dref yn gallu manteisio mwyach ar y tollau a godid ar drigolion Penllyn a ddeuai i'r dref i farchnata.

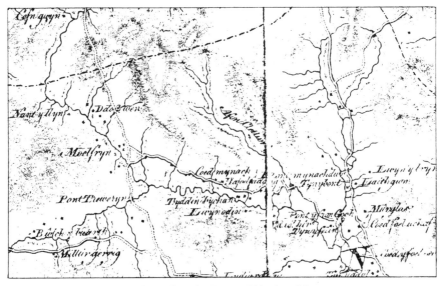

Rhan o fap John Evans (1798) o'r ardal.

PENNOD 3

Y Tirfeddianwyr

Cyfarwydd iawn i blant ysgolion Cymru yw hanes Harri yn glanio yn Sir Benfro o Ffrainc ac yn cerdded i'r gogledd ar draws y wlad i ennill brwydr enwog Bosworth a ddaeth â'r Tuduriaid i orsedd Lloegr. Llai adnabyddus yw'r ffaith i fyddin gael ei chodi yng Ngwynedd dan William ap Gruffydd o Benrhyn i gynorthwyo byddin Harri yn erbyn Richard a'i filwyr. Hefyd, casglwyd gwŷr o'r Berfeddwlad dan William ap Hywel o Fostyn, ac nid rhyfedd felly i achos y Lancastriaid gael ei ystyried fel achos Cymru gan lawer o feirdd y dydd.

Meddai Robin Ddu:

> Y mae hiraeth am Harri
> Y mae gobaith i'n hiaith ni.

Un o'r agweddau tristaf, efallai, yw bod y Cymry'n meddwl bod y nod wedi ei gyrraedd ar ôl cael hanner Cymro ar orsedd Lloegr. Gellid dadlau, fodd bynnag, nad bendith ond melltith anuniongyrchol fu'r datblygiad hwn i Gymru. Diffoddwyd llawer o'r ysbryd cenedlaethol a rhannwyd llawer o dir ym Mhenllyn—fel mewn lleoedd eraill—ymysg noddwyr a ffefrynnau'r Brenin.

Ymddengys fod tystiolaeth i Harri VII ymfalchïo yn ei Gymreictod ar Wyliau Dewi Sant yn Llundain. Pryderai hefyd am y tensiwn a'r elyniaeth a fodolai rhwng y Cymry a'r Saeson. Un ffordd o leihau hyn, yn ei farn ef, oedd trwy ddileu unrhyw ddefnydd o'r hen gyfreithiau Cymreig—cyfreithiau Hywel Dda—a barhâi mewn bodolaeth mewn lleoedd gwledig fel Penllyn. Y ffordd sicraf, fodd bynnag, oedd trwy ledaenu'r 'King's English' trwy'r wlad.

Ac yna daeth Harri VIII i gyflawni'r gwaith. Undod oedd y gair allweddol i'w bwysleisio yn ei Ddeddf Uno yn 1536. Yr oedd Cymru 'to be incorporated, united and annexed to England', gyda'r drefn Seisnig o etifeddu i gael ei mabwysiadu.

Un peth eithaf sicr yw y bu'r mwyafrif o'r uchelwyr Cymreig yn ddigon pleidiol i'r uno. Yr oedd y werin yn geidwadol a difenter ar y cyfan, heb fawr o wybodaeth am y sefyllfa wleidyddol. Yn anffodus, ni wireddwyd gobeithion Owain Glyndŵr a ddatganwyd yn swyddogol yng nghynulliad Pennal, Meirionnydd, yn 1406, y dylai Cymru gael dwy brifysgol. Bu ymfudo cyson o blith y deallus a'r breiniol i lecynnau heulog iawn yn Llundain y Tuduriaid.

O ran bywyd economaidd y gwladwr mewn ardaloedd fel Cwm Tryweryn, bu amserau caled yng nghyfnod y Tuduriaid pryd y gwelwyd cynnydd dychrynllyd mewn prisiau—ŷd saith gwaith yn uwch ei bris, a gwartheg tua chwe gwaith y pris blaenorol.

Gwelir enghraifft o'r duedd genedlaethol i glosio at y Saesneg a'r Saeson yn hanes teulu enwog y Rhiwlas ym mhlwyf Llanfor, perchenogion y rhan fwyaf o'r tir yng Nghwm Tryweryn. Gwelwn, o graffu ar achau'r teulu, dystiolaeth helaeth o arferion y cyfnod hwnnw yng Nghymru, sef newid yr enw teuluol a mabwysiadu'r enw Price yn lle Prys, ymuno fel swyddogion ym myddin Prydain a phriodi i deulu-oedd o Loegr.

Hawlia teulu'r Rhiwlas, fel y Wynniaid, eu bod yn ddisgynyddion o Farchweithian, ond i'n pwrpas cyfyngedig ni, gellir dechrau olrhain tipyn o hanes y teulu gyda Rhys ap Maredudd (neu Feredydd) heb drafferthu i'w ddilyn yn ôl i Rhirid Flaidd, Arglwydd Penllyn. Trigai Rhys Fawr a'i wraig Lowri yn y Foelas yn ardal Pentrefoelas, yr ochr draw i'r Foel Boeth o Gwm Celyn.

Y weithred a'i dyrchafodd ef, fel William o Benrhyn, yng ngolwg ei frenin, oedd codi byddin leol a cherdded i Bosworth. O ganlyniad i hyn, daeth ef a'i deulu i dderbyn llawer ffafr gan Harri a'i ddisgynyddion. Ceir arwydd o'i bwysigrwydd yn y ffaith iddo ef a'i wraig gael delwau alabaster wedi eu cerflunio ohonynt er cof ac anrhydedd iddynt yn eglwys y plwyf, Ysbyty Ifan.

Daeth ei fab Robert, dan gyfarwyddyd Wolsey, yn un o gaplaniaid llys Harri VII, a gofalodd am ei fuddiannau ei hun yn dra llwyddiannus oherwydd cyflwynwyd iddo gan Harri VIII—pan ddiddymodd hwnnw'r mynachlogydd—holl diroedd Dolgynwal, sef ardal Ysbyty Ifan, nid nepell o Gelyn, yn ogystal â rhan fawr o Benllyn, lle sefydlodd ei fab Cadwaladr deulu'r Rhiwlas a fu'n feistri tir yn ardal Tryweryn tan amser y boddi.

Diddorol yw'r ffaith i'r Syr Robert ap Rhys ap Maredudd hwn briodi â Chymraes ym Mared, merch Rhys Llwyd o'r Gydros ym mhlwyf

Llanfor. Yn ôl Bob Owen yr oedd i'r ffermdy hwn gymaint os nad mwy o hawl i'w adnabod fel cartref Edmwnd Prys na'r Gerddi Bluog, ond stori arall yw honno.

Sylwer bod Syr Robert yn parhau i ddefnyddio'r 'ap' yn ei enw. Rowland Lee, Esgob Lichfield, dyn prin ei gydymdeimlad a gŵr a fu'n llywydd ar Gyngor Gororau Cymru, gafodd y bai gan lawer am fod yna gymaint o Jonesiaid yng Nghymru. Gosododd reol fod yn rhaid dileu'r arferiad o ddefnyddio'r 'ap' a chyfyngu'r enw i un gair neu fabwysiadu cyfenw. Un stori o ddiddordeb yw mai un Thomas ap Richard ap Howel ap Ieuan Fychan o Fostyn oedd y cyntaf i gydweithredu, gan ei alw ei hun yn Mr Mostyn. Felly, os gwir y stori, Rowland Lee oedd y meistr cyntaf ar Mistar Mostyn!

Mae'n debyg mai ŵyr Syr Robert oedd yr olaf i ddefnyddio'r 'ap', ond o dipyn i beth, gollyngodd y ffurf Siôn Wynn ap Cadwaladr a defnyddio'r enw John Wynne. Bryd hyn, cyn y Seisnigo, cadwai teulu'r Rhiwlas feirdd. Dau o'r rhain oedd Ieuan Tew a Huw Pennant, a chanmolent hwy Gymreictod y penteulu ac anian groesawgar Jane y wraig. I'r pâr hwn ganwyd mab o'r enw Cadwaladr ac ymddengys mai ef a fabwysiadodd yr enw Price. Bu ef yn Aelod Seneddol dros Sir Feirionnydd am gyfnod byr ond cadwodd ei ddiddordeb yn ei wreiddiau. Dyma gwpled o eiddo Edward ap Gruffydd amdano:

> Llys rydd a phob lles i'r iaith
> Cadwaladr a'i ceidw eilwaith.

Mae olrhain hanes teulu'r Rhiwlas i lawr i'r Price presennol yn fater hawdd gan fod llyfryn yn y Llyfrgell Genedlaethol a sgrifennwyd gan yr yswain a drigai yno tua chanrif yn ôl. Un ffaith amlwg yw bod y teuluoedd yn y Rhiwlas, Rhiwaedog, y Foelas, y Faenol, Llanelwy a Chastell March, Sir Gaernarfon, wedi trefnu priodasau doeth er mwyn cadw eu cyfoeth. Bu un neu ddau o'r teulu yn lwcus hefyd. Roedd un ohonynt, William Price (1619-1691), yn gyrnol ym myddin Siarl I, ond oherwydd bod ei wraig Mary yn chwaer-yng-nghyfraith i ŵr o ddylanwad ym myddin Plaid y Senedd yn y Rhyfel Cartref, arbedwyd bywyd William pan gollodd Siarl y dydd.

Yn nes ymlaen, bu William arall yn y teulu. Dywedir bod hwn yn dipyn o hynafiaethydd a'i fod wedi ymddiddori mewn eisteddfod a gynhaliwyd yn y Bala yn 1738, ond eithriad oedd ef yn y cyfnod hwnnw. Trefnwyd priodasau ag aelodau o deulu Watkin o'r Garth Lwyd, plasty urddasol iawn ym mhlwyf Llandderfel a hefyd deulu Bulkeley o Sir Fôn, ond gyda'r meibion yn ymuno â'r fyddin daeth merched o Loegr i berthyn i'r teulu.

Ymysg y dynion yn y teulu yr oedd Richard Price (1720-1775), Richard Tavistock Watkin 'otherwise called Richard Price' (1755-1794), Richard Watkin Price (1780-1860) a Richard John Lloyd Price (1843-1923). Ŵyr i Richard Watkin oedd R. J. Lloyd Price, dyn diddorol iawn. Mewn un cyfeiriad at ei daid dywed mai Syr Watkin Price oedd yr un *'who brought to justice the last two felons ever to be hung for stealing sheep'.* Ni ddatgelodd yr awdur beth oedd sefyllfa deuluol ac ariannol y ddau leidr na beth fu tynged y gweddwon a'r plant.

Er iddo briodi â Saesnes, sef Evelyn Gregge-Hopwood, a sgrifennu yn Saesneg, cymerodd Lloyd Price ddiddordeb mawr yn ei achau a hanes ei fro. Ceir tystiolaeth o hyn yn y llyfryn y cyfeiriwyd ato eisoes, sef *The History of Rulace or Rhiwlas: Ruedok or Rhiwaedog: Bala, its Lake: The Valley of the Dee: and much more of Merioneth and Counties Adjacent Thereto.* Teitl pur gyflawn onid e? Ysgrifennodd hefyd lyfrau ar helwriaeth e.e. *Rabbits for Profit and Rabbits for Powder* (1884) a *Practical Pheasant Rearing* (1888).

Perthyn yr hawliau saethu ym mhlwyf Llanfor i'r teulu hyd heddiw a dywedid y byddai partïon saethu pur afradlon yn cael eu cynnal yn amser Lloyd Price a hoffai'r bywyd bras. Erbyn amser fy mhlentyndod i yr oedd cyfoeth y teulu wedi lleihau yn arw a'r ystad dan forgais mawr, felly gosodid y saethu i gyfoethogion eraill. Bu llawer ohonom ni, glaslanciau-prin-eu-pres-poced yn ardal Celyn a Chwm Tirmynach yn 'beaters' i'r saethwyr hyn yn eu ceir crand. Byddai'n llygaid yn agor i'r eithaf wrth wylio'r 'byddigions' yn agor eu bagiau a'u bocsys ac yn dechrau bwyta eu picnic ganol dydd, yn enwedig y merched a ddilynai eu gwŷr i'r 'byts' yr oedd y ciperiaid wedi eu hadeiladu ar gyfer y saethwyr. Bwytaem ninnau ein brechdanau digon plaen gan wylio fel cŵn a gobeithio y teflid paced o ddanteithfwyd i'n cyfeiriad. Er i'r saethwyr, mae'n debyg, ein hystyried yn rhyw lanciau hanner gwyllt yn parablu mewn iaith ryfedd, ni chofiaf i neb ohonom fod yn eiddigeddus iawn. 'Byddigions' oedd 'byddigions' i ni bryd hynny; Duw mawr wnaeth y trefniant ac ni fyddai neb yn cwestiyna egwyddor y gwahaniaeth rhyngom ni a nhw.

Wedi'r cyfan, yr oedd gennym freintiau. Un fendith o wybod lleoliad a dydd y saethu—gallai fod mewn un o nifer o leoedd, fel mynydd Cae Fadog neu 'Scotland' y drws nesaf i dir yr Arglwydd Penrhyn i gyfeiriad Llyn Conwy—oedd y gallai'r rhai brwdfrydig yn ein plith ymweld â'r fan y noson cynt i saethu 'growsyn' neu ddau cyn iddynt gael eu haflonyddu gan y saethwyr swyddogol. Yn wir, cwynai'r ciperiaid yn aml am ein diffyg brwdfrydedd wrth gerdded ochr yn ochr mewn rhes a'n methiant i gadw twrw i godi'r adar. Cwynid hefyd na chedwid yr un pellter rhwng pob 'beater' ac yr esgeulusid y llecynnau gorau! Y bechgyn yn eu tro, heb unrhyw bryder cydwybod, yn bendithio pob methiant ar ran y gynnau. Wedi'r cyfan, ni ellid deall sut y daeth y fath hawliau saethu i fod.

Yr oedd yr R. J. Lloyd Price uchod yn ddyn pur amlochrog ac yn dipyn o 'entrepreneur' yn ogystal ag yn awdur llyfrau, gan iddo ffurfio dau gwmni lleol. Hoffai rasus ceffylau hefyd ac aeth pethau yn bur denau arno ar un adeg. Stori adnabyddus yn ardal y Bala oedd iddo roi'r holl ystad ar siawns a dibynnu ar un ras geffylau ac mae'r stori'n un ddigon gwir oherwydd ym mynwent Llanfor gwelir y geiriau:

As to my latter end I go to seek my jubilee
I bless the good horse Bendigo who built this stone for me,

gyda'r enw Richard John Lloyd Price 1887 islaw.

Y ddau gwmni a sefydlwyd ganddo oedd y Rhiwlas Brush Company a'r Welsh Whisky Distillery yn Fron-goch. Ni fu llawer o fynd ar y cwmni cyntaf ond cynhyrchwyd chwisgi go iawn yn ôl yr hanes. Deellir bod tair potel ohono ar ôl, un ger Llandyrnog yn Nyffryn Clwyd, un yn Puncheston ger Hwlffordd ac un arall—gan y darllenydd yn ei atig efallai?

Yn ystod y Rhyfel Byd Cyntaf defnyddiwyd adeiladau'r distyllty ar gyfer carcharorion yr I.R.A. Yn *Y Cymro*, rhifynnau 19 a 26 Mai 1971, ceir adroddiadau am garcharorion a gweinyddiad y carchar gyda lluniau diddorol o'r ddau wersyll. Ymddengys i'r distyllty a'r cerwyndy gael eu haddasu'n weithdai, a chodwyd cabanau a phebyll i fil a hanner o garcharorion Gwyddelig. Yng ngwersyll y gogledd, rhwng y siop bresennol a'r orsaf (gynt), cedwid tuag wyth cant o'r rhain, a chredir i rai gael dod i weithio ar ambell fferm yng Nghelyn.

Cyn dyfodiad y Gwyddelod carcharwyd Almaenwyr yno, a chladdwyd rhai ohonynt ym mynwent eglwys Fron-goch; ond pan ddinistriwyd yr adeilad beth amser ar ôl boddi bro Tryweryn, trosglwyddwyd y cyrff o'r fynwent.

Gyda'r Gwyddelod, gobeithiai'r awdurdodau y dangosid ciwed mor afreolus oedd yr I.R.A., ond i'r gwrthwyneb, o ganlyniad i gael cymryd yr awenau yn rheolaeth y gwersyll, hawliai'r Gwyddelod eu bod yn cael statws carcharorion rhyfel. Penllywydd y gwersyll oedd J. J. O'Connell a olynwyd gan M. J. Staines, ond dau enw mwy adnabyddus fyth a fu'n garcharorion yno oedd Michael Collins a Dick Mulcahy, dau a ddaeth yn dra enwog yn Iwerddon yn y frwydr dros annibyniaeth.

Yn ôl W. J. Brennan-Whitmore, awdur *With the Irish in Fron-goch*, bu'r cysylltiadau a'r addysg a gafwyd yn y gwersyll yn fodd i gasglu adnoddau a sgiliau personol ar gyfer llunio peirianwaith milwrol effeithiol. Ymddengys i'r ddau wersyll weithredu fel Sandhurst i'r gwrthryfelwyr.

Pan oeddwn yn blentyn yn teithio ar y trên i'r Bala edrychwn ymlaen at gael gweld corn simdde'r 'gwaith wisgi' er nad oedd ar agor mwyach. Cyn cau'r distyllty gwnaed cyhuddiadau ynglŷn â rhedeg y busnes ac ni welwyd dyfodol i'r fenter. Fodd bynnag, safodd y corn simdde yno tan tua amser yr Ail Ryfel Byd. Trwy garedigrwydd Syd Dolben, fy mrawd-yng-nghyfraith, derbyniais ffotograff a dynnwyd y funud y dymchwelwyd y corn.

Ond os mai bychan fu llwyddiant yr 'entrepreneur' gyda'i ymdrechion masnachol, daeth y treialon cŵn defaid a ddechreuodd yn boblogaidd eithriadol wedi i'r teledu hybu'r adloniant.

Gadawodd R. J. Lloyd Price un mab, sef Robert Kenrick Price (1870-1927). Addysgwyd hwn, a elwid yn Robin, yn Eton a Sandhurst—nid yn Ysgol Tŷ Tan Domen sylwer—ac ymunodd, nid â'r *Royal Welch Fusiliers* ond â'r *Third East Kent Regiment*, sef y Buffs. Dyna arwydd o'r Seisnigeiddio.

Fel y nodwyd eisoes, yr oedd sicrhau bod plant y teuluoedd goludog o dras uchel yn priodi ag aelodau o deuluoedd cyffelyb eu cefndir yn

Corn simdde'r gwaith chwisgi ar ei ffordd i lawr.

fater pwysig iawn. I'r pwrpas hwn, benthycid arian ar sail perchen-
ogaeth tir yr ystadau a digwyddodd hyn gyda'r Rhiwlas. Dengys y
cytundebau a wnaed yn 1905, 1911 a 1917 fod yna forgais mawr ar yr
ystad ar rai adegau, a cheir enwau dieithr fel May Eleanor, Annie
Brassey, William Henry Booth, John Albert Turner ac eraill o gyffiniau
Llundain yn ymddangos yn y dogfennau cyfreithiol. Yn rhyfedd iawn,
ceir bod gan hyd yn oed y *Lord High Admiral of the U.K.* o Westminster

fys ym mhotes y Rhiwlas, ac nid rhyfedd i'r tenantiaid ym mro Tryweryn fethu gweld arian yn cael ei wario ar y ffermdai. Pri y gwyddent hwy fod i dlodi wahanol lefelau!

Ar ôl amser R. Kenrick Price y milwr fel meistr tir, daeth mab eto yn berchennog, sef milwr arall. Gelwid hwn gan bobl Celyn yn Gyrnol Jack Price, ond yr oedd mwy i'w enw, a chafodd ei anrhydeddu am ei ddewrder yn yr Ail Ryfel Byd. Dilynwyd ef gan ei fab Robin, ac ef a'i deulu sy'n byw yn y plasty ar hyn o bryd.

Ar ôl yr Ail Ryfel Byd atgyweiriwyd plasty'r Rhiwlas a throsglwyddwyd peth o'r derw i'r Amgueddfa Werin. Nid milwr ond ffermwr brwdfrydig, gyda rhan amlwg yng ngweithgareddau Sioe Amaethyddol Cymru yn Llanelwedd, yw'r perchennog presennol.

Enw teulu arall a fu'n dra phwysig yn hanes tirfeddianwyr plwyf Llanycil oedd teulu Syr Watkin Williams Wynn. Yn ôl Roy Watkins o Brifysgol Norwich a ymchwiliodd i'r maes, Watkin ab Edward o'r Garth Lwyd, a fu farw yn 1610, oedd y cyntaf i ddefnyddio'r enw Watkin a ddaeth yn enw cyffredin ar ôl hynny. Ymddangosodd yr enw Syr Watkin mewn aml gerdd a stori dros y blynyddoedd ac mae'r argraffiadau a geir ohono yn rhai pur anffafriol. Wedi'r rhyfel yn y pedwardegau fodd bynnag, bu raid gwerthu llawer o eiddo'r teulu, gan gynnwys plasty Glan-llyn, i dalu'r tollau a oedd yn ddyledus i'r llywodraeth. Felly, adeg boddi Cwm Tryweryn, ni chollwyd dim o dir Syr Watkin Williams Wynn.

PENNOD 4

Dylanwadau

Oherwydd natur ddaearyddol y lle, ynghyd ag absenoldeb trefydd o faint o fewn cyrraedd, prinder cyfleusterau addysg, a hefyd oherwydd diffyg noddwyr i roi bachgen o addewid 'ar ei ffordd', mae'n debyg mai bychan fu dylanwad bro Tryweryn ar Feirion a Chymru yn yr hen ddyddiau. Ni chododd yr un Esgob Morgan yma—er bod bro Penmachno ychydig filltiroedd dros y mynydd o Gwm Celyn yr un mor anghysbell. Y dylanwad tyngedfennol mewn achosion o'r fath oedd presenoldeb teulu hael goleuedig a oedd yn barod i gynorthwyo'r disgybl trwy roi cyngor ac arian. Coleg Iesu yn Rhydychen oedd y nod arferol i'r bechgyn deallus o Gymru, wrth gwrs, ond ni chlywyd am neb a aeth yno o ardal Celyn.

Un bachgen disglair a aeth o Ddyffryn Dyfrdwy i Goleg Iesu oedd Edmund Meyrick (1636-1713), a derbyniodd nifer o fywiolaethau yn ne Cymru ar ôl ei gyfnod yn Rhydychen. Daeth yn ddyn cyfoethog a bwriadai waddoli ysgol yng Nghaerfyrddin lle bu'n ficer. Ond bu rhyw anghydfod, ac aeth yr arian yn ei ewyllys i helpu cynnal Coleg Iesu ac yn waddol i sefydlu ysgol rad Tŷ Tan Domen yn y Bala, sef yr hen ysgol ramadeg a fynychwyd gan enwogion fel Tom Ellis ac O. M. Edwards. Mae'n ddiddorol bod Meyrick wedi dewis y Bala yn hytrach na Chorwen, ac mae'n rhyfedd bod teuluoedd cefnog Penllyn wedi bod mor ddifater ynglŷn â rhoddi cyfleusterau addysg i'w plant cyn hynny. Hon oedd yr ysgol i blant mwy deallus Cwm Tryweryn.

Mae'n amlwg felly i'r Bala fod yn ganolfan dra phwysig yng ngweinyddiad a masnach pobl Cwm Tryweryn a Chapel Celyn ers amser y Tuduriaid, a gŵyr y capelwyr o Gymry am enwogrwydd 'green' y Bala fel man cyfarfod yr anghydffurfwyr a'u cyrddau pregethu mawr. Mae'n amlwg hefyd na ellid datgysylltu dylanwad crefydd oddi wrth ddylanwadau eraill. Er enghraifft, fe weithiodd yr Eglwys Sefydledig a'r Llywodraeth law yn llaw yn achos gwleidyddiaeth yr ardaloedd hyn, a dengys hanes i'r teuluoedd pwysig ochri gyda'r garfan geidwadol oherwydd eu dymuniad digon naturiol i arbed eu sefyllfa freintiol.

Yn 1665 (yn ôl erthygl yn y *Wrexham Advertizer*, Rhagfyr 1870), atafaelodd Torïaid Meirion dros chwe chant o anifeiliaid ffermwyr tlawd y sir, a hynny mewn mis, fel dirwyon am i'r amaethwyr feiddio cynnal addoliadau crefyddol anghydffurfiol y tu allan i'r eglwysi plwyfol. Yn y cysylltiad hwn, diddorol yw nodi i Evan Roberts yr hanesydd lleol o Landderfel sgrifennu yn *Y Seren* mai i Fodwenni, rhwng Llanfor a Llandderfel, yn 1672, y daeth y drwydded gyntaf ym Meirion i bregethu y tu allan i'r eglwysi. Ychwanegodd yr hanesydd fod y drwydded yn dal ar gael yr adeg honno, sef yn Rhagfyr 1929.

Cofnodir hefyd i Dorïaid y Bala, yn 1741, guro Hywel Harris a'i gyf-eillion yn eu cais i gynnal cyfarfod crefyddol yn y dref, ac iddynt ruthro ar yr anghydffurfwyr nes bod gwaed i'w weld ar gerrig yr heol fore trannoeth. Dywedwyd hefyd i gapel Soar Llandderfel gael ei gau a'i werthu. Nid oedd capel wedi ei sefydlu yng Nghapel Celyn bryd hynny. Yn 1820 y cafodd yr adeilad cyntaf ei agor ond, dan ddylanwad Thomas Charles a'r brwdfrydedd crefyddol, yr oedd ysgolion Sul llewyrchus iawn yn cael eu cynnal mewn nifer o ffermdai yn Arenig a Chelyn ac yr oedd digonedd o blant yn yr ardal yn awyddus i ddysgu darllen.

Defnyddiwyd y ffeithiau gwrth-Dorïaidd uchod yn Etholiad Cyffred-inol 1870 pan fu areithio tanllyd a chodi cyhuddiadau yn y frwydr rhwng Holland y Rhyddfrydwr a Tottenham y Tori am sedd Meirion-nydd yn Nhŷ'r Cyffredin. Samuel Holland, gyda llaw, oedd y gŵr a aned yn Lerpwl ond a dreuliodd ei fywyd yng Nghymru yn y diwydiant llechi yn Rhiwbryfdir yn ardal Ffestiniog. Bu'n Aelod Seneddol dros y sir am dros ugain mlynedd, a meddylir amdano yn arbennig fel prif hyrwyddwr sefydlu ysgol Dr Williams yn Nolgellau.

Ni ellir, erbyn heddiw, fod yn sicr faint o wir oedd yn y cyhuddiadau ond yr oedd digon o dystiolaeth ar gael i ffermwyr bychain ym Mhenllyn, gan gynnwys plwyf Llanfor, gael eu troi o'u ffermydd am bleidleisio yn erbyn dymuniad eu tirfeddianwyr, a ddeuai i wybod, wrth gwrs, i ba ymgeisydd y pleidleisiodd pawb.

Teimlai'r gwerinwyr nad oedd neb yn eu cefnogi. Am genedlaethau yr oedd y glerigaeth wedi tueddu i ochri gyda'u noddwyr, ac eithriadau prin oedd yr offeiriaid a fentrodd feirniadu'r tirfeddianwyr. Un o'r rhain oedd rheithor Llanycil tua 1620.

Diddorol yw sylwi ar effaith goruchafiaeth Cromwell a'i gymanwlad ar fywyd plwyfolion bro Tryweryn. O archwilio cofrestr plwyf Llanycil, gwelir na chofnodwyd bron ddim. Nid oes ond dau gofnod yn unig o 1649 hyd 1660, a chyfeiria'r rhain at briodasau:

> *Thomas Lloyd of the pish. of Llanvihangel and Catherine Edwards of this pish. were married on the last day of August 1655 before John Vaughan Esquier, one of the justices of the peace for the county of Merioneth.*

Yna'r cofnod nesaf:

> *John Jones, Llanyckill minister of the Gospell and Elizabeth Davies of Llanfair Dyffryn Clwyd were married on the 28th day of July 1659.*

Dengys hyn sut y gweinyddid priodasau. Cyhoeddid y briodas dair gwaith ar ddiwrnod marchnad dros dair wythnos o amser heb ddibynnu ar yr Eglwys, a gweinyddid y seremoni ym mhresenoldeb ustus heddwch. Ar ôl y toriad hwn adferwyd lle a dylanwad yr Eglwys, ond gyda dyfodiad Hywel Harris, William Williams Pantycelyn ac eraill yn y ddeunawfed ganrif, collodd yr Eglwys eto lawer o'i dylanwad yng Nghymru, ac un agwedd ar hynny oedd trafferthion y degwm yng nghanol y ganrif ddiwethaf.

O ddiddordeb efallai yw'r ystadegau a ganlyn ynglŷn â chôst priodas yn yr Eglwys tua 1790:

Trwy drwydded—pum swllt i'r rheithor; swllt i'r clerc.
Trwy ostegion—hanner coron i'r rheithor; chwe cheiniog i'r clerc (hynny yw, hanner y pris, a chofier bod yna ugain swllt mewn punt cyn y newid ar ddechrau saithdegau'r ganrif hon).

> *The aforsaid fees are due to the Rector from every woman being a Parishoner, and an inhabitant that is married in another Parish. Fees for burials are not desired, only the whole assembly pay. Offerings to the Rector at the Altar and to the Clerk at the grave after Interment.*

Wedi hyn bu yn arferiad i'r clochydd ddal ei blât wrth y fynedfa i'r fynwent ar ôl y gwasanaeth claddu, ond daeth hyn i ben tua throad y ganrif hon. Credir bod yr arferiad o roi 'arian rhaw' yn gyffredin yng Ngwynedd hefyd, gyda chlerc y cyngor plwyf yn dal ei raw uwchben y bedd agored, ond ni fu hyn yn gyffredin ym mhlwyf Llanfor. Mae'n debyg, ar y llaw arall, fod Hel Bwyd Cennad y Meirw yn arferiad pur gyffredin. Golygai hyn fod y tlodion yn gallu mynd oddi amgylch tai'r ardal i ofyn am fwyd, a hynny ar Ddydd Calan Gaeaf. Ni wyddys beth oedd sail yr arferiad hwn, ac mae'r cyfeiriad at y meirw hefyd yn ddirgelwch.

Un ffaith sicr yw bod cymdeithas leol yn ceisio sicrhau bod y tlodion yn gallu talu costau'r gladdedigaeth adeg angladd. Un ffordd o wneud hyn oedd trwy 'ddanfon offrwm' neu roi darn o arian, swllt efallai, ar yr arch.

Yn ôl Morris Vaughan Jones, Bryn Ifan, y dyddiadurwr o ardal Celyn y cyfeirir ato mewn pennod arall, parhaodd claddu yn ôl yr hen drefn hyd ddiwedd y ganrif ddiwethaf (ac ymlaen efallai) ond, ar wahân i'r sôn am gadw plât yr arch, ni roddir y ffeithiau am y drefn nac am y newidiadau a ddaeth. Efallai, wrth gwrs, fod claddu ym mynwentydd y capeli wedi dylanwadu ar y trefniadau.

Clywais fy nhad yn dweud y byddai'r hen drigolion ym mhlwyfi Penllyn yn credu mewn rhai rhagarwyddion marwolaeth. Un o'r rhain oedd y 'deryn corff'. Aderyn tywyll ei liw oedd hwn yn ôl y sôn, o faint drudwy neu dylluan fechan, ac ehedai ar noson dywyll i ymweld ag ystafell y claf trwy guro'n ysgafn â'i big ar wydr y ffenestr. Y gred arall oedd bod sŵn ci yn udo yn y nos yn arwydd sicr bod marwolaeth yn agos. Tybid bod ci, gyda'i hydeimledd a'i arwybod, yn gallu naill ai arogli marwolaeth neu weld yr ysbrydion.

Parhaodd ofergoeledd yn gryf ym mro Tryweryn fel ym mroydd eraill cefn gwlad Cymru, ond wedi clywed pregethu'r diwygwyr ac o ganlyniad i ddylanwad addysg, ciliodd y credu rywfaint ac fe sobreiddiwyd y bobl gan arferion fel cadw gwylnos. Diwygiad 1859 oedd un o'r dylanwadau cryfaf yn y newid. Hyd amser y diwygiad yr oedd yn arfer i yfed cwrw a chwarae cardiau fel rhan o ddifyrrwch yr wylnos. Credir mai cymharol ysgafn fyddai'r galar am berson mewn oed, hen lanc neu hen ferch. Rhywbeth a ddaeth yn ddiweddarach oedd y gweddïo teimladol a dangos cydymdeimlad.

Hefyd rhaid oedd cael ym mhob ardal rywun i 'ddiweddu' a 'gosod allan' gorff y marw, ac wedyn roedd yna arferion a oedd yn arbennig i'r ardal. Er enghraifft, yn Ysbyty Ifan, a oedd mewn cyfathrach agos â Chelyn bryd hynny, byddai'n rhaid i'r galarwyr a'r arch aros mewn lle arbennig o'r enw Penrhiw'r Saint nes cyrhaeddai côr yr eglwys i'w hebrwng a chanu o'u blaen ar eu taith trwy'r pentref i'r eglwys. Nid oedd eglwys yng Nghelyn, wrth gwrs; yn Llanfor a Llanycil y byddid yn claddu cyn sefydlu mynwent y capel, a bu cael mynwentydd rhyddion i'r anghydffurfwyr yn bwnc llosg am gryn amser.

Yr oedd i bob cymdogaeth ei bydwraig, a bu fy nain o Rydlydan yn un o'r rhain.

Dywedir i'r Goets Fawr o Lundain i Gaergybi ddechrau rhedeg yn 1790 a bu hyn yn fodd i newyddion a mesurau gweinyddol ddod i glust y trigolion ym Meirion yn llawer cynt. Eto, bu nifer o gwerylon ynglŷn â gweinyddiad y gyfraith yn ardal y Bala.

Yn ei *History of North Wales* cyfeiria Catheral at R. W. Price, y Rhiwlas a Syr Watkin Williams Wynn, Arglwydd Raglaw Meirion, yn cwyno wrth y Gweinidog yn y Swyddfa Gartref yn Llundain am y ffaith i ddwy wraig gael rhyddhad o'u dedfryd gan yr ustusiaid lleol.

Dyma'r gŵyn yn erbyn un ustus a wrthwynebid:

They objected to the individual, not so much on account of religious differences, which might possibly be overlooked, but because his origin, his education, his connections, his early habits, occupations and station were not such as could entitle him to be the familiar associate of gentlemen . . . The refusal of the County Magistrates to act with a man who has been a grocer and a Methodist, is the dictate of genuine patriotism: the spirit of aristocracy in the County Magistracy is the salt which alone preserves the whole mass from inevitable corruption.

Aeth pethau o ddrwg i waeth, yn enwedig yn ystod y cyfnod o dlodi a wynebodd y ffermwyr bychain a'r gweision. Yr oedd y tlodi a'r newyn yn ddychrynllyd yn ystod rhyfel Napoleon, ac yn enwedig yn ystod y flwyddyn ddilynol, sef 1816, am i'r haf beidio â dod. Hynny yw, ni chafwyd ond tri neu bedwar yn unig o ddyddiau sych trwy holl fisoedd yr haf, a bu'r tirfeddianwyr yn galon-galed er mwyn dial ar y werin am iddynt ddilyn eu cydwybod yn eu crefydd. Ni wn pa bryd y sefydlwyd y Wyrcws yn y Bala ond yr oedd un yn dal i fod yno pan oeddwn i'n blentyn. Yr oedd yn bosibl cael peth cymorth o'r plwyf ond yr oedd yn chwerthinllyd o fychan ac yn anodd ei gael.

Os oedd yr amgylchiadau'n gyfyng ar y ffermwyr, yr oedd yr un mor ddrwg, os nad gwaeth, ar y gweision a'r morynion. Pe câi gwas 'ben morwyn' yn wraig, edrychid arno fel gŵr ffortunus oherwydd hi oedd yr un a drefnai'r gwaith tŷ—y pobi, y golchi a'r smwddio—a gallai hi bob amser arbed tamaid wrth drin y bwyd. Bywyd caeth a chaled a gâi yr ail forwyn—codi'r gweision mor gynnar â hanner awr wedi pump y bore yn yr haf, wedyn trin y lloi a'r moch. Ond i'r forwyn fach yr oedd hyd yn oed gwaith yr ail forwyn yn rhywbeth i'w chwenychu a breuddwydio amdano. Byd anodd oedd byd y merched bryd hynny, a phawb yn cymryd mantais arnynt.

Oherwydd y cyflenwad helaeth o fechgyn o'r teuluoedd mawr, a'r cyflog bychan y gallai'r rhain ei fynnu, byddai i bron bob fferm ei gwas neu ei gweision. Cyflogid hwy ar ddydd Ffair Calan Mai neu'r Ffair Ganol yn y Bala ac fel arfer cysgai'r bechgyn hyn, yn enwedig y rhai a ofalai am y wedd, mewn llofft stabl. Er y gallai llygod mawr gartrefu yn y llofftydd hyn, nid oeddynt mor oer a digroeso ag y disgwylid, gan fod gwres yn codi oddi wrth y ceffylau i roddi rhyw fath o gynhesrwydd.

Cyflogid gwas am hanner blwyddyn neu flwyddyn gyfan ond wrth yr wythnos y cyflogid gweithiwr. Fel gŵr priod, trigai ef gyda'i deulu yn ei ddyddyn neu ei foty ei hun. Pe câi ryw anffawd neu afiechyd, amser pur galed fyddai hi ar ei deulu. Aros gartref i fagu'r plant, nid mynd allan i weithio, y byddai'r gwragedd bryd hynny.

Ar wahân i'r tywydd a'r sefyllfa economaidd byddai mesurau gwleid-yddol yn effeithio ar sefyllfa'r gwladwr hefyd. Un mesur a gafodd effaith andwyol ar y werin bobl oedd Deddf Amgau'r Tiroedd. Yr oedd y peth yn hollol estron i hen ddeddfau Hywel Dda. Fel y dywedodd Thomas Edward Ellis, yr Aelod Seneddol o Gynlas, plwyf Llanfor, a phleidiwr mawr buddiannau'r werin:

In the ancient laws of Wales, the common pastures and hill grazings
were jealously guarded by the courts of the Cantref and Cwmwd
because, so runs the law—every wide and waste belongs to the country
and kindred, and no one has the right to exclusive possession of much
or little land of that kind.

At y tirfeddianwyr yr oedd yn anelu'r sylwadau hyn, oherwydd
cynlluniodd y rhain i fygwth a dychryn y tyddynwyr, a'r tyddynwyr
druain, am nad oeddynt yn gwybod ehangder eu hawliau, yn ildio eu
perchenogaeth. Pwyswyd ar rai eraill mwy cyndyn i dalu rhyw les neu
rent pitw dechreuol, a hwythau heb sylweddoli eu bod yn gollwng eu
hawliau wrth wneud y fath beth.

Un peth a gynddeiriogai'r tyddynwyr oedd y degwm. Bu brwydr y
degwm yn un hir a chwyrn yn y de a'r gogledd gyda mannau fel
Llangwm, ger Cerrigydrudion a Llanarmon-yn-Iâl yn cymryd rhan
amlwg. Yn ôl Hugh Evans, *Cwm Eithin*, yr oedd yn Llangwm berson
plwyf cul a dialgar o'r enw y Parch. Ellis Roberts a gwrthododd dau
ddwsin o amaethwyr yr ardal dalu'r degwm. O ganlyniad, anfonodd yr
ecclesiastical commissioners oddeutu ugain o feilïaid i atafaelu ar eu
heiddo ar 18 Mai 1887. Canwyd y corn gwlad ac oherwydd i gymaint
o'r trigolion a'u cyfeillion ymateb i'w alwad methodd y beilïaid ag
atafaelu eiddo ond pedwar yn unig o'r ffermwyr. Yn Llanarmon-yn-Iâl
gŵr o'r enw John Parry (1835-1897) oedd yr arwr, a meddwl yn
nhermau brwydrau a merthyron a wnâi'r anghydffurfwyr bryd hynny.
Thomas Gee oedd yr ymennydd y tu ôl i'r gwrthryfel.

Y mae hanes diddorol ynglŷn â'r trafodaethau a'r arwerthiannau a
ddeilliodd o benderfyniadau'r *ecclesiastical commissioners*. Ymddengys
i reolau pendant gael eu mabwysiadu yn ystod cyfnod y terfysg. Er
enghraifft, daeth yn ofynnol i'r ffermwr gael deng niwrnod o rybudd o
fwriad i gynnal arwerthiant ar ei fferm. Hefyd, daeth yn rheol bod yn
rhaid i'r beili (nad oedd raid rhoddi na bwyd na llety iddo) feddiannu'r
lle am bum niwrnod. Gorchymyn neu arweiniad arall oedd bod yn
rhaid gwerthu'r gwartheg yn agos i gartref y gwrth-ddegymwr; ond yr
anhawster yma oedd na welid cymdogion yr erlyniedig yn cynnig am y
gwartheg yn yr arwerthiant o gwbl.

Ar y llaw arall, lle nad oedd helbul ynglŷn â'r degwm, yr oedd bywyd ficer y plwyf bryd hynny yn un eithaf dymunol a chysurus. Darllenwyd unwaith am reithor Llanarmon-yn-Iâl, cyn amser y gwrthwynebiad i'r degwm, yn gwario mwy am win mewn blwyddyn nag am ail-doi yr eglwys—a hithau'n eglwys fawr!

Yn ôl cofnodion a ddarllenwyd yn *Y Seren*, rheithor digon cyndyn oedd ym mhlwyf Llanfor hefyd, sef plwyf y mwyafrif o amaethwyr bro Capel Celyn. Ym mis Rhagfyr 1886 cynhaliwyd cyfarfod o ddegwm-dalwyr plwyf Llanfor yng Nghwm Tirmynach, tua hanner ffordd rhwng Capel Celyn a Llanfor. Gair mawr Mr Owen y Person y noson honno oedd anghyfiawnder, sef yr anghyfiawnder o ddod ato ef i ofyn am ostyngiad yn y taliadau. Dywed yr adroddiad am y cyfarfod (25 Rhagfyr 1886) na chafodd y cynrychiolwyr gyfle hyd yn oed i roi eu cais ger ei fron!

Ar y llaw arall, yr oedd y Parch. R. Jones, rheithor plwyf Llanycil, yr ochr ddeheuol i'r cwm, yn llawer mwy cydweithredol a sensitif. Yn gyntaf, cyfarfu â'r bobl yn ysgoldy capel y Methodistiaid a rhoddodd 2/6 (hanner coron) yn y bunt yn ôl yn 1887 a 1/6 yn 1888. Wedi'r cyfan, yr oedd yn derbyn £350 y flwyddyn a defaid ei hun, er bod côst curad iddo ar y pryd yn £150 y flwyddyn.

Ymddengys hefyd fod gwaith y rheithoriaid hyn yn bur ysgafn oherwydd yn *Y Seren* yn 1886 rhoddwyd y ffigurau canlynol ynglŷn ag aelodaeth eglwysig. Efallai mai'r cyfrifiad hwn oedd yr un a drefnodd Thomas Gee. Ar gyfartaledd, yn ôl y papur, perthynai i'r eglwys:

1 o bob 14 o blwyfolion Llanycil, sef tua 87 o aelodau allan o 1,221 o drigolion y plwyf.
1 o bob 20 o blwyfolion Llanfor, sef tua 105 allan o tua 1,471 o blwyfolion.

Yn 1858 agorwyd eglwys newydd yn Fron-goch yng nghanol pob-logaeth amaethyddol o 852, ond cyndyn oedd trigolion yr ardal i adael eu capeli ac ymaelodi ynddi. Er enghraifft, ar fore dydd Sul, 23 Tachwedd 1886, pan wnaed cyfrif o faint o bobl oedd yn mynychu'r gwahanol eglwysi a chapeli y diwrnod hwnnw, o'r holl bobl ym mhlwyf Llanfor dim ond 11 oedd yn Fron-goch, gan gynnwys y Person a'i deulu a hefyd y clochydd. Yng nghapel Celyn y bore hwnnw yr oedd 63 yn bresennol, a 66 yn yr hwyr. Ni wyddys pa rybudd a gafwyd ynglŷn â'r ymchwiliad na pha bwysau a roddwyd ar yr aelodau i fod yn bresennol, ond dyma adeg pan oedd yr anghydffurfwyr yn dra brwdfrydig.

O edrych yn ôl, teimlir tristwch bod crefydd, ac yn enwedig yr eglwysi, wedi cael eu defnyddio gan y sefydliad a'r tirfeddianwyr a bod y werin wedi colli cydymdeimlad o'r herwydd. Ar y llaw arall, yr oedd gwahanol garfanau ymysg yr ymneilltuwyr a oedd yn gwerylgar iawn, yn enwedig ynglŷn â threfniant yr undebau a materion diwinyddol fel cyffredinolrwydd prynedigaeth a'r pechod gwreiddiol.

Un o'r dynion amlycaf yn y dadlau yma oedd y Parch. Michael Jones (1787-1853). Ef oedd athro cyntaf Coleg Annibynnol y Bala, ond cofier mai yn y Weirglodd Wen yn Llanuwchllyn, cartref y pregethwr dadleuol a chyn-weinidog yr Hen Gapel, y cychwynnodd yr ysgol i ddarparu dynion ifainc ar gyfer y weinidogaeth. Achosodd y gŵr o'r Neuadd-lwyd, Sir Aberteifi, a fu'n was fferm a saer maen cyn mynychu athrofa Wrecsam, rwyg mawr ymysg aelodau ei eglwys a'r cylch ac fe'i cyhuddwyd o fod yn Armin oherwydd iddo wadu bodolaeth y pechod gwreiddiol. Ar ôl mynd i gyfraith, bu'n rhaid iddo adael yr Hen Gapel.

Y mae ei hanes yn un digon diddorol, ond wrth inni ystyried cefndir gwleidyddol pobl Penllyn, gwelwn mai ei fab, Michael D. Jones (1822-1898), yw'r cymeriad pwysicaf a'r mwyaf adnabyddus. Ar wahân i ddilyn ei dad yn brifathro ym Modiwan, Coleg yr Annibynwyr yn y dref, bu hefyd yn weinidog ar gapel bychan Ty'n-y-bont yng Nghwm Tryweryn y cyfeiriwyd ato eisoes.

I'w edmygwyr, ef oedd un o ddynion mwyaf huawdl, doeth a dylanwadol ei gyfnod ac yn llais pwysig iawn yn ardal y Bala. I eraill yr oedd gyda'r mwyaf dadleuol, gyda'i ymdrechion i sefydlu'r Wladfa ym Mhatagonia yn derbyn beirniadaeth.

Fel Emrys ap Iwan, adwaenid Michael D. Jones fel un a ffieiddiai Sais-addoliaeth. Diddorol felly yw darllen adroddiad yn *Y Seren*, 6 Mehefin 1891, am gyfarfod yn y Bala i ddathlu dyfodiad i oed Robert Kenrick Price, aer ystad y Rhiwlas, gyda thenantiaid yr uchelwyr o blwyf Llanfor a'r bobl flaenllaw o Benllyn a Meirion yn bresennol.

Yn ddigon rhyfedd, canmol y teulu yn arw wnaeth y Parch. Michael D. Jones, gan gyfeirio yn arbennig at ddau aelod ohono. Yn gyntaf

Richard Watkin Price (1780-1860), a gydweithredodd â Mr Richards, Glan-llyn i adeiladu ffyrdd teilwng o Lanuwchllyn i'r Bala; o'r Bala at Bont-yr-Afon-Gam (ger Llan Ffestiniog); o Dai'r Felin (Fron-goch) i Gerrigydrudion, ac o'r Bala i'r man a elwir y Ddwyryd, ger Corwen. Canmolodd ef hefyd am feithrin ymdrech yn ei denantiaid i ymarfer ffermio effeithiol. Ymddengys felly mai dyma'r amser y daeth ffordd go iawn i fyny trwy Gapel Celyn tuag at Ffestiniog.

Yn ail, canmolodd Richard John Lloyd Price (1843-1923), gwesteiwr y dydd, am ddechrau *brush works* fel diwydiant lleol a gwneud ffosydd ar dir ei ystad.

Os siaradodd Michael D. Jones yn gwrtais, gan ymddangos i rai fel pe bai'n tueddu i seboni ei westeiwr, uniongyrchol a digymrodedd fu araith Thomas Edward Ellis. Ar drywydd arall yr aeth ef, a theimlir bod ei eiriau yn werth eu dyfynnu.

Wedi nodi bod y gwesteiwr yn gwisgo hen enw Cymreig, ond yn methu siarad iaith ei wlad, ychwanegodd:

> Daw anrhydedd iddo os y rhestra ei hun yn filwr yn erbyn anwybodaeth, tlodi a thrueni. Yn y rhan brydferth hon o Gymru, lle gorwedd ei ystad, sef ardal Tryweryn, mae un o bob ugain yn dlotyn. Daw i'w allu fel tirfeddiannwr, fel ynad ac fel gwarcheidwad i helpu i symud y gwarthnod hwn ar gymdeithas.
>
> Mae tafarnau mewn tref a phentref ar yr ystad, ond nid oes un llyfrgell gyhoeddus. Mae'n aer i ystad o ddyddynwyr. Mae'n siriol iddo ef, ac i ni oll, weled eu hwynebau calonog heddiw, ond gwn yn dda fod y llinellau sydd ar eu hwynebau yn fynegiad o'r pryder a'r profedigaethau a'r bywyd caled sydd yn disgyn mor helaeth i'w rhan: a gwyn ei fyd os cofia hyn yn ei holl ymwneud â hwy. Gresyn nad oes ar y stâd hon, mwy nag yn rhannau eraill o Gymru, un ysgol amaethyddol fel sydd yn Denmark etc. . . .
>
> Mae hefyd yn aer i ran o dir Cymru,—a gobeithio y sylweddola mai gwlad y deffro ydyw Cymru—fod bywyd cenedlaethol adnewyddol yn treiddio trwyddi; fod syniad newydd yn ein mysg am urddas gwaith a llafur, a thyfiant newydd o hunan hyder fel cenedl.

Cyn diwedd ei araith dymunodd y siaradwr yn dda i'r aer, ond ni chofnodwyd sut y derbyniodd y gynulleidfa araith mor wleidyddol ei chynnwys ar amgylchiad a oedd i fod yn 'treat' i'r tenantiaid. I'r Torïaid a chyfeillion y teulu yn y gynulleidfa yr oedd yr araith yn sicr o fod yn un annheilwng o'r amgylchiad, ond i glustiau'r tenantiaid yr oedd yn wledd o wirionedd.

Erbyn hyn hawdd yw gweld fod y genedl wedi dechrau deffro adeg y dathlu uchod, ond yn araf iawn y digwyddodd y deffro, ac roedd y tenantiaid yn dal yn ofnus a thaeog er bod nifer cynyddol yn datgan eu perswâd mewn cylchgrawn a cherdd.

Dyma bedwerydd pennill y gerdd 'Mynnwch y Ddaear yn ôl' gan R. J. Derfel, ef eto o Benllyn.

> Mae'r ddaear yn perthyn i bawb
> A'i golud yn rhan i bob un,
> Fel awyr, goleuni a dŵr
> Anghenraid bodolaeth bob dyn
> Dangoswch Frythoniaid i'r byd
> Nad ydych yn llwfr nac yn ffôl—
> Ymunwch i gyd fel un gŵr
> A mynnwch eich daear yn ôl.

Wrth gwrs, gallai'r tirfeddianwyr ddadlau y dylai'r werin fod wedi eu helpu eu hunain trwy gydweithredu a threfnu cwmnïau ar eu liwt eu hunain fel 'co-operatives' Iwerddon, ond yr oedd cyflwr economaidd y tyddynwyr mor wael fel nad oedd ganddynt mo'r cyllid na'r medr arbenigol i ddechrau cymdeithasau o'r fath. Gadawodd y rhai mentrus eu bro a mynd i Lerpwl neu'r byd mawr y tu draw, ond y ffordd a ddewisodd gwerinwyr bro Tryweryn—fel llawer bro arall yng Nghymru—i ddangos eu dawn oedd trwy fynychu a gweithredu yn y capeli; trwy sicrhau, yn ôl y gwawdlyd, y byddai'r byd nesaf yn well na'r un presennol. Ymddengys y mesurid parch dyn (nid oedd merched yn cyfrif yn y byd ysbrydol cyhoeddus) yn ôl ei ddawn a'i ddoethineb, ei gyfraniad a'i deyrngarwch yn y capel.

Fel y crybwyllwyd, fe fu peth ymfudo o'r ardal, ond ni ddenodd Unol Daleithiau America fwy na rhyw ddau neu dri o fro Tryweryn yr adeg hon. Yr oedd yr ymfudo o blwyf Llanfor i America wedi digwydd yn yr ail ganrif ar bymtheg. Ond er yr ymfudo yn wyneb gwrthwynebu ffyrnig yr Eglwys Sefydledig, cyfarfu'r Crynwyr, pobl yr 'ystafell ddirgel' neu'r 'Quakers' fel y gelwid hwy, yn rheolaidd yn yr ardal, a phan ddaeth y dŵr dros y lle yn 1965, boddwyd y fynwent wrth Hafod Fadog a berthynai iddynt.

Yr oedd o leiaf bedwar lle ym mro Tryweryn yn gysylltiedig â'r Crynwyr, sef Ciltalgarth, ger yr argae presennol, Nant yr Helfa, yn ardal Arenig, gyda Chynefail a Thŷ Nant yng nghwm bach afon Celyn. Hefyd yr oedd ffermydd fel Llaethgwm a Llwyn y Brain,—y rhain hefyd ym mhlwyf Llanfor. Fel y nodwyd eisoes, Tŷ Ucha, a chanddo garreg ar ei fur gyda'r geiriau 'Ciltalgarth: adeiladwyd 1682', oedd y Ciltalgarth y cyfeirir ato yn hanes y Crynwyr. Cyn yr ailadeiladu (flwyddyn cyn i'r perchennog Huw Roberts ymfudo i Bennsylvania), yr oedd Ciltalgarth, wedi bod yn gartref i Madog ap Hyddgam ac yn eiddo i Fynachdy Ystrad Marchell. Ceir cyfeiriad pellach at Giltalgarth yn nes ymlaen.

Bu'r fro yn sicr yn gartref ac yn lloches i lawer o Grynwyr a chladdwyd rhai ohonynt yn eu mynwent fach—eu 'gardd gladdu'—o tua 1680 hyd 1720 efallai. Ni chredai'r Crynwyr mewn gwag arferion fel

Ciltalgarth (Tŷ Ucha heddiw).

rhoi tabledi o farmor ar eu beddau, dim ond carreg fedd ar ei gwastad, enw a dyddiad, dyna i gyd.

Dyma beth a ysgrifennodd Bob Owen Croesor am y lle yn *Y Cymro* yn Ionawr 1956:

Mae Hafod Fadog yn un o gartrefi enwocaf Cymru, a mae ein hawduron wedi ei anwybyddu: hefyd Tyddyn Garreg ger Dolgellau a Llwyn Du ger Llwyngwril. Gŵyr trigolion Pensylvania U.D.A. fwy am y cartrefi hyn nag a ŵyr ein pobl ni sy'n byw yn eu cwmpasoedd.

Yn Hafod Fadog y claddwyd yr hunan-aberthol John ap Thomas o Laethgwm a ymunodd â'r Crynwyr yn 1672 ynghyd â nifer o ddynion eraill sydd erbyn hyn yn saint. Yma y cwsg dynion a fu'n dioddef hyd angau dros eu hegwyddorion. Mae'r hen gapel yn awr yn rhan o ffermdy Hafod Fadog. Ni aflonyddodd y ffordd a godwyd ddim ar safle'r capel a'r fynwent, ac yma gynt y rhedai'r ffordd Rufeinig.

Amddifadodd John ap Thomas—prif arweinydd y Crynwyr cynnar a aeth i'r Unol Daleithiau—ei hun o nodded y gyfraith. Trefnodd i fynd i America gyda Dr Edward Jones o'r Bala, ond bu John farw cyn mynd, a chladdwyd ef ym mynwent y Crynwyr ar 3 Mehefin 1683. Er hyn, gadawodd ei wraig Catrin a'i blant am yr Unol Daleithiau ac ymgartrefu ym Meirion, Pennsylvania. Trist yw deall i ddwy ferch o'r wyth o blant farw ar y daith hir i'r Byd Newydd. Ni ellir ond synnu yn unig at ddewrder Catrin yn ymgymryd â'r fath antur heb ŵr i'w helpu gyda'r plant, ac yn rhoi'r teulu ar ben eu ffordd ar ôl cyrraedd America.

Yn y flwyddyn 1674 aethpwyd â Hugh Roberts o Giltalgarth, Robert Owen o Fron-goch a Chadwaladr Thomas o Laethgwm, Cwm Tirmynach, i garchar Dolgellau ar y cyhuddiad o fod wedi eu habsenoli eu hunain o'r eglwys. Yn 1676, erlynwyd Hugh Roberts ac wyth arall eto am beidio â mynychu eglwys y plwyf. Ar 6 Awst y flwyddyn honno, gorfu iddynt ymddangos o flaen dau farnwr, sef Thomas Walcott a Kenrick Eyton, am wrthod tyngu llw i'r brenin. Rhybuddiwyd hwy y cymerid mesurau yn eu herbyn fel bradychwyr y Goron pe gwrthodent yr ail waith, a gallai hynny olygu iddynt gael eu crogi a'u chwarteru ac i'w merched gael eu llosgi.

Ymbil amddiffynnol y plwyfolion oedd eu bod yn barod i ddatgan eu teyrngarwch i'r brenin, ond nid i Babyddiaeth. Canlyniad yr achos a gynhaliwyd ar 1 Medi 1676, oedd iddynt gael eu dedfrydu fel bracychwyr neu ddrwgweithredwyr au cadw yn y carchar heb gynhesrwydd dros aeaf caled iawn. Bu un ohonynt, sef Edward Price, a oedd dros ei drigain oed, farw o'r oerni ychydig cyn y Nadolig.

Er gwaethaf eu dioddefaint, gweithredu yn ôl eu cydwybod a wnaeth y carcharorion ar ôl eu rhyddhau, ac o fewn ychydig amser daethpwyd â chyhuddiad arall yn erbyn Hugh Roberts, Cadwaladr Thomas, John Williams, Robert ac Owen David o deulu Tŷ Nant ac eraill—dros ugain ohonynt i gyd—am gyfarfod i addoli fel Crynwyr ar 16 Mai 1675 yn ffermdy Llwyn y brain, Cwm Tirmynach, plwyf Llanfor. Eu cosb syml oedd colli eu heiddo.

Bu Ciltalgarth yn lloches i Grynwyr Penllyn am tua deunaw mlynedd, ond, yn 1683, ar ôl dioddefiadau creulon oherwydd ei safiad, ymfudo i Bennsylvania fu hanes Hugh Roberts a'i wraig, ac ymunodd â'r weinidogaeth. Yno, yn 1695, y cododd Dŷ Cwrdd, Meirion.

Dilyn Robert ac Edward ap David o'r un fro a wnaeth Hugh Roberts, John Bevan, Griffith a Robert Owen. Daeth Hugh Roberts yn ddyn o ddylanwad ym Mhennsylvania ac ymwelodd â Chymru ddwywaith ar ôl iddo gartrefu yno. Yn ystod ei ymweliad cyntaf â Chymru, priododd â'i ail wraig sef Elizabeth John, ar 31 Mai 1689 yn Nhŷ Cwrdd Llwyn y brain, Cwm Tirmynach, ac yn ystod ei ail daith, ymwelodd â lleoedd lawer, yn bell ac agos, gan gynnwys ei hen gartref yng Nghiltalgarth. Erbyn hyn yr oedd yn ŵr cyfoethog a chanddo lawer o dir. Bu farw ar 17 Mehefin 1702 gan adael disgynyddion yn yr Unol Daleithiau. Daeth ei fab Edward, a aned yng Nghiltalgarth, yn Faer Dinas Philadelphia yn 1739.

Pan fyddai ar ei deithiau aml ym Mhenllyn galwai Bob Owen Croesor arnom ni yn y llythyrdy yng Nghapel Celyn yn rheolaidd. Cofiaf nad oedd ganddo air da o gwbl i William Penn. Yn ôl Bob Owen, yr oedd Penn wedi addo 40,000 o aceri o dir ar wahân i'r Cymry, ond ni wireddwyd yr addewid. Cofiaf hefyd i Bob Owen sôn fwy nag unwaith am Abraham Lincoln, a chredaf mai un o'i ffynonellau am hanes teulu Lincoln oedd llyfr Charles H. Browning, *Welsh Settlements of Pennsylvania* (arg. Philadephia 1912).

Yn y llyfr tra diddorol hwn cyfeirir at nifer o ymfudwyr o fro Try-weryn ac at eu cartrefi, a sonnir am gyfarfod pwysig a gynhaliwyd ym Mhenllyn yn 1683 pryd y dosbarthwyd tystysgrifau i nifer o bobl a oedd wedi gwneud cais am gael mynd i Bennsylvania. Er enghraifft, enwir Cadwaladr Morgan a Hugh John Thomas 'of Gwernefell' (Cynefail), Robert David 'of Tuy y Nant' (Tŷ Nant), Katherine Roberts 'of Llaethgwm' a Gaynor Roberts 'of Kiltalgarth'.

Wrth gwrs, nid y rhain oedd y rhai cyntaf i benderfynu mynd i Benn-sylvania. Gadawodd nifer sylweddol o Gymry am America ym Mai 1682 gan hwylio o Lerpwl ar y llong *Lyon*. Ymysg y rhain yr oedd Robert ap David, a gymerodd yr enw Robert David maes o law. Ganed iddo un mab, Thomas, a fabwysiadodd y cyfenw Davis, a dwy ferch, Elizabeth a Jane. Gwelwn yma ddatblygiad nodweddiadol o'r cyfnod hwn, sef yr hen enw gwreiddiol Dafydd yn troi yn Davis neu'n Davies.

Ymddengys i Robert David, yn wreiddiol o 'Gwerneval, Is Mynydd, Penllyn', sef Cynefail yng Nghwm Celyn, brynu 312½ acer o dir oddi ar John ap Thomas a Dr Edward Jones yn 'Penn's Province'. Claddwyd ef ym mynwent Tŷ Cwrdd, Meirion, Pennsylvania, ym mis Hydref 1732.

Y mae nifer helaeth o gyfeiriadau at leoedd yn ardal Tryweryn yn llyfr Browning, ond rhaid cyfyngu'n sylw i ambell un yn unig. Er enghraifft, cyfrannodd dau ar bymtheg o Grynwyr Cymreig £100 yr un i brynu rhan o'r 5,000 o aceri yr oedd William Penn wedi eu trosglwyddo i John ap Thomas ac Edward Jones. Ymysg y rhain yr oedd Gaynor Roberts (y cyfeiriwyd ati uchod), sef merch ddibriod fentrus; John Watkin, 'bachelor' (£3. 2. 6d.); Edward ap Rees 'gentleman', Cadwaladr Morgan 'yeoman'—i gyd o fro Tryweryn.

Ceir un neu ddau o gofnodion pur syfrdanol yn y llyfr hefyd. Er enghraifft, cyfeirir at deulu Cae Fadog, yn arbennig William Hugh a fu farw tua 1627. Ymddengys i Ellis, mab yr hen William, gael pedair merch a ymfudodd i Bennsylvania, ac i'w chwaer Elin briodi â Cadwaladr Evans (1664-1745) o Fron-goch a chael merch o'r enw Sarah.

Gwnaeth Sarah Evans drefniadau i briodi mewn cyfarfod pwysig ym Mhennsylvania, sef y 'Gwynedd Meeting' ar 11 Hydref 1711. Enw ei phriod oedd John Hank 'of White Marsh' a ganed plentyn o'r enw John iddynt y flwyddyn ddilynol. Wedi byw yn Reading, Pennsylvania, am dros drigain mlynedd, symudodd y teulu i Fayette County, Kentucky, lle priododd eu merch Nancy â gŵr o'r enw Thomas Lincoln, a chartrefu yn Larne County, Kentucky, lle ganed mab iddynt o'r enw Abraham.

Beth fu hanes y bachgen hwn? Ni raid atgoffa'r darllenydd iddo ddod yn Arlywydd yr Unol Daleithiau am ddau gyfnod a chael ei gyfrif gyda'r enwocaf o'r arlywyddion oherwydd ei ran amlwg yn y Rhyfel Cartref a chyda'r mesurau i ryddhau'r caethweision.

Dywedwyd i nifer o Americanwyr ddod trosodd i ymweld â mynwent Hafod Fadog yn ystod y frwydr i geisio rhwystro Corfforaeth Lerpwl rhag cael yr hawl i foddi'r ardal. Ymysg y rhain yr oedd un o ddisgynyddion John ap Thomas, sef Dr Levick o Philadelphia.

Yn 1964-65, cyn y boddi, dinistriwyd Hafod Fadog fel pob ffermdy arall a foddwyd yn y cwm, ond, yn wahanol i'r lleoedd eraill, gadawyd sylfeini a gwaelodion muriau'r tŷ. Gellid gweld y rhain yn glir yn 1976 a 1984 pan oedd y llyn yn isel. Y mae tabled wedi ei gosod ar fin y ffordd uwchben lle y safai Hafod Fadog. I weld hon edrycher am bont dros nant ar y darn syth o'r ffordd ryw hanner milltir o'r argae. Dynodir arni safle'r fynwent islaw gyda ychydig o fanylion am y fan lle gadawyd i'r dŵr orchuddio gardd gladdu'r Crynwyr cynnar.

Sylfeini tŷ Hafod Fadog a mynwent y Crynwyr yn 1984.

PENNOD 5

Y Bala a Chwm Tryweryn

Ni ellir olrhain hanes Cwm Tryweryn, yn enwedig o safbwynt masnach a chrefydd, heb bwysleisio dylanwad tre'r Bala.

I'r enwog Gerallt Gymro, a deithiodd yn helaeth yng Nghymru tua 1188, lle digon diflas oedd Meirionnydd a'i mynyddoedd. 'It is,' meddai, 'the roughest and most unpleasant country to foe in al Wales', a gwelai ef dref y Bala yn lle 'with few inhabitants and as rudely and unhandsomely built, nevertheless it is the chief marcate towne for the mountainers.'

Ymddengys fod y sefyllfa'n waeth yn y ddegfed ganrif. Yn y nodiadau gyda map o eiddo Speed yn 1615, dywedir yr arferai mynyddoedd Meirionnydd fod yn llawn o fleiddiaid, ond i Edgar, a ddaeth yn frenin ar Loegr yn 959, fynnu teyrnged flynyddol o dri chant o fleiddiaid gan y tywysog lleol. Mae'n debyg i'r mesur hwn (a gofnodwyd yn nogfennau Malmesbury), achosi diflaniad y bleiddiaid o fewn tair blynedd ac o ganlyniad gorchuddiwyd llechweddau bryniau Powys ac ucheldir Gwynedd gan ddiadellau braf o ddefaid.

Tua chwe chan mlynedd ar ôl hynny ymwelodd y gŵr hynod hwnnw o Lancarfan, sef Iolo Morganwg, â'r Bala a Chwm Tryweryn yn rhinwedd ei swydd fel archwiliwr ac arolygwr tir ar ran y Llywodraeth. Yr argraff a gafodd ef oedd, 'Beautiful country around Bala' ond 'building materials shockingly bad'. Ychwanegodd 'Vale of Tryweryn pretty wide of ascent, so easy as to render it easily ploughed and drained: very improveable soil in many places; naturally good, decent farm houses and cottages with a few exceptions (but not as general as in Cardiganshire)'.

Un o'r lleoedd a blesiodd yr hen Iolo yn sicr oedd plasty'r Rhiwlas, ond ni wyddys a ymwelodd â'r teulu enwog a drigai yno.

Un peth a ddiflasai Iolo oedd 'the provincial brogue of Meirion. It is to me,' meddai, 'the most disagreeable in Wales.'

Mae'n debyg nad oedd fawr o gyfleusterau marchnata yn y Bala yn y Canol Oesoedd ond roedd y dref yn ganolfan i'r crefftwyr teithiol. Yn ystod y ddeunawfed ganrif, fodd bynnag, daeth y dref yn fan tra phwysig. Yn ôl yr Athro A. H. Dodd yn ei lyfr *The Industrial Revolution in North Wales,* yr oedd y Bala yn enwog fel un o ganolfannau pwysicaf y diwydiant gwlân yng Nghymru. Fel arfer, prynid rhan helaeth o'r gwlân yn Llanrwst, a gwnâi trigolion Penllyn hosanau a menig i'w gwerthu yn y Bala ar ddydd Sadwrn.

Yn ôl Gwallter Mechain, gwerthid tua 200,000 o barau o sanau mewn blwyddyn cyn dyfodiad y ffatrïoedd a'u peiriannau i Loegr. Erbyn 1830 yr oedd y gwerthiant i lawr i 42,000 pâr, a chan mlynedd wedi hynny nid oedd ond rhyw ddwsin yn unig o wragedd yng ngogledd Cymru gyfan a gâi fywoliaeth trwy wau gyda'u dwylo. Ymddengys y gallai gwragedd Cwm Tryweryn, fel merched broydd eraill, wau wrth gerdded a sgwrsio. Dywed Pennant yn ei *Tours of Wales* 1778 amdanynt, 'Women and children in full employ come, knitting along the roads', ac ychwanega, 'During winter, the females, through love of society often assemble in one another's houses to knit; sit around a fire and listen to some old tale or to some ancient song or sound of the harp. This is called cymorth gwau', a deellir i'r arferiad hwn barhau yn ardal Capel Celyn tan ryw gan mlynedd yn ôl.

Yr oedd masnach esgidiau bur lwyddiannus yn y Bala hefyd, ond crefftwyr mewn gweithdai, yn hytrach na siopwyr, fyddai'n gwerthu. Mae'n anodd dychmygu hyn wrth edrych ar stryd fawr y dref fel y mae heddiw, ond mae'n debyg mai pethau digon dieithr oedd siopau ym Meirion hyd yn oed yn y ddeunawfed ganrif.

Pan oeddwn i'n blentyn, o Drawsfynydd y deuai 'sgidie cryfion' ffermwyr Celyn a'u gweision, a 'sgidie Peter' oedd y rhain, sef esgidiau trymion gyda'u gwadnau yn llawn hoelion.

Nid oedd y Bala, mwy na Phenllyn, yn brin o dafarndai, a'r mwyaf enwog o'r rhain oedd y White Lion Royal Hotel—'the finest in Wales' yn ôl George Borrow yn ei lyfr *Wild Wales.* Bu'r gwesty hwn yn arhosfa i nifer o arweinwyr o wledydd tramor yn ystod yr Ail Ryfel Byd hefyd. Ond mae'n debyg mai'r Goat, y Bull neu'r Ship—sylwer ar yr enwau Saesneg—oedd y lleoedd llai costus y byddai trigolion ardal Tryweryn yn eu mynychu.

Ar ôl diwygiadau 1859 a 1904 swil iawn oedd y trigolion i denantu neu ymweld fel cwsmer â'r fath sefydliadau, ond trawyd llawer bargen, talwyd am fagu ambell blentyn siawns, cyflwynwyd aml gildwrn am gymwynas a thrafodwyd busnes yn y cyfryw leoedd—gan adael trwy'r drws cefn!

Yn y ganrif hon, mae'n debyg mai'r cwmni mwyaf llwyddiannus yn y dref oedd Jones Brothers, perchenogion y garej gyda'r 'most modern and efficient cars in the country' yn ôl hysbyseb o'r tridegau; ond Robert Tegid, gyda'i gar mawr du a'i gwrteisi, oedd ffefryn pobl Celyn a'r cylch. I fechgyn Ysgol Tŷ Tan Domen yr oedd,

> Dwy siop yn y Bala sy'n gas gan Dduw,
> Siop Dafydd Lewis a Siop Robin Pugh.

Siop melysion ar gornel Ffrydan Road oedd siop Dafydd Lewis, ac nid oedd y perchennog yn un a roddai 'un dros ben' i'r prynwyr.

Yr oedd Siop Parry—uwchfarchnad erbyn hyn—yn bwysig i ardal Celyn yn fy amser i, gyda'r blawd yn cael ei adael i'r ffermwyr yn warws fy nghartref i. Ar ddechrau'r ganrif bu fy nhad yn gwerthu blawd, ond mae'n amlwg i'r arferiad o brynu bara yn lle pobi newid y drefn. O Siop Bryan y deuai'n bara ni, a bara bendigedig ydoedd hefyd. Fe fu'r perchennog, Robert Williams, yn byw yn siop Celyn cyn symud i'r Bala. Deuai Wil 'y fish' o gwmpas hefyd gyda'i fan bob nos Fercher.

Cyhoeddid *Y Seren* ar nos Iau, ac mae gwledd i'w chael o edrych ar hen rifynnau o'r papur. Er enghraifft, ceir cyfeiriad at Hughes's Blood Pills—'ar werth drwy'r byd am 1/2½'. Wedyn, yn 1905, mae J. E. George o Hirwaun yn hysbysebu ei gynnyrch:

(1) George's Pills—Pile (label wen)
(2) George's Gravel Pills (label las)
(3) George's Pills for the Piles (label goch)

yr olaf yn arbennig o dda ar gyfer:

Poen yn y cefn	Gweuw gwynt
Dwfr ataliad	Gwendid cyffredinol
Rhwymedd	Nychdod
Diffyg traul	Dwfr poeth
Surni yn y stumog	Billiousness
Cwsg anesmwyth	Y bendro

Poenau yn y lwynau a'r coluddion
Brychau o flaen llygad
Marweidd-dra yn arfau yr arenau
Chwyddiant cyffredinol
Phlem, llysnafedd
Amhuredd y gwaed
Curiad y galon
Y bledren yn gyffrous a phoenus

Trueni, onid e, i bils mor amrywiol ac effeithiol ddiflannu o silffoedd y fferyllfa! Ni wyddys pryd y rhoddodd Mr George y gorau i hysbysebu, ond ni welwyd sôn am y pils mewn rhifynnau diweddarach o'r *Seren*.

Cyn Mesur Addysg 1833 ni roddai'r llywodraeth unrhyw gymorth tuag at addysg, ac felly, ym mro Tryweryn, yr ysgol Sul oedd yr unig sefydliad ar gyfer dysgu plant bach i ddarllen.

Erbyn hyn gŵyr y mwyafrif o'r darllenwyr am adroddiad y tri ymwel-ydd swyddogol ag ysgolion elfennol Cymru yng nghanol y ganrif ddiwethaf. Mae'n eithaf sicr fod y sylwadau a gyflwynwyd gan y tri yn ddigon cywir, ond eglwyswyr oedd yr archwilwyr, a hawliai'r mwyafrif o'r Cymry fod hyn wedi dylanwadu'n drwm ar eu sylwadau, ac fe lys-enwyd eu hadroddiad yn 'Brad y Llyfrau Gleision'.

Dyma ddyfyniad o eiddo'r Parch. H. Longueville Jones H.M.I. yn 1850:

> *As soon as the efforts now making by several learned Welsh scholars for forming good vocabularies and grammars shall have become more matured, the knowledge of English will penetrate rapidly to every fireside among our mountains... is aware of the immense importance of a knowledge of English to all who desire to rise in life or to fight a good battle with a struggling world; and the aptitude shown by the children in the schools for thus complying with the wishes of their friends is remarkable.*

Fel yn y gorffennol, Saesneg oedd cyfrwng llwyddiant. Yn *Y Seren*, 27 Tachwedd 1886 hysbysebwyd y canlynol:

The Merionethshire Scholarships
Chairman: Henry Robertson Esq., J.P. Pale.
(The originator of the scheme)
Treasurer: J. E. Greaves Esq.
Syllabus: English . . . etc. (ond dim Cymraeg sylwer).

Byddai rhai yn dadlau mai i hybu ei ymdrechion etholiadol ac i greu awyrgylch ffafriol y cynlluniodd y gwleidyddwr o blasty'r Pale y fath ysgoloriaethau. Ar y llaw arall, mae lle cryf i gredu bod y Rhyddfrydwr hwn yn ddyn digon teilwng, a'i fod yn awyddus i weld plant y werin yn cael gwell çyfle addysgol. Er enghraifft, cyfeirir ato yn ddiweddarach yn ymweld ag Ysgol Celyn.

Yn 1886, pum mlwydd oed oedd Ysgol Celyn, a ddisgrifid fel ysgol elfennol. Cyn hynny byddai'n rhaid i fy nhaid gerdded yr holl ffordd i'r Llidiardau yr ochr draw i Fynydd Nodol bob penwythnos, aros mewn llety o nos Sul tan nos Iau, a thalu ceiniog neu ddwy yr wythnos am hyfforddiant.

Agorwyd Ysgol Sir y Merched—a elwid, fel y disgwylid, yn Bala Girls' County School—ym mis Medi 1896. Yr adeilad cyntaf a ddefnyddiwyd dros dro oedd y Victoria Hall a enwyd i ddathlu ymweliad y Frenhines â'r dref, gyda Miss M. S. Bickley, Llundain, yn Brifathrawes; Miss Sherwin, Cambridge Diploma, fel ei 'Assistant Mistress', a Miss Jones C.M., (sef 'certificated mistress'), yn 'Teacher of Welsh'. Y costau oedd £3 y flwyddyn a £1 am ddefnyddio'r llyfrau.

Dyma'r ysgol uwchradd â'r awyrgylch Seisnig dieithr a fynychid gan ferched bro Tryweryn. Yn *Y Seren*, 25 Medi 1899, cyfeirir at Gwendoline Jones o Werngenau, Capel Celyn, yn derbyn ysgoloriaeth gwerth punt. Cyferbynner hyn â'r gwobrau o £100 a roddodd Syr Watkin W. Wynn, Bt. A.S. ar 18 Awst 1885 i enillwyr y Bala Lake Regatta. Er yr holl Seisnigrwydd, gwelir cofnod yn *Y Seren*, 23 Rhagfyr 1905 am enillwyr mewn 'Welsh Short-hand' yn y Bala Boys County School dan ofalaeth Gwilym Evans.

Erbyn 1929 yr oedd y ddwy ysgol uwchradd wedi tyfu cryn dipyn, ond yr oedd 'Fees, including tuition and the use of books' yn £5, a'r Saesneg yn dal i fod yn iaith hysbysebu a gweinyddu.

Mewn hysbyseb yn *Y Seren* ceir y rhestr isod o staff Ysgol Ramadeg y Bechgyn (sef Ysgol Tŷ Tan Domen):

Head Master: Richard Williams, M.A.
Assisant Masters: Ellis Evans, B.A.; Goronwy Owen, B.A.; J. W. James, B.A.; E. T. Jones (Mods. Oxon); Edward Rees, M.A.
Music: Miss Gorst A.I.G.C.M.
Rural Science: Gwilym Evans

Excellent general education provided. Pupils prepared for the Professions, Commercial and Agricultural life. Well equipped laboratory for science, workshop for manual instruction. Commercial subjects including shorthand, book-keeping and typing.

Er iddo ysgrifennu gwerslyfr ar ramadeg Cymraeg, yn Saesneg y gweinyddid yr ysgol gan y prifathro, a oedd yn gweithredu polisi'r Awdurdod, a hyd yn oed ddymuniad y rhieni, yn ôl pob tebyg. Bu'r rhan fwyaf o'r aelodau uchod o'r staff yn yr ysgol am gyfnod hir iawn oherwydd cefais i fy nysgu gan bedwar ohonynt.

Yr oedd gan fy mrodyr ac eraill a glywais yn siarad, barch mawr tuag at J. W. James a ddysgai Wyddoniaeth er mai B.A. oedd ei radd. Gŵr o'r de ydoedd, o Faesteg, a rhoddodd wasanaeth hir a gwerthfawr i ysgol a thre'r Bala. Cefais ef yn ddymunol bob amser a threuliais gyfnod chweched dosbarth tra diddorol yn ei ofal. Eto, ni allaf ddweud iddo wneud argraff mor ddofn arnaf â John Saer. Bachgen ifanc oedd ef bryd hynny, ond bu ei wasanaeth ef i'r dref ac i'r ysgol fel prifathro yn un hir a theilwng. Mr B. Maelor Jones oedd y prifathro yn fy amser i, a mawr oedd ein parch tuag ato. Yr oedd rhyw anwyldeb yn Ellis Evans, 'yr hen El', yr athro Cymraeg ac Arlunio, ond tynnai'r bechgyn ei goes yn ddychrynllyd. Gyda Goronwy Owen (Saesneg) ac E. T. Jones (Hanes), ar y llaw arall, ni cheid na gwên, nac anogaeth, na gair o Gymraeg! Dyna'u ffordd nhw, mae'n debyg, o gadw disgyblaeth.

Yn Ysgol y Merched, ar safle presennol Ysgol y Berwyn, dyma'r athrawon a restrwyd yn *Y Seren* yn yr ugeiniau:

Head Mistress: Miss E. J. Owens M.A. (sef Miss Owens fach)
Assistant Headmistress: Miss A. M. Sainsbury (Cambridge Tr. College)

Miss Eluned Owen B.A. (Miss Owen fawr)
N. Vaughan Williams, M.A.
Lilian Shaw
A. L. Pritchard, *Diploma in Cookery, Housewifery*
Music: Miss Gorst A.I.G.C.M.
Art: Mr A. J. Hewins
An excellent general education provided including Hygiene and the
Laws of Health.

Pasiodd canran pur uchel o ferched bro Tryweryn y 'Scholarship' a mynychu'r ysgol hon. Byddai'r plant a fethodd yr arholiad yn mynd i Ysgol 'Y Central', neu Ysgol 'Gordon Price'. Bach eu maint oedd yr ysgolion hyn i gyd, ac nid oedd y cyfleusterau mor wych ag yr awgrymai'r hysbysebion, er gwaethaf ymdrechion glew yr athrawon.

Mae'n debyg mai oherwydd cysylltiad y dref â'r deffroad ym myd crefydd yng nghanol y ddeunawfed ganrif ac ymlaen y daeth y Bala yn adnabyddus trwy Gymru gyfan. Yr oedd Methodistiaid Calfinaidd yno mor gynnar â 1740, a sefydlwyd eglwys yn 1745. Yn 1760 daeth 'green' y Bala yn fan ymgynnull i dyrfaoedd o bobl siroedd y gogledd, a chafodd grym y pregethu a brwdfrydedd y dorf ddylanwad mawr ar bobl Penllyn. Yno clywyd llawer o enwogion y pulpud, gan gynnwys pobl fel Hywel Harris a William Williams Pantycelyn. Ni ddarllenwyd am Williams yn gwerthu te yn yr ardal ond mae'n bur debyg iddo werthu copïau o'i emynau. Yr oedd mynd mawr ar lyfrynnau Cymraeg bryd hynny, a sêr y genedl oedd y pregethwyr mawr, yr hoelion wyth a'u cyfarfodydd pregethu. Yr oedd lle arbennig i Thomas Charles a ddaeth i fyw i'r dref yn 1783 a phriodi â merch o'r ardal. Ef oedd prif ysgogydd yr ysgol Sul, ac o bosib bu ei ddylanwad addysgol cymaint â'i ddylanwad crefyddol. Yr oedd ei ddylanwad yn eang iawn y tu hwnt i Gymru hefyd. Cofier iddo raddio yn Rhydychen, a'i fod yn un o brif sylfaenwyr y Feibl Gymdeithas Frutanaidd a Thramor a sefydlwyd yn Llundain yn 1804. Nid yw'n rhyfedd felly i'r Gymdeithas honno gael gafael ar Feibl a gyflwynwyd gan Thomas Charles a hawlio mai dyna'r copi a roddwyd i Mary Jones a gerddodd yr holl ffordd i'r Bala i'w brynu. Dylid cofio hefyd am y llyfrau a gyhoeddodd Thomas Charles, yn arbennig *Y Geiriadur Ysgrythyrawl.*

Un arall o ffefrynnau bro'r Bala oedd Dr Lewis Edwards a briododd ag wyres i Mr Charles. Ef oedd y gŵr a ddechreuodd yr Athrofa 'ar gyfer pregethwyr ieuainc ac eraill' yn 1837. O dipyn i beth, daeth yr Athrofa yn Goleg Diwinyddol y Bala, a rhoddodd y coleg hwn i gapeli Penllyn ddigonedd o fyfyrwyr a phregethwyr ifainc i lenwi'r pulpudau ar y Sul ac i gynorthwyo gyda chyfarfodydd eglwysig. Pregethodd aml i fyfyriwr ei bregeth gyntaf yng nghapel M.C. Celyn.

Soniwyd eisoes am y ddau Michael Jones a fu'n ddylanwadol ym Mhenllyn. Gyda'r rhwyg yn 1875, pan ffurfiwyd coleg ar wahân i Fodiwan ym Mhlas y Dref, roedd yn y Bala bellach dri choleg, ac nid yw'n rhyfedd i'r cyfoeth diwinyddol hwn fod yn ddylanwad trwm ar bobl yr eglwysi. Gellir nodi hefyd nifer helaeth o wŷr eraill o ddylanwad a weithiodd yn yr ardal, pobl fel yr Athro T. Lewis, Y Parch. Simon Lloyd ac Ioan Pedr. Dyn pur hynod oedd yr olaf oherwydd iddo ei addysgu ei hun i raddau helaeth a dod yn rhugl yn y Ffrangeg a'r Ellmyneg o ganlyniad i'w deithiau ar y Cyfandir. Yr oedd yn un o sefydlwyr Cymdeithas Lenyddol Meirion, a bu, fel y Parch. Michael D. Jones, yn weinidog ar gapel Annibynwyr Ty'n-y-bont yng Nghwm Tryweryn.

Y Methodistiaid Calfinaidd oedd yr enwad cryfaf o amgylch y Bala fodd bynnag. Yn y llyfryn a ddarparwyd ar gyfer y gwasanaeth datgorffori ar 28 Medi 1963, pan ddaeth torf enfawr i'r fro, ceir nodiadau ar hanes capel M.C. Celyn, a gyflwynwyd gan Mr David Roberts, Cae Fadog, sef Cadeirydd Pwyllgor Amddiffyn Capel Celyn. Sylfaenodd ef ei ffeithiau ar gofnodion a gasglwyd gan ei dad, John Roberts o Weirglodd Ddu.

Ysgrifennodd y diweddar Barch. William Williams, Glyndyfrdwy, *Hanes Methodistiaid Dwyrain Meirionnydd* yn 1902, ac yn y llyfryn hwnnw, dywedir i Achos gael ei sefydlu yng Nghelyn yn y flwyddyn 1811. Nid oedd capel yn yr ardal yr adeg honno ac mewn ffermdai fel Penbryn Fawr y cynhelid y cyfarfodydd. Ceir cofnod yn y llyfryn i un Hugh Roberts, Ty'n Pant, o'r ochr draw i Fynydd Nodol, groesi'r mynydd i Benbryn Fawr i gadw seiat.

Fel y soniwyd eisoes, cynhelid ysgolion Sul hefyd mewn nifer o leoedd o Gwm Prysor i lawr, ac mae'n debyg i rai brwdfrydig deithio cyn belled â'r Bala i wasanaethau cymun unwaith y mis. Un o'r rhain oedd Emwnt Jones o'r Filltirgerrig, Arenig, a deithiai o leiaf ddwy filltir ar bymtheg i gyflawni'r orchwyl honno.

Yn 1820, efallai o ganlyniad i ddiwygiad Beddgelert pryd y gwelwyd llawer o bobl yn croesi'r Migneint am y Bala, penderfynwyd codi capel mewn lle cyfleus yn yr ardal. Cafwyd tir gan aelod o deulu ystad Dolgynlas a oedd yn berchen nifer o ffermydd ym mhlwyf Llanfor. Ei enw oedd Watkin Watkins, a thalwyd iddo'r swm o £50 am rydd-ddaliad y tir a'r fynwent. Gadawodd John Hughes, Penbryn Fawr, tua £6 tuag at adeiladu'r capel.

Cofnodir i ddylanwad diwygiad 1859 ddod ar y capel pan ofynnwyd i lencyn o was fferm ddiweddu'r cyfarfod. Yn ôl John Roberts, 'teimlwyd fod yr Ysbryd Glân yn llanw'r lle'. Yn 1868 yr oedd 82 o aelodau yn yr eglwys, ac yn 1887 penderfynwyd ymuno ag eglwys Llidiardau i alw bugail, a rhoddywd galwad i Mr J. J. Hughes, myfyriwr ar ddiwedd ei gwrs yng ngholeg y Bala. Bu ef yn weinidog ar yr eglwys am ddwy flynedd a dilynwyd ef gan Robert Jones, ond dwy flynedd yn unig y bu yntau yno. Bu pedwar ar ddeg o weinidogion ar gapel M.C. Celyn, ac yn ogystal â'r ddau uchod, gwasanaethodd y dynion canlynol yno, y rhan fwyaf ohonynt yn aros llai na phum mlynedd: John Rowlands; Robert Davies (1902-1911); William Evans; J. E. Hughes; J. M. Roberts; A. Ll. Lloyd; R. J. Powell; William Morgan; Evan Owen; H. W. Hughes a William Williams.

Ychydig cyn 1892 penderfynwyd codi capel newydd am bris o £800. Ei gynllunydd oedd Mr Robert Lloyd Jones o Mount Place, y Bala, a'r adeiladwyr oedd Mri. David Roberts a'i Feibion, eto o'r Bala. Ni wyddys o ble y daeth y pren hyfryd y gwnaethpwyd y pulpud a'r seddau ohono nac i ble'r aeth y rheini pan ddinistriwyd yr adeilad ar ôl y datgorffori. Mae'n debyg i Tarmac y contractwyr gario rhai i gryfhau'r argae. John Evans, Penbryn Fawr, oedd y cyntaf i gael ei gladdu yn y fynwent newydd.

Cafwyd y cerrig yn wreiddiol oddi ar ystad y Rhiwlas, a rhoddwyd yr anrhydedd o osod y garreg sylfaen i Mrs R. J. Lloyd Price. Erbyn 1899 dim ond £100 oedd heb ei dalu; camp go fawr i drigolion tlawd. Roedd pregethwyr o fri yn y cyfarfodydd agoriadol, gan gynnwys yr enwog John Williams, Brynsiencyn, a'r Parch. John Puleston Jones, y pregethwr dall o Arenig. Y trueni yw nad adeiladwyd tŷ gweinidog yng

Nghelyn. Pe bai hynny wedi digwydd mae'n siŵr y byddai'r eglwys wedi medru cael a chadw gweinidog aeddfetach. Annheg oedd disgwyl i ŵr a theulu ddod i le nad oedd yn cynnig tŷ.

Cerddodd diwygiad Evan Roberts drwy Gymru gyfan yn 1904 a theimlodd capel Celyn nerth y dylanwad hefyd. Ni pharhaodd dylanwad y diwygiad hwn mor hir ag un 1859, ond dywedir i rif yr aelodau godi i 128 yn ystod y blynyddoedd dilynol.

Tad y Dr. John Puleston Jones oedd Evan Jones, gŵr solet a gweithgar a sefydlodd gwmni i agor chwarel ithfaen yn Arenig a chartrefu yno ei hun. Yr oedd Evan Jones yn flaenor yng Nghapel Tegid, y Bala, ac nid ymunodd â'r eglwys yng Nghelyn; eto bu ef a'i deulu yn dipyn o gefn i'r achos yno. Dros y blynyddoedd, a thrwy gydol fy nghyfnod i yn yr ardal, bu seiat ar nos Fawrth a chyfarfod darllen ar nos Iau. Cofiaf y byddai'r dynion yn eistedd ar un ochr a'r merched ar yr ochr arall. O ganlyniad i'r cyfarfod darllen byddai llawer yn sefyll yr arholiad sirol ar faes llafur yr ysgol Sul, ac am rai blynyddoedd cynhelid yr arholiadau yn adeilad yr ysgol ddyddiol.

Dyma'r cyfle gorau o bosibl i'r plant ddarllen ac ysgrifennu Cymraeg. Saesneg oedd yr iaith i blant a oedd am 'wneud marc' yn y byd. Yn araf y daeth y newid. Diddorol yw darllen yn *Y Seren*, 26 Ionawr 1929, am yr Ysgolion Canol a'r Gymraeg. Nodir bod y Bwrdd Canol (yr hen C.W.B.) yn datgelu 'fod nifer y disgyblion sy'n astudio'r Gymraeg wedi treblu mewn dwy flynedd'. Ychwanegir bod y Prif Arolygydd, Mr Donald V. Johnson, M.A., yn pwysleisio gwerth diwylliant Cymraeg. Ceir wedyn y sylw golygyddol fod 'Mr Johnson yn Gymro da o Lansamlet'.

Er i arhosiad y gweinidogion fod yn weddol fyr, cawsant dderbyniad ffafriol a chyflawnent eu gwaith yn dda. Cofiaf bedwar ohonynt, ond daeth y Parch. William Morgan i'r ardal ar ôl i mi adael am y coleg, ac ni welais fawr ohono ef. Ni chyfarfûm â'r un o'r tri olaf ychwaith. Y cyntaf a gofiaf oedd y Parch. J. M. Roberts, yr annwyl 'Roberts Bach', y gweinidog a'm bedyddiodd. Yr oedd rhyw nam ar un o'i lygaid, a gwisgai sbectol. Yn ystod y bregeth byddai'r dagrau'n dechrau llifo, a thynnai'r sbectol gyda'r canlyniad i Marged Jones, Hafodwen, a eisteddai yn union o'm blaen, ymuno â'r pregethwr yn y colli dagrau. Chwaraeai Mr Roberts yn drwm ar emosiynau'r gynulleidfa, ond yr

oedd yn ddyn diffuant iawn ac nid perfformiwr nac actor mohono.
Dau ddiffuant iawn hefyd oedd y Parchn. A. Llywelyn Lloyd ac R. J.
Powell a'i dilynodd. Cyfarfûm â Mr Lloyd yn Nercwys ger yr Wyddgrug
yn y chwedegau a maentumiai iddo fod yn hapus dros ben yng Nghelyn
a bod y bobl yn annwyl iawn, er mai byr fu ei arhosiad yno. Dyn a
chanddo un llygad oedd y Parch. R. J. Powell o ardal Trawsfynydd.
Cofiaf i ni'r plant ddadlau ymysg ein gilydd pan oeddem yn fychan, a'r
mwyafrif yn cytuno fod dyn dall mewn un llygad yn gallu gweld dwy-
waith cyn belled gyda'r llall—theori amheus dros ben feddyliwn i!

Bu cyfnodau tra llewyrchus yn hanes yr ysgol Sul yng Nghelyn pan
oedd cyfartaledd yr aelodaeth yn gant a mwy wedi eu rhannu'n rhyw
ddwsin o ddosbarthiadau, ac un elfen arbennig oedd yr holi ar ddiwedd
y cyfarfod. Holid y plant, y canol oed a'r dosbarth hŷn yn eu tro ynglŷn
â phynciau trwm fel etholedigaeth gras a chyfiawnhad trwy ffydd.

Un holwr brwdfrydig iawn oedd John Jones, Nant yr Helfa, neu
'John Beef' i bawb yn ei gefn. Yr oedd ganddo ddau destun, a'r rhain
oedd y ddiod feddwol a betio. Nid oedd yr un llymeitiwr yn ein mysg,
ac ni welsai unrhyw un ohonom ni'r plant geffyl rasio erioed, heb sôn
am roi ceiniog ar hynt un mewn ras. Ond gweithiai John ei hun i gyflwr
cythryblus iawn gan ddechrau gweiddi nes bod ei wyneb yn goch fel
afal a'r chwys yn pistyllio i lawr ei foch. Yr oedd ei agwedd mor ffyrnig
fel y byddai'n codi amheuaeth ym meddwl y plant a fyddai'r nefoedd y
cyfeiriai ati yn lle mor ddymunol wedi'r cyfan!

Cafodd Sasiwn y Plant ei chyfnod a'i bri, ond rwybryd tua'r tridegau
daeth Gŵyl yr Ysgol Sul i gymryd ei lle. Un o'm hatgofion cynharaf yw
eistedd mewn sasiwn plant yng Nghapel Tegid, y Bala, yn canu emynau
na ddeallwn bron ddim o'u hystyr, wedi fy niflasu'n llwyr gan y
cyfarfod a âi ymlaen ac ymlaen. Codwyd fy nghalon wedyn o glywed si
bod yr holl blant, llond capel ohonom, yn mynd i orymdeithio i fyny at
y coleg a dringo i fyny'r tŵr. Nawr dyna rywbeth gwerth chweil.
Ymhen hir a hwyr cychwynnwyd y daith, ond welodd yr un ohonom y
tu mewn i'r coleg, heb sôn am gael dringo'r tŵr ac edrych i lawr ar y
dref—siomedigaeth ddigon mawr i unrhyw un golli ffydd!

Bu bri mawr ar wibdeithiau yr ysgol Sul hefyd. Yn amser fy chwaer
hynaf, cyn i foduron ddod yn gyffredin yn yr ardal, câi plant yr ysgol Sul
reid ar wagen neu drol i'r Llidiardau neu fannau eraill lle byddai'r

Sasiwn. Ond yn fy amser i, trip i'r Bermo neu'r Rhyl ar siarabang neu drên oedd yr arferiad. Am gyfnod bu trip i Fanceinion yn boblogaidd, a chofiaf fynd ar un o'r gwibdeithiau hynny a gweld, er dychryn imi, rai plant yn droednoeth ar y stryd yno. Er y tlodi, ni welid byth beth fel hyn yn ardal Celyn, a gwn y byddai Mam, fel rhai gwragedd eraill, yn gwneud dillad i'r plant tlotaf.

Yr oedd y dylanwadau crefyddol yn dal yn gryf bryd hynny, ond clywid pryder mewn aml bregeth ac mewn sgwrs gyda'r myfyrwyr o Goleg y Bala, ynghylch y dylanwadau secwlar cryf a oedd ar y gorwel.

Dyma amser tyfiant y pictiwrs a fu'n ddylanwad enfawr nes i'r teledu gymryd eu lle, a cheir hysbysebion tra diddorol yn *Y Seren* am ffilmiau a ddangosid yn y Victoria Hall. Beth am Douglas Fairbanks yn *The Gaucho?*—'The whole film is magnificently made: has moments of beauty as well as of excitement, and sends one away delighted'. Prin y byddai neb bryd hynny yn amau na fyddai'r sinema yn para am byth.

Ac ni freuddwydiai brodorion Celyn bryd hynny y byddai'r capel, y ffordd, a'r pentref ei hun, heb sôn am gledrau'r trên, yn cael eu dinistrio i wneud cronfa ddŵr.

Cartrefi'r Tir Uchel

Yn wythdegau'r ugeinfed ganrif mae'n anodd sylweddoli bod y llech-
weddau o amgylch Llyn Celyn wedi bod yn gartref i ddwsinau o bobl yn
yr hen amser. Bu gweirgloddiau a gwigfaoedd lle mae'r dŵr yn awr, ac
ar y bryniau yr oedd rhosydd ac erwau caregog fel Craig Cae Fadog,
uwchlaw y ffordd ar y darn syth, hir, ar ochr ogleddol y llyn. Cludwyd
llawer iawn o'r cerrig, y mwyafrif o'r rhai rhydd ac o faint sylweddol, i
lawr i wneud yr argae. Ymysg y miloedd o dunelli o gerrig y
llechweddau, yr oedd gweddillion hen anheddau a fu'n gartrefi hyd at y
bedwaredd ganrif ar bymtheg. Yn annisgwyl, darganfu'r cwmni
adeiladu ddigonedd o raean hefyd ac arbedodd hynny filoedd o bun-
noedd iddynt.

Mewn ardaloedd eraill, fel ardal Eryrys yng Nghlwyd, ceir tystiolaeth
i lawer o gabanau unnos gael eu hadeiladu, ac mae'n bosibl i'r un math
o dŷ gael ei adeiladu—o fewn un noson, gyda thywyrch a cherrig— yn
ardal Capel Celyn, ond ni ddangoswyd un i mi erioed.

Erbyn hyn, ni ellir lleoli'n union safle'r anheddau bach. Cyn y boddi
gellid gweld olion y llwybrau o'u hamgylch a'u muriau di-do, ond yr
oedd llawer ohonynt wedi eu gadael yn wag erbyn 1820. Achosodd haf
gwlyb 1816 i lawer o'r preswylwyr golli gobaith.

Yn ei lyfr *Diwylliant Gwerin Cymru*, cyfeiria'r diweddar Ddr. Iorwerth
Peate at y defnydd a wneid o hendre a hafod yng Nghymru. Ymddengys
mai gaeafdy oedd yr hendre, tra defnyddid yr hafdy neu'r hafoty fel tŷ
ar dir uchel y symudai'r teulu iddo am yr haf. Yn ôl yr hen gyfreithiau
Cymreig, o Fai i Fedi y byddent yn byw yn y 'foty, ac yn ôl Dr. Peate,
parhaodd yr arfer hwn heb fawr o newid hyd ddechrau'r bedwaredd
ganrif ar bymtheg.

Byddai'n ddiddorol pe gwyddem beth oedd y drefn yn ardal Celyn.
Dywedid i bob etifedd yn ardal Dinbych dalu rhent blwyddyn fel iawn-
dal, neu ollyngdod, pan etifeddai eiddo ei dad, ac y byddai abediw yn
cael ei dalu i arglwyddi Croesoswallt. Er nad oes tystiolaeth i bobl o
Gelyn symud i hafod yn rhan uchaf cymoedd Tryweryn ac afon Celyn,

ceir tystiolaeth i un neu ddwy o'r ffermydd bychain fod yn hafodydd a gedwid i ffermwyr o sylwedd o waelod y cwm i lawr i gyfeiriad y Bala.

Rhoddir isod enwau'r hen anheddau y mae sicrwydd iddynt fod yn breswylfeydd yn y cyfnod 1700-1800. Er na foddwyd y mwyafrif o'r rhain am eu bod ar dir uchel, nid oes llawer o'u gweddillion ar ôl erbyn hyn. Un nodwedd gyffredin iddynt oedd eu bod yn hynod o anghysurus, gyda ffenestri bach. Dechreuwyd codi'r dreth ar olau a ddeuai drwy ffenestri yn 1697 yn nheyrnasiad William III ac ni ddaeth i ben tan 1851.

Anniddorol i'r darllenydd nad oes ganddo wybodaeth am yr ardal fyddai manylu ar leoliad yr anheddau, ond rhoddir syniad o'u safleoedd trwy gyfeirio at y ffermydd a oedd yn bodoli yn 1956 ac a rifwyd ar y braslun o'r llyn a'r ardal.

Plas y Drain

Safai'r annedd hwn ar dir uchel uwchlaw'r Ciltalgarth presennol, a bu'n gartref i Robert Siôn a oedd yn ddyn o barch yn ei ardal. Yr oedd yn un o bregethwyr cyntaf Penllyn gyda'r Methodistiaid.

Yr Odyn Bach

Safai hwn ar dir Tŷ Ucha, sef Ciltalgarth gynt. Yn nechrau'r ddeunawfed ganrif trigai Dafydd Huws y crydd yma, gŵr doniol dros ben a dyn o sylwedd yn ei ardal. Yn un peth, deallai grefft y consuriwr, ac yn bwysicaf fyth, gallai godi ysbrydion—o leiaf, argyhoeddodd y gymdogaeth fod y gallu hwnnw ganddo.

Foty Big Ddu

Safai hwn uwchlaw'r Odyn Bach.

Hafod Fadog Bach

Safai hwn yn agos iawn i fynwent y Crynwyr.

Ty'n y Coed

Safai hwn uwchlaw Hafod Fadog Bach yn y wigfa lle'r oedd llawer o gnau.

Foty Garnedd Lwyd

Roedd safle hwn ger clawdd terfyn y mynydd, ac roedd yn gartref i Wil Siôn a'i deulu. Tipyn o gymeriad oedd Wil. Er yn hen ffasiwn ei ffordd, perthynai i'r Militia yn y Bala, a golygai hynny ei fod ar gael at wasanaeth y Goron; ac felly y bu. Gadawodd ei gartref a'i deulu, sef gwraig a saith o blant, mewn tŷ gwael â thir tlawd i gymryd rhan ym mrwydr enwog Waterloo yng ngwlad Belg. Er gwaethaf Napoleon a'r colledion erchyll a ddioddefwyd gan y Prydeinwyr, daeth Wil yn ôl yn ddianaf.

Diddorol fyddai gwybod y rhesymau dros benderfyniad Wil i ymuno â'r Militia. Ai ymdeimlad syml o wladgarwch? Ai i blesio meistr y Rhiwlas? Ai diflastod â'i deulu mawr a'r cyfrifoldeb? Ynteu a oedd yn feddw pan ymunodd? Duw a ŵyr! Ond gallwn fod yn sicr o un peth, sef na wyddai Wil Siôn fawr ddim am leoliad Waterloo cyn cychwyn.

Ty'n Drws

Gan fod hwn gerllaw Coed-y-mynach a fu'n dafarndy, mae'n debyg mai tŷ i un o'r gweision ydoedd.

Ty'n y Coed Cnau

Tŷ ar gyfer gwas neu weithiwr oedd hwn eto.

Ty'n yr Hosle

Fel y gair 'hwsmon', daw'r gair 'hosle' o'r Saesneg. Mae'n debyg mai tŷ'r ostler a ofalai am geffylau'r teithwyr yng Nghoed-y-mynach oedd hwn. Deellir i deulu tlawd o ardal Maentwrog gartrefu yma ar ôl dilyn teithiau pregethu Hywel Harris.

Tŷ Nant

Yr oedd dau Dŷ Nant yn ardal Celyn. Tŷ bach ar fin Nant Cae Fadog oedd hwn.

Ty'n Bryn

Safai hwn eto ger yr un nant.

Tŷ Coch

Credir i hwn sefyll ar ochr y ffordd Rufeinig ac i Tomos Siôn Cae Fadog gynnal ysgol Sul yma cyn i'r arferiad ddod yn boblogaidd yn amser Thomas Charles.

Gelli Bach

Safai'r annedd hwn ar ochr y ffordd dyrpeg o'r Bala i Ffestiniog. Yng Ngelli Bach y trigai Richard Jones a oedd yn ddatganydd gyda'r tannau, sy'n dystiolaeth bod canu penillion wedi parhau yn y fro hon trwy gydol y ddeunawfed a'r bedwaredd ganrif ar bymtheg, cyfnod pan oedd canu, dawnsio a chyfeddach yn annerbyniol i'r crefyddol eu naws a reolai safonau'r gymdeithas. Enillodd Richard ar ganu gyda'r tannau yn eisteddfod y Bala yn 1820, a dywedwyd i un o'i gyd-gystadleuwyr ei gyfarch gyda'r cwpled:

> Dic y Gelli, ddigri ddyn
> Ustus yw ar broestyn.

Ateb cyflym Dic oedd:

> Na wawdia dy well adyn,
> Ar awr deg, myfi yw'r dyn.

Tŷ Cerrig Gelli

Credir bod y ffordd newydd a adeiladwyd gan Gorfforaeth Lerpwl yn rhedeg dros safle'r tŷ un ystafell hwn. Safai ryw ddau ganllath ar ochr y Bala i'r fan lle yr adeiladwyd y Capel Coffa. Rhedai clawdd terfyn y mynydd heibio iddo ac wrth ochr hwnnw y rhedai'r ffordd Rufeinig i gyfeiriad Ysbyty Ifan.

Nid oes cofnodion i ddatgelu pwy fu'n byw yn y bwthyn hwn ond deellir mai yma y cynhaliwyd yr ysgol ddyddiol gyntaf yn yr ardal gydag un George Lewis, o deulu Lewisiaid Llidiardau, yn athro. Tybir mai o'r teulu peniog hwn yr hanai Miss Nansi Lewis a fu'n athrawes mewn ysgol uwchradd yn Sir Benfro am gyfnod hir ar ôl yr Ail Ryfel Byd.

Yr olaf i fyw yn Nhŷ Cerrig oedd hen lanc o'r enw John Roberts a elwid yn Jaco Gingefail, dyn a oedd yn ddihareb am ei nerth. Un bachgen o'r ardal a ymwelai â Jaco yn bur aml pan oedd yn blentyn yn y Gelli oedd y diweddar Johnny Rowlands. Trwy garedigrwydd ei ferch, Mrs Catherine Evans, y Bala, cefais olwg ar nodiadau diddan ei thad ynglŷn â chymeriadau'r hen ardal a'i atgofion ef am wahanol ddigwydd-iadau. Credir i rai o'r nodiadau ymddangos yn *Y Seren* rywbryd yn y gorffennol, ond gwych oedd cael caniatâd Mrs Evans i ddyfynnu darnau yma ac acw.

Dyma'r hyn a ddywed ei thad am Jaco pan oedd yn byw yn Nhŷ Cerrig Gelli:

Tŷ un ystafell oedd Tŷ Cerrig, a holl ddodrefn Jaco oedd gwely, bwrdd a chadair. Cofiaf fy mam yn anfon anrheg fechan iddo pan ddaeth ef yno i fyw, sef tebot, dau bwys o siwgr a hanner pwys o de. Ymhen blynyddoedd, pan symudodd Jaco oddi yno canfuwyd y te a'r siwgr yn y tŷ heb eu cyffwrdd. Ambell dro ar ôl cinio dydd Sul, os byddai gweddill ar ôl, anfonai fy mam fi â thipyn o bwdin i Jaco. Tra yn clirio'r pwdin byddai Jaco yn dweud hanesion wrthyf, ac y mae un wedi glynu yn fy nghof hyd heddiw:

'Roeddwn yn gweithio yn chwarel 'Stiniog,' ebe Jaco, 'ac yn codi am dri o'r gloch fore Llun a cherdded yr ugain milltir dros y Migneint i fod yn y chwarel erbyn saith. Arhoswn yn 'Stiniog ar hyd yr wythnos a dod yn ôl b'nawn dydd Sadwrn. Un p'nawn Sadwrn a finnau wedi cychwyn am adre daeth storm o eira a lluwch. Ar fy siwrnai fe ddos ar draws rhyw deiliwr o Lanycil a oedd yn gwerthu yn Llanffestiniog. Roedd y gŵr hwnnw wedi cael gair oddi cartref fod ei fab deunaw oed yn beryglus o wael, a bod arno eisiau dychwelyd. Ceisiais ei berswadio i aros am ei fod mor eiddil, ond nid oedd modd ei berswadio: mynnai ddod gartref. Cymerodd dair awr i ni gyrraedd Pont-ar-yr-Afon-Gam, taith o dair milltir. Buaswn wedi ei gario ond yr oedd yr oerni yn rhewi'r dyn ar fy nghefn, a'r unig fodd y gallwn gadw fy hun heb fferu oedd trwy ddyrnu'r ddaear â phastwn. Marw fu hanes y teiliwr druan.'

Clywais yr un stori am Jaco gan fy nhad. Clywyd hanesion amdano yn cario llwythau enfawr, fel olwyn trol o Fron-goch, ond yr hanes a ledaenodd ei fri am hydoedd oedd yr ymladdfa waedlyd a fu rhwng rhyw Wyddelod a oedd yn yr ardal a bechgyn lleol ar ddiwrnod cneifio yn nhafarndy Rhyd-y-fen i fyny Cwm Tryweryn. Bu ymfudo dychryn-llyd o Iwerddon ar ôl newyn 1845-50, a gweithwyr symudol oedd y rhain. Yr oeddynt yn ddynion cryfion iawn a dywedwyd mai ymddangosiad Jaco, yn hollol ddamweiniol, a drodd y fantol ac a arbedodd y Cymry rhag curfa neu waeth.

Er iddo ddioddef yn ysbeidiol o'r pruddglwyf yr oedd yn ddyn caredig ac yn hoff o blant. Gwyddai'r rhai a'i hadwaenai pryd i'w adael iddo'i hun. Mynnai eraill y gellid rhag-weld y tywydd yn ysbryd Jaco.

Tŷ Bach

Safai'r bwthyn bach hwn tua chanllath i'r dwyrain o'r lle y rhedai ffordd fach i lawr at Ysgol Celyn. Gellir gweld gweddillion yr hen ffordd hon ychydig i gyfeiriad yr argae o'r Capel Coffa. Yma y trigai Mrs Davies 'y burum' tua diwedd y ganrif ddiwethaf. Yr oedd burum yn bwysig i'r trigolion oherwydd pobai pob teulu eu bara eu hunain bryd hynny. Wrth safle'r bwthyn hwn yr adeiladwyd tanc o goncrid i ddal dŵr i'w bibellu i bentref Capel Celyn.

Foty Tŷ Nant

Saif yr adeilad hwn o hyd wrth glawdd terfyn y mynydd nid nepell o'r bont.

Tŷ Sinah

Pwy oedd y Sinah hon tybed a drigai yng nghwr uchaf mynydd Gwern Tegid i gyfeiriad y Foel Boeth? Druan ohoni!

Foty Dolwen

Nid oes ond ychydig o gerrig yn unig ar ôl i ddangos lle y safai'r drigfan hon.

Foty Wen

I fyny ym mhen uchaf Cwm Celyn y safai'r adeilad bach hwn.

Bryn Melyn

Yr oedd y lle bach hwn yn bur agos i lyn Arenig Fach.

Foty Gwern Adda

Mae cerrig y murddun hwn i'w gweld ger y gorwel o edrych i gyfeiriad yr Arenig Fach o'r Capel Coffa.

Foty Moelfryn

Safai hwn ger clawdd y mynydd i fyny i'r gorllewin o'r Capel Coffa a'r llyn.

Fron Wen

Yn yr annedd hwn trigai hen wraig a gludai ei gwlân i'w olchi yn y nant ar draws y llyn i'r gorllewin o'r Capel Coffa. Gelwid y nant yn Nant Gwen Llwyd a rhed y dŵr fel o'r blaen, ond i'r llyn yn awr yn hytrach nag i'r afon.

Foty Weirglodd Ddu
Ymddengys i'r bwthyn hwn uwchlaw Weirglodd Ddu fynd ar dân.

Cae Garnedd
Mae rhywfaint o olion yr hen fwthyn hwn ar fin y briffordd uwchlaw pen uchaf y llyn nid nepell o'r maes picnic. Yn ôl fy nhad, hon oedd trigfan yr hen deulu adnabyddus, Edmwnd. Credir i'r teulu symud i Graig-yr-Onwy, sydd ger y tŷ newydd, ac nid yw hynny'n rhyfedd oherwydd dywedwyd bod deunaw o blant yng Nghraig-yr-Onwy yn nechrau'r ddeunawfed ganrif.

Noder bod yr anheddau uchod ar ochr ogleddol afon Tryweryn. Dim ond rhyw hanner dwsin o anheddau oedd yn aʸdal Celyn i gyfeiriad Mynydd Nodol.
Dyma'u henwau:

Ty'n y Gors—ar dir Boch y rhaeadr mewn lle gwlyb.
Bryn Ifan Bach—ar y llwybr o Fryn Ifan i Foch y rhaeadr.
Ty'n Rhos—rhwng Bryn Ifan a Llyn Celyn.
Gwerngenau Bach—hwn eto islaw Gwerngenau.
Bryn y Gwynt—ar dir Penbryn Fawr ar ochr Mynydd Nodol.
Penbryn Isaf—Cartref i hen grydd doniol a barddonol oedd hwn. Safai islaw Penbryn Bach. Aeth safle hwn dan y dŵr.

I fyny yn uwch yng Nghwm Tryweryn safai llawer o anheddau bach y rhoddwyd y gorau iddynt, fel cartrefi flynyddoedd lawer yn ôl. Y mae bro Arenig yn hynod agored ac yn dioddef tywydd garw yn ystod y gaeaf. Nid yw'n rhyfedd felly i'r trigolion geisio am leoedd yn is i lawr y cwm.
Yr oedd pump o'r anheddau hyn, yn agos i Ryd-y-fen, tafarndy digon prysur ar y ffordd i Ffestiniog, a'u henwau oedd Bryn Helfa, Craig Madryn, Llety'r Cadno, Tŷ Du a Tŷ y Pannwr.
Ceir croesffordd ryw dri chanllath i fyny o Ryd-y-fen. Dyma Fryn Maen Llifo lle bu ysgol Sul lewyrchus yn y ganrif ddiwethaf. Dyma'r groesffordd lle y penderfynai'r teithwyr pa ffordd i'w chymryd, un ai dros y Migneint neu am Drawsfynydd; ond pan adeiladwyd y ffordd newydd adeg y boddi, penderfynwyd lledu a gwella'r ffordd a redai trwy Gwm Prysor yn hytrach na gwario ar ffordd y Migneint i gyfeiriad

Pont-yr-Afon-Gam. Cyn hynny, yr oedd ffordd gul Cwm prysor heibio i lyn Tryweryn yn hynod o wael, heb ei thario ac yn dyllog.

Yn yr haf trigai bonheddwr o Sais yn Nant Ddu, sef byngalo o goed ryw ddwy filltir i fyny o Ryd-y-fen. Roedd hwn yn berchen ceffyl a hoffai roi arian ar rasus ceffylau. Enw ei geffyl oedd Arenig, a phan redai'r march—nad oedd fawr o redwr mae'n ymddangos—derbyniai dele-gramau yn aml, ac roedd seiclo i fyny ddwywaith neu fwy mewn prynhawn yn ddigon i droi bachgen ysgol yn erbyn ceffylau am byth!

Deellir i'r arlunydd enwog Augustus John letya yn Nant Ddu am gyfnod sylweddol ac iddo beintio lluniau o'r Arenig yn ystod ei arhosiad. Trigodd yr arlunydd am gyfnod byr hefyd ym Mhenbryn Fawr gerllaw Mynydd Nodol. Mae'n debyg na sylweddolai'r brodorion pa mor enwog fyddai gwaith y dyn hwn.

Gerllaw'r ffordd o Fryn Maen Llifo, sef y groesffordd i fyny i gyfeiriad Nant Ddu, safai cartref gŵr o'r enw Owen Roberts, neu Owen Fardd, yn y ganrif ddiwethaf.

Yn anffodus, nid oes ond un pennill yn unig ar gael yn dystiolaeth i'w duedd farddonol. Dyma ran o'i faled, ond ni chlywyd yr alaw iddi:

> Am beint i'r Red Lion, yn union mi es
> Mi wyddwn drwy brofiad fod llymed yn lles.
> Daeth yno fel arthes yn llawn o bob llid
> Pan welodd hi'r cwrw fe'i hyfodd i gyd.

Cytgan:
> Wel, fechgyn glân ffri; well, fechgyn glân ffri,
> Gochelwch rhag priodi run fath â wnes i.

Er gwaethaf uchder a llymder y tir, safai nifer o anheddau ar lechweddau is yr Arenig Fawr. Dyma enwau rhai: Gorsedd Las, Foty Ysguboriau, Ty'n y Graig, Twll yr Eirin, Pen y Gob, Waen Goch, Foty Filltirgerrig, Sel Fur a Foty Maen Grugog, gyda'r olaf a enwyd yn sefyll ar y darn tir lle cychwynnwyd y chwarel ithfaen. Gwyddai fy nhad yn dda am bob un o'r rhain, ond yr oeddynt oll yn adfeilion erbyn fy amser i. Fodd bynnag, cyflwynwyd yr enwau i geisio dangos pa mor boblog oedd y lleoedd gwledig hyn er cymaint yr anawsterau.

Erbyn hyn, oherwydd y newid yng ngwerth arian, anodd iawn yw ceisio cyfleu gwerth y cyflogau a'r costau yn amser y bythynnod.

Oherwydd nad oedd galw mawr am y tir uchel, gallai'r costau fod dipyn yn is tua phen uchaf Cwm Tryweryn, ond fel amcangyfrif gellid dweud mai rhyw swllt yr erw oedd rhent mynydd, a rhaid cofio na allai tir y mynydd gynnal ond rhyw un ddafad yr erw yn unig. Gallai tir ffridd islaw clawdd terfyn y mynydd gostio tua hanner coron. Telid mwy am y ffriddoedd oherwydd gellid rhoi gwartheg, sef y rhai duon Cymreig, i bori arnynt. Gallai rhent y ffermydd gwell i lawr y cwm fod rhwng ugain a hanner can punt y flwyddyn.

Bara ceirch a thatws fyddai bwyd sylfaenol y trigolion, y ceirch wedi ei dyfu'n lleol a'r bara wedi ei grasu gartref. Ni ellid tyfu gwenith yn llwyddiannus oherwydd llymder y tir a'r tywydd glawog, ond gellid tyfu rhywfaint o haidd. Ni allai'r trigolion fforddio llawer o gig ffres ond mae'n sicr bod i gig mochyn wedi ei halltu ei le. Mae'n sicr bob pawb yn gorfod brwydro'n galed iawn am eu tamaid, ac mae'n debyg iddynt geisio bod yn hunangynhaliol, ond dibynnid i raddau helaeth ar werthiant cynnyrch y merched. Dywedwyd eisoes mai hosanau oedd y prif werthiant yn y Bala, ond tua 1830 gwerthid dros bum mil o barau o fenig yno hefyd; mae'n rhaid eu bod o ansawdd da iawn. Onid oedd y Brenin Richard wedi mynnu bod ei holl hosanau wedi dod o'r Bala?

Yr hyn sy'n eithriadol yw i gymaint o blant gael eu geni a phara i fyw mewn amgylchfyd mor anodd. Yr oedd marwolaethau aml ymysg y plant, eto cynyddu a wnâi'r boblogaeth, ac yr oedd teuluoedd mawr mewn llawer lle. Dywedwyd bod yna ddeuddeg o blant yng Nghynefail, wyth yn Nolwen ac wyth yn Nantllyn yn yr un cyfnod yn y ganrif ddiwethaf. Dyma dri lle y drws nesaf i'w gilydd yng Nghwm Celyn.

Credir, fodd bynnag, mai yn ardal Ysbyty Ifan, yng Nghefn Brith neu yn Nhrawsnant, y bu'r cynhaeaf mwyaf toreithiog o blant, sef tri ar hugain, a fyddai'n cael eu cyfrif bob nos!

Yn y llyfr *Britannia* gan Camden, ceir disgrifiad o ddynion Meirionnydd a briodolir i Gerallt Gymro, sef:

> *cleere complexion, good feature a lineaments of the body, inferior to no nation in Britain. But they have an ill name among their neighbours for being too forward in the wanton love of women—and that proceeding from their idleness.*

Cywilydd arnat, Giraldus, am ein cyhuddo ni fechgyn Meirion o fod yn ddiog!

PENNOD 7

Y Cilio Ddechrau'r Ganrif

Er i gwmni'r Great Western Railway ddod â digon o waith i'r ardal am ryw dair blynedd adeg adeiladu'r rheilffordd o'r Bala i Ffestiniog, mae'n bur debyg bod yr anheddau bach a enwyd eisoes wedi colli eu trigolion cyn hynny, sef dros gan mlynedd yn ôl.

O ganlyniad i'r chwyddiant ar ôl y brwydro yn erbyn Napoleon a'r codi aml yn y rhenti, daeth yn rhy anodd i'r ffermwyr bychain gadw pobl ifainc eu hardal mewn gwaith.

Yn y bennod hon cyfeirir at dai a oedd yn gartrefi yn nechrau'r ganrif hon. Yn wreiddiol, ysgrifennwyd tipyn am breswylwyr y cartrefi hyn a chafwyd nodiadau defnyddiol iawn i'm helpu gan fy mrawd o Ddyffryn Clwyd, ond er y gallai fanylu ar y bobl a'u cysylltiadau teuluol, ac adrodd hanes disgynyddion o'r fro, gorfodwyd imi gwtogi'n llym. Prin bod gan y darllenydd cyffredin ddiddordeb yn hynt a helynt teuluoedd a wasgarwyd.

Yn anffodus, diofal iawn yn aml oedd unigolion, yn swyddogion ac yn rhieni, wrth gofrestru enwau a chofnodi digwyddiadau yn yr hen amser. Hefyd, yr oedd aflerwch ynglŷn â dogfennau fel gweithredoedd tir. Dyna un rheswm pam y collodd gwerin y berfeddwlad gymaint, yn enwedig mewn materion fel hawliau saethu.

Ceisiwyd cael gafael ar ffeithiau o dudalennau'r *Seren* ond ni chafodd trigolion Tryweryn ryw lawer o gyhoeddusrwydd. Un rhestr ddefnyddiol a gefais gan fy mrawd arall yn Rhuthun yw'r un a gyflwynwyd gan gapel M.C. Celyn yn 1905. Yn y rhestr o 130 o aelodau, mae rhai enwau pur ddieithr a rhai ohonynt heb gyfrannu, sy'n awgrymu mai morynion, gweision neu weithwyr dros dro fel pladurwyr oeddynt. Perthynai pawb bron i ryw eglwys neu'i gilydd ar ddechrau'r ganrif. Dyna oedd y drefn arferol.

Er bod yr Achos yn ymddangos yn llewyrchus iawn tua throad y ganrif, gyda nifer sylweddol o'r aelodau, sef tua 35, yn dod o ardal Arenig, o leoedd mor bell ag Amnodd Bwll, tua phedair milltir i gyfeiriad Trawsfynydd, gostwng oedd y boblogaeth erbyn hyn.

RHESTR YR AELODAU A'R PLANT YN EGLWYS M.C. CELYN, YN 1905

Rhestr A — Oedolion   Rhestr B — Plant

A

Rhestr A — Oedolion	Rhestr B — Plant
Mr Richard Jones, Dolfawr	Mr M. Rowlands, Hafodwen
Mrs Elizabeth Jones, do	Mrs Sarah Rowlands, do
Mr E. R. Parry, Penbrynbach	Mr E. Rowlands, Gwerndelwau
Mrs Jane Parry, do	Mrs Sarah Rowlands, do
Miss J. Evans, Penbrynfawr	Mrs Mary Jones, do
Mr Robert Griffith, do	y Mr Evan Rowlands, do
m Mr E. Evans, Gwerngenau	Mr John Thomas Rowlands, do
Mrs Kate Evans, do	Miss Maggie Rowlands, do
Miss Maggie Jones, do	Mrs Anne Jones, Tynybont
Mr I. V. Jones, Brynifan	Mr J. Hughes, Ty'r Capel
m Mrs Kate Jones, do	Mrs Barbara Hughes, eto
Mr Anthony Jones, Nantddu	Miss Miriam Hughes, do
Mrs Kate Jones, do	y Mr Edward Roberts, do
Mr W. Jones, Pantyllwyni	Mr R. Williams, Post Office
Mrs Maggie Jones, do	Mrs Elizabeth Williams, do
Mr J. Morris, Craigyronw	y Mr Thomas John Jones, do
Mrs Elizabeth Morris, do	Mr H. Williams, Glancelyn
Mr Richard E. Morris, do	Mrs Elizabeth Williams, do
Miss Ellen Ann Morris, do	Miss Maggie Williams, do
Miss Catherine Edmunds, do	Mr Edward Jones, Brynhyfryd
Mr William Jones, Maesdail	Mrs Mary Rowlands, Gelli
Miss Anne Jones, do	Miss Catherine Rowlands
Mr J. Roberts, Werglodd-ddu	Mrs Eliz. Jones, Caefadog
Mrs Margaret Roberts do	Mr Thomas C. Jones, do
Mr Johnnie Roberts, do	Mr Hugh Jones, Hafodfadog
Mrs Gwen Lewis, Moelfryn	m Mrs Dorothy Jones, do
Mr Roberts Lewis, do	Mr Robert Rowlands, Old Gate
Mrs Anne E. Rowlands, do	Mrs Jane Rowlands, do
Mr P. Roberts, Caegwernog	Mr Robert Edwards, Tyddyn
Mrs Elizabeth Roberts, do	Mrs H. A. Edwards, do
Miss Ellen Roberts, do	y Miss A. Rowlands, Tynycerig
Mr J. Williams, Gwernadda	Mr David Jones, Tyuchaf
Mrs Catherine Williams, do	Miss Ellen Jones, do
Miss Maggie Williams, do	Mr David Jones (ieu), do
Mrs E. Rowlands, Gingefail	Mrs Parry, Penycoed
Mr John Jones, Nantllyn	Mr John Hughes Parry, do
y Miss Mary Hughes, do	Mr David Richard Parry, do
Mr W. Williams, Dolwen	Miss Lizzie Jane Parry, do
Mrs Hannah Williams, do	Miss Mary Catherine Parry, do
Mr Robert Jones, Tynant	y Mr E. Lloyd, Cwmprysor
Mr Watkin Jones, do	y Mr Hugh Jones, Moelfryn
Miss Jane Ann Jones, do	y Miss Lizzie Morris, Nantllyn

d Mr G. C. Davies, Fir Grove
Miss Grace Ann Rowlands, Gelli
Miss Margaret Trevor, Hafodwen
d Miss H. E. Roberts, Maesydail
Mr T. Alun Jones, do
Mr Samuel Williams, Caefadog
d Miss M. J. Evans, Penbrynfawr
d Mr Lewis Jones, Maesydail
d Miss Mary Evans, Nantllyn
y Mr Thomas Jones, Dolfawr
y Mr Ellis Roberts, Ty'rcapel
d Mr Evan Rowlands, Taihirion
Mrs Winnie Rowlands, do
Parch R. Davies, Pantyrhedyn
Mrs Catherine Davies, do
Mr E. Jones, Bwlchybuarth
Mrs Jane Jones, do
Mr Williams, Coedle
Mrs Janet Williams, do
Mrs Ellen Ellis, do
Mr Robert Parry, do
Mr T. Ellis, Bodrenig Farm
Mrs Gwen Ellis, do
Mr Edward Hughes Ellis, do

Miss Laura Winnie Ellis, do
Mrs Jones, Bodrenig
Miss Augusta Jones, do
y Mr a Mrs Morris, Station House
Mr E. Edwards, Bronygraig
Mrs Susanah Edwards, do
Mrs Jane Hughes
Mrs Ellen Jones, Filldirgerig
Mr Ellis Jones, do
Mr John Jones, do
Miss Sarah Ellen Jones, do
d Mr David Charles Trow, do
Miss Roberts, Amnodd Wen
Mr O. Lewis, Amnodd bwll
a Mrs Jane Ellen Lewis, do
Mrs Harriet James, Crossing
Mr a Mrs Williams, The Quarry
Mr John Roberts, Fir Grove
Mrs Catherine Roberts, do
Mr D. Roberts, Bwlchybuarth
Mrs E. Abel, Pantyrhedyn
a Mr John Morris, Craigyronw
Cinio a the i'r Cyfarfod Misol
    gan Mr a Mrs Jones, Bodrenig

B

John Anthony Jones, Nantddu
John R. Jones, Craigyronw
Lizzie Jane Morris, do
Mary Catherine Morris, do
Evan Owen Morris, do
Thomas Howell Morris, do
Lily Eronwy Morris, do
David Roberts, Werglodd-ddu
Evan Roberts, Caegwernog
Ellen Winnie Rowlands, Gingefail
Mary Catherine Rowlands, do
Grace Ann Rowlands, do
Sarah Winifred Rowlands, Hafodwen
Sarah Winnie Jones, Gwerndelwau
Gwyneth C. Williams, Post Office
John Jones, Brynhyfryd
Jennie Rowlands, Gelli
Winnie Rowlands, do
David Rowlands, do
Maggie Jones, Caefadog

Lizzie Rowlands, Old Gate
Robert Thomas Rowlands, do
John Jones Parry, Penbrynbach
David Richard Parry, do
Thomas Iorwerth Parry, do
Robert E. Jones, Gwerngenau
Myfanwy Evans, do
John Evans, do
Olwen Evans, do
M. Beryl Evans, do
Lizzie Jane Jones, Brynifan
John Morris Jones, do
Dora Jones, do
Maggie Jane Jones, Bwlchybuarth
Helina Williams, Coedle
David Owen Williams, do
Dilys Williams, do
Enoch H. Ellis, Bodrenig Farm
Margretta Ann Ellis, do
Esyllt Puleston Jones, Bodrenig

Lizzie Jane Morris, do
Emily Roberts, Fir Grove
Ellen Roberts, do
Rhys Roberts Lewis, Amnodd Bwll
Sylvanus Lewis, do

T. John Edwards, Bronygraig
William Evan Edwards, do
Sussie Edwards, do
Robert Jones (ieu), Pantyrhedyn
Richard Jones, do

Gwelir bod enwau hanner cant o blant yn y rhestr hon.

Er mwyn ceisio rhoi darlun llawnach, ailgyfeirir isod at y trigfannau a enwyd ym mhennod 1.

Y Tyrpeg

Gelwid y bwthyn hwn yn Dyrpeg Hafod Fadog neu 'Old Gate', sef yr enw a geir yn llyfr cofnodion Ysgol Celyn. Ni welwyd cyfeiriadau at ddyddiad adeiladu'r lle, ond awgrymai'r ffenestri bach iddo gael ei adeiladu yn y cyfnod pan drethid yr adeilad yn rhannol ar sail maint ei ffenestri. Un o blant Gelli Uchaf oedd yn byw yma yn 1905 ac yr oedd yn gymeriad diddorol. Robert Rowlands oedd ei enw a deellir iddo briodi deirgwaith. Ni wyddys beth ddigwyddodd i'r ddwy wraig gyntaf ond bu'r drydedd, Jane (Jones), yn weithgar iawn yn wyneb afiechyd ei gŵr.

Yn ôl atgofion Johnny Rowlands, nai i Robert, âi'r hen frawd o amgylch y fro i werthu cig, a nodir i'r cigydd ddod i'r Gelli i werthu ac i fam Johnny ofyn iddo,

'Wel, Rhobet, cig hwrdd sy gennoch chi heddiw?'

'Wel, ie,' atebodd Robert, 'ond hwrdd ifanc, yntê?'

Mae'n debyg bod cyfaill i Robert, sef Jaco Cynefail, yn cydymdeimlo ag anawsterau teithio'r cigydd, a rhoddodd ful yn anrheg iddo ar gyfer cludo'r cig. Fodd bynnag, er i Robert ddatgan ei ddiolchgarwch, nid oedd arno eisiau'r anifail, ond yn hytrach na'i werthu trefnodd i gynnal raffl. Mae'n bosibl mai dyna'r raffl gyntaf i bobl Cwm Tryweryn ei gweld ac ni chlywyd beth oedd ymateb Jaco, ond enillwyd y mul yn ddigon teg gan arwerthwr o ardal Llangwm.

Cafodd Robert a Jane Rowlands chwech o blant, sef tair merch, Lizzie, Jane a Maggie, a thri bachgen, John, Evan a Robert Thomas. Y ddau mwyaf adnabyddus o'r rhain oedd Evan a Robert Thomas, a thrueni na chafodd y plant hyn well cyfleusterau addysg. Cartrefodd Evan, neu Ifan fel yr adnabyddid ef maes o law, yng Nghist Faen,

Llandderfel, a daeth yn fardd cadeiriol. Fel y mwyafrif o feirdd bro
Tryweryn, gwaith cynganeddol oedd ei ddiddordeb pennaf, a chy-
hoeddwyd cyfrol o'i waith yn 1974, dair blynedd cyn ei farwolaeth yn
naw deg oed. Etifeddodd ei fab, R. J. Rowlands o'r Bala, ddawn
lenyddol ei dad a'i deulu, gan ennill nifer o gadeiriau, a choron
Eisteddfod Pantyfedwen, ac mae'n uchel ei barch ymysg beirdd
Cymru.

Roedd Robert Thomas yn fardd dawnus hefyd, a thrueni nad yw
gofod yn caniatáu inni gynnwys rhai o'i englynion gafaelgar. Rhaid
annog y darllenydd i gael gafael ar ei lyfryn *Englynion a Chwpledi* a
gyhoeddwyd yn 1981, wyth mlynedd ar ôl ei farw.

Mab i Robert yw Ithel Rowlands a gartrefodd ym Machynlleth wedi
i'r rheilffyrdd o amgylch y Bala gael eu cau. Dyma gynganeddwr
meistrolgar eto, a gellir gweld ei waith yn *Blodeugerdd Penllyn* a
olygwyd gan ei nai Elwyn Edwards. Dyma un gerdd na welir yn y gyfrol
honno:

Y Cudyll Coch

Ai rhyfyg rhyw ddigrifwas
Y teg lun is y to glas?
Yn llawn aidd mae'n llonyddu,
Yn wefr oll mae'n marw fry.
Hwn ar ddi-lawr y mawrddim
Yn ddi-ofn a saif ar ddim.
Pa hud ar gwympo ydyw?
Ow! pa ing yn cwympo yw
Â holl anterth rhyferthwy
I blymio i waed yn blwm mwy.

Ar ôl amser Robert a Jane Rowlands, y Tyrpeg, daeth Thomas
Williams i fyw yno, gŵr a briododd â Lilly, trydedd ferch y Tyddyn
gerllaw. Roedd ganddynt ddau o blant hyfryd, sef Robert Richard ac
Eirwen, a gerddai tua phedair milltir y dydd ar eu siwrnai i Ysgol Celyn
ac yn ôl. Arferai Tom ymweld â'r Bala ar y Sadwrn, fel llawer o ddynion
ifainc eraill y fro, a rhyw nos Sadwrn, ac yntau yn anarferol o lawen,
cyfeiriodd mewn clasur o gân at ei wraig annwyl, 'Lilly of the Valley,

gwraig Twm jolly', a dyna fu ei lysenw i lawer o'i gyfeillion o hynny ymlaen. Yr oedd rhoi llysenwau ar gyfoedion yn arferiad cyffredin iawn bryd hynny.

Wedi i'r teulu hwn adael, ni chafodd y Tyrpeg ragor o ddeiliaid, ac yn y diwedd defnyddiwyd cerrig trymion yr adeilad i gryfhau'r argae.

Coed-y-mynach

Gwyddys i abatai ddal tir yng Nghwm Tirmynach a bro Tryweryn, ac mae'n sicr bod y wigfa o amgylch y fan lle adeiladwyd y ffermdy hwn yn perthyn i fynach neu fynachod yn y Canol Oesoedd. Ni welwyd gweith-redoedd yn gysylltiedig â'r tŷ, ond mae'n bosibl mai un o'r teulu Ifan oedd yn gyfrifol am ei adeiladu. Yn ôl fy nhad, trigai gŵr o'r enw Wmffre Ifan yma yn 1740 a ffermiai ei frawd y Tyddyn Bychan tua milltir i ffwrdd i gyfeiriad y Bala. Enw'r brawd oedd Cadwaladr Ifan, neu Cadwaladr ap Huw, a pherthynai'r ddau i un o deuluoedd hynaf bro Tryweryn. Credir mai Ann Williams o Rosygwaliau oedd gwraig Wmffre, a symudodd y teulu i fyw ym Mhenbryn Fawr, cartref ei rieni ef. Dilynwyd hwy yng Nghoed-y-mynach gan deulu o Foch y rhaeadr, a bu Coed-y-mynach yn dafarndy am beth amser.

Ffermiwyd y lle wedyn gan Dafydd Jones o deulu'r hen Domos Siôn, Cae Fadog. Sylwer mai'r enw Jones a ddefnyddid gan y teulu erbyn hynny a chyfeirir at Elizabeth Jones yn y gofrestr yn cyflwyno Grace i'r ysgol yn 1881. Brodyr i Dafydd oedd Ellis a Tomos, dau o wŷr dawnus y fro. Barddonai'r ddau, ond bu dylanwad Ellis, neu Elis (Celynfab), yn fwy nodedig am iddo ddysgu'r cynganeddion i eraill, fel Evan a Robert Thomas y cyfeiriwyd atynt eisoes. Bu Ellis yn byw yng Nghae Fadog, Garnedd Lwyd a Choed-y-mynach ac yr oedd yn gyfaill i Bob Tai'r Felin. Dyma ei englyn i Bob ar achlysur priodas y canwr ag Elizabeth Jane, Fron-goch:

Aur fil i Bob Tai'r Felin—a'i Efa,
   Heb ofid anhydrin;
A byd rhywiog, heulog hin
Mwy hafaidd na Mehefin.

Am gyfnod yn y ganrif ddiwethaf bu gŵr o'r enw Edward Evans yma yn rhyw fath o feili i Dafydd Jones; hefyd un William Hugh Williams a briododd â merch Ellis Jones; ond Huw Jones o ardal Tal-y-bont, dyn tal ond gwan ei iechyd, a gofiaf i yno. Roedd ganddo ddau fab, sef Dafydd Ellis a John Huw, ond lladdwyd John Huw, bachgen bywiog llawn sbort, mewn damwain gas iawn yn chwarel ithfaen Arenig. Ymddengys i un o'r wagenni dorri'n rhydd wrth ddod i lawr o'r graig a thaflu John druan i'r malwr cerrig. Trigai Deborah fechan hefyd yng Nghoed-y-mynach ond lle anaddas iawn ydoedd i bobl a'u brestiau mor wanllyd. Yr oedd yn llecyn hyfryd yn y coed ond yn isel a gwlyb.

Toc wedi marwolaeth John Huw gadawyd y lle yn wag. Gan fod y gweirgloddiau ffrwythlon o flaen y tŷ mor isel a gwastad wrth ymyl yr afon, collwyd y cnydau dro ar ôl tro pan fu llifogydd sydyn ym misoedd yr haf, ac nid yw'n rhyfedd i rywun golli gobaith wrth orfod brwydro yn erbyn yr hen elyn—y dŵr.

Gwerndelwau

Mae enw'r fferm fechan hon yng Nghwm Celyn yn ddigon i ogleisio dychymyg unrhyw un. Ble'r oedd y delwau, a pha fath o ddelwau oeddynt? Duw a ŵyr! Ond cofiaf y byddai cerrig enfawr ar y tir uwch, yn enwedig wrth y gorlan ar glawdd terfyn y mynydd, nid nepell o safle'r Capel Coffa presennol. Yr oedd llechwedd yn llawn o gerrig mawr uwchben y gorlan hefyd, ond cludwyd y mwyafrif o'r rheini, a'r delwau hefyd mae'n debyg, i lawr i safle'r argae.

Y cyntaf y gwyddys amdano'n byw yma oedd Robert Richard, a ddaeth o Amnodd Wen ar ochr yr Arenig Fawr yn nechrau'r ganrif ddiwethaf. Ceir awgrym i'w fab o'r un enw fod yn flaenor yn y capel ac yn athro ysgol yn yr ardal. Efallai mai hwn oedd yr un a elwid 'y goes bren' gan blant y fro. Tybir iddo hefyd ddal swydd o *relieving officer* yn y Bala ar gyflog o £50 y flwyddyn. Clywyd hefyd am ŵr o'r enw Rhys Lewis o'r Llidiardau yn gwasanaethu fel athro ysgol yng Nghelyn ac yn byw, neu'n lletya, yng Ngwerndelwau, cyn symud maes o law i fod yn weinidog cymeradwy ym Metws Garmon am chwarter canrif.

Pan adawodd Robert Richard y lle a mynd i dŷ capel y capel newydd, dilynwyd ef yng Ngwerndelwau gan Evan Rolant (neu Rowlands). Yr oedd ef o deulu Cynefail ar draws yr afon a thrigodd ef a'i wraig Sarah yn y lle am drigain mlynedd. Ganed i'r ddau chwech o blant, dau fab a phedair merch.

Morris Rowlands.

Sarah Winnie Rowlands.

Y mab cyntaf oedd Morris, a briododd â chwaer i fy nain o ardal Ysbyty Ifan. Cyn gadael am Gefn Coed uwchben Glyndyfrdwy, gyda golygfa fendigedig o'r dyffryn, buont fyw am gyfnod byr yn Hafod Wen. Yr oedd ganddynt un ferch, sef Sarah Winnie, ac âi fy mrawd a'm chwaer Nin yn aml i Lyndyfrdwy am wyliau. Yr oedd Sarah Winnie yn ferch olygus ac wedi dyweddïo, ond yr oedd ganddi edmygydd cudd, sef cipar, dyn mewn oed a drigai yn eu hymyl. Yn ddirybudd un dydd Sul yn 1934, daeth y gwallgofddyn i fuarth Cefn Coed gan saethu Sarah Winnie a'i thad yng ngolwg y fam. Claddwyd y ddau yn Ffestiniog ac i'r fan honno y symudodd y fam maes o law a byw i weld ei phen-blwydd yn 96 oed.

Gŵr annwyl oedd Morris Rowlands a chanddo'r synnwyr digrifwch a berthynai i'r teulu. Ef oedd y chweched ar gofrestr Ysgol Celyn yn 1881. Brawd i Morris oedd John a briododd â merch o'r enw May a oedd yn un arw iawn am ddarllen ond yn casáu gwaith tŷ. Ganed iddynt chwech o blant, gan gynnwys Evan Emrys a Thomas John a ddeuai acw i chwarae gyda'm brawd. Sefydlodd y teulu hwn hefyd yn ardal Llantysilio, ger Llangollen.

Ceir tipyn o hanes Evan, y tad, yn atgofion Johnny Rowlands a dderbyniais trwy law Mrs Evans o'r Bala. Dyma esiampl:

Yr oedd fy Ewyrth Evan yn cael ei gyfrif yn un o'r cigyddion mwyaf llwyddiannus ar foch. Lladdodd rai cannoedd os nad miloedd am bris o ddau swllt y mochyn. Yr adeg honno ar y ffermydd lleddid cymaint â chwe mochyn mewn blwyddyn. Cyfrifid fy ewyrth hefyd yn un o'r rhai craffaf ar ddefaid. Gwelais ef droeon yn tynnu cyplau at eu gwerthu. Daliai y mamogiaid hynaf yn gyntaf, yna delid eu hŵyn. Adwaenai hwy fel pe baent yn blant.

Gwelais ef un tro wedi iddo ymddeol o ffarmio, a minnau wedi cymryd ei ffarm drosodd, yn dod â'r hesbyrniaid i fy ffarm i yn Llandderfel i'w cadw dros y gaeaf. Prynais ddeg o hesbinod blwydd atynt gan eu nodi â'r un nod clust â defaid Gwerndelwau.

Ymhen amser, daeth Evan Rowlands i dreulio ychydig ddyddiau ataf yn Llandderfel ac aethom i weld yr hesbinod. Rhyfeddwn at ei graffter. 'Hwn oedd yr oen cyntaf,' meddai, 'cafodd hwn ei eni wrth y llyn mawr.' Ac meddai gan ddangos un arall, 'Dyma oen yr hen ddafad gorniog. Un dda am fagu oedd hi.' Toc daethom ar draws un o'r deg a brynwyd i mewn, ac er mwyn ei brofocio a'i brofi, dywedais, 'Dyma un dda ohonynt.' 'Na,' meddai yntau, 'tydi honne ddim o Werndelwau.'

Mae'n rhyfedd sut yr adwaenai ffermwyr y tir uchel eu defaid. Gwyddent yn dda am eu harferion ac anaml y collid na mamog nac oen. Gwyddai'r bugeiliaid holl nodau clust yr ardal a thu hwnt, a bodolai ymddiriedaeth lwyr. Y gelyn oedd y tywydd caled yn enwedig yr eira. Yn bur aml, cleddid y defaid gan luwchfeydd mawr ger y cloddiau cerrig, a byddai'n rhaid procio drwy'r eira gyda gwiail nes teimlo'u cyrff meddal. Yn rhyfedd iawn gallai'r defaid cryfaf fyw am ddyddiau dan yr eira.

Fel y nodwyd uchod, ffermiodd Johnny Rowlands Gwerndelwau ar ôl amser ei ewyrth. Bu Cadwaladr Davies a'i wraig Winnie o Fryn Ifan yno hefyd ond, maes o law, aethant hwythau i lawr i ddyffryn Dyfrdwy i ffermio, sef i ardal Rhewl ger Llangollen.

Gŵr o'r enw Robert Roberts o Langywer a briododd ag Elen Winnie o deulu Dolwen oedd y nesaf, a'r olaf, i drigo yma. Yr oedd i Elen Winnie fab o'r enw Morris a ddechreuodd weithio yn chwarel Arenig wedi gadael yr ysgol. Fodd bynnag, galwyd ef i'r fyddin ar ddechrau'r rhyfel yn 1939, a symudwyd ei gatrawd i Ffrainc yn bur fuan. Yna, ar ôl galanas Dunkirk, daeth y newydd trist ei fod ar goll, ac ni wyddys hyd heddiw beth ddigwyddodd iddo. Dyma'r unig un o'r ardal a gollwyd yn Ewrop yn ystod 1939-44.

Roedd gan Robert ac Elen Roberts ferch o'r enw Mary Ellen ond nid arhosodd hi yn yr hen gartref.

Gwern Tegid

Pwy oedd Tegid tybed? Adeiladwyd y tŷ yn y ganrif ddiwethaf gan saer maen o'r Bala o'r enw John Pugh, ond John a Catherine (neu Kate) Williams a fu'n byw yno cyn i 'Nhad a Mam symud yno ar ôl priodi. Bu fy mam yn athrawes ysgol yn Barnsley, Swydd Efrog. Pam yno yn hytrach nag yn rhywle arall nid yw'n bosibl dweud erbyn hyn, ond deuai hi o Rydlydan i Gwm Celyn ar ei gwyliau, ac yma y sefydlodd.

Daeth yno, fel tenantiaid fy nhaid ar ôl i 'Nhad a Mam adael, deulu o Ben Stryd, Trawsfynydd, sef Dafydd Edwards a'i wraig. Hi oedd y drydedd ferch o'r un teulu i briodi â bachgen o Gelyn. Cawsant bump o blant, sef Evan David, Megan, Robin Owen, Tom a Dafydd, ac yn nodweddiadol o'r amser hwnnw, yr oedd hi'n galed iawn ar y teulu. O ganlyniad, arferai fy mam wneud dillad i'r bechgyn.

Pan oedd yn fachgen aeth Dafydd i fyw i Wern Adda at ei fodryb, ond symudodd wedyn i Gae Fadog at ei fodryb Elin. Bu farw Dafydd yng Ngobowen yn 1984, wedi gwaeledd hir. Bu Megan yn forwyn annwyl a theyrngar ym Mhenbryn Fawr cyn symud, maes o law, i Lawr y Betws. Ni wyddys hanes y lleill.

Dolwen

Yn gynnar yn y ddeunawfed ganrif, Dafydd Jones a'i deulu a breswyliai yma, ond symudodd ef i ardal Cynwyd ger Corwen. Flynyddoedd yn ddiweddarach, Huw Jones a'i wraig Elin a drigai yma ac un dda am wneud canhwyllau brwyn oedd hi. Gwerthai'r rhain yn y Bala yr un amser â'r hosanau. Yn ôl nodiadau Johnny Rowlands eto, tueddai Huw i yfed yn ormodol a phan fyddai yn y cyflwr hwnnw byddai fel arfer yn canu. Ond un llinell yn unig oedd i'w gân, sef:

'Cyn i'r ddafad fynd o'r gorlan mae cau'.

Un nos Sadwrn, gan ei fod yn hwyr yn dychwelyd o'r Bala, aeth Elin Jones i'w gyfarfod ac wrth ddynesu at y bont dros nant Tŷ Nant clywai Huw wrthi—yn siarad ag ef ei hun. A hithau'n ofni ei fod wedi syrthio i'r dŵr, gofynnodd, yn ei phryder, 'Ble'r wyt ti Huw?' Ac yntau'n ei hateb a'i bwys ar ganllaw'r bont gan syllu i'r dŵr, 'Wn i ddim Elin fach, rydw i rywle tu ucha i'r lleuad.'

Y gwragedd gartref a ddioddefai'r pryder a'r cyfrifoldeb o godi plant. Câi llawer o'r dynion amser digon rhwydd ar wahân i adeg geni'r ŵyn, ac yr oedd Huw Jones wedi cael ei sbwylio'n lân gan ei fam yn y Llidiardau ers ei blentyndod. Adroddid stori am fam Huw yn mynd i'r Bala i siopa un tro ac yn dychwelyd heb gofio dod â bynsen iddo. Yn ei siomedigaeth fe lefodd Huw bach drwy'r nos, ac o ganlyniad cododd y fam yn fore trannoeth ac ailymweld â'r Bala—taith o ddeuddeg milltir—i brynu bynsen i'r bychan!

Nantllyn

Yma, ar ddechrau'r ddeunawfed ganrif, trigai William Pritchard a gadwai hafod i deulu Llwyn yr Odyn. Dilynwyd ef gan fy hen daid o deulu Cae Fadog, a briododd â Jane Lloyd o Gwm Prysor a hanai o Lwydiaid Eifionydd. Ganed i'r ddau wyth o blant, gyda'r ferch hynaf, Margaret, a aned yn 1831, yn dilyn ei gŵr i'r Unol Daleithiau ond yn dychwelyd ar ôl ei farwolaeth, yn priodi Sais ac yn cartrefu yn Cumberland. Yr ieuengaf o'r plant, Robert, oedd fy nhaid.

Cynefail

Cyfeiriwyd eisoes at y ffermdy bach hwn wrth sôn am y rhai a aeth o'r ardal i Bennsylvania. Bu'n wag ers blynyddoedd lawer.

Gwern Adda

Duw a ŵyr pwy oedd yr Adda a roes ei enw i'r lle. Ni chofiaf i mi weld afalau yn tyfu yno! Trigai un neu ddau o deuluoedd deallus yno yn y ganrif ddiwethaf, hefyd yr hen Jaco, y dyn cryf y cyfeiriwyd ato eisoes.

Cae-gwernog

Y cyfenw Roberts a gysylltid â'r tyddyn hwn gynt. Un fu'n byw yma oedd y bachgen bach a grwydrodd i'r mynydd a marw ar yr Arenig Fach. Er cof amdano, adeiladwyd pentwr o gerrig ar ben y mynydd a'i alw'n Garnedd y Bachgen.

Pan oeddwn yn blentyn ysgol ac yn rhoi cymorth i 'Nhaid yn Nhŷ Nant, John Jones o Lanuwchllyn oedd y penteulu yno. Gweithiwr 'ar y ffordd' oedd ef, ond gweithiai'n llawer caletach gartref yn pladuro pob llathen o'i gaeau gwair ac yn cadw'r tyddyn fel pin mewn papur. Dynes hynod ddeheuig a gweithgar oedd ei wraig hefyd, ac yr oedd angen trefn am fod ganddynt ddeuddeg o blant cryf ac iach, gyda Myfanwy, Ethel a Margaretta yn enwau pur newydd yn yr ardal. Enwau'r lleill oedd David George, John Peter, Huw Ifan, Beti Wyn, Thomas Gwynfor, Mair Elena, Rhiannon, Trebor a Janet Hefina.

Moelfryn

Fel y gweddill o'r lleoedd ar lethrau'r Arenig Fach o Gynefail i Weirglodd Ddu, yr 'hen blant', fel y galwai'r hen lanciau eu hunain, a ffermiai'r tir hyd eu marwolaeth. Hynny yw, eu defaid hwy a borai'r tir.

Yn wyneb costau llafur a pheiriannau, gyda chnydau ansicr oherwydd hafau gwlyb, daeth cadw defaid yn beth cyffredin iawn ar ôl yr Ail Ryfel Byd. Yn wahanol i'r tridegau, yr oedd gan y Llywodraeth law agored a chynigient gymorthdal a dueddai i wneud bywyd y ffermwyr yn weddol rwydd ar wahân i adeg geni'r ŵyn. Yn 1705 Morris ac Anne Wynne oedd y perchenogion. Wedyn clywyd am Wiliam Ifan o Ysbyty Ifan ac un Morris o Nannau yn cartrefu yno. Ephraim Williams o Drawsfynydd a ddilynodd y rhain, ac ar ei ôl ef Gwen Lewis, gwraig hynod am ei charedigrwydd. Yr oedd ganddi un mab, sef Robert, a oedd yn gloff iawn ac yn dioddef gan friwiau cas na ellid, bryd hynny, eu mendio. Cydymdeimlem ni'n fawr â Robert Lewis, ac mae'n anodd i ni heddiw amgyffred y dioddef distaw a fu yn yr hen amser.

Weirglodd Ddu

Saif y bwthyn bach hwn mewn llecyn delfrydol uwchben Llyn Celyn ar ei ochr orllewinol. Fel Cae-gwernog, bu Weirglodd Ddu yn gartref i 'hippies' ar ôl y boddi.

Dyma hen gartref teulu David Roberts a ddaeth yn gadeirydd y Pwyllgor Amddiffyn. Trigai ei dad a'i daid yma, ac yr oeddynt yn grefftwyr gwych. Yma y gwneid eirch i'r meirwon.

Dolfawr

Yn gynnar yn y ddeunawfed ganrif, Edward Jones a'i deulu a drigai yma, ac fe'u dilynwyd gan Edward Ellis. Credir i Robert Roberts, bardd adnabyddus yn ei ddydd dan yr enw Gwaenfab, drigo yma. Priododd ef ag Ann, merch Weirglodd Ddu. Y nesaf i fyw yma oedd Richard a Janet (Ellis?) Jones, ac roedd ganddynt fab o'r enw Thomas. Yr oedd Tom yn ganwr da ac yn fardd gwych a gellir gweld esiamplau o'i waith yn *Blodeugerdd Penllyn*. Gadawyd Dolfawr yn wag tua thrigain mlynedd yn ôl, ond bu David Parry a'i deulu o Benbedw yn treulio'u gwyliau yno am rai blynyddoedd.

Gorweddai ffermdy a thir Dolfawr ar wastadedd isaf y cwm, nid nepell o safle'r twr rheoli dŵr presennol, a llifai afon Tryweryn heibio'n araf. Fel Coed-y-mynach gyferbyn, dioddefodd tir Dolfawr lawer gan lifogydd, a dyna pam y gadawodd Thomas Jones a'i deulu, y preswylwyr parhaol olaf.

Llawr y Cwm a safle'r argae.

Clywais fod ymdrechion wedi cael eu gwneud i berswadio'r Cyngor Sir i symud y cerrig yn yr afon wrth y fan lle yr adeiladwyd 'halt' y trên, ond mae'n debyg bod y darn hwnnw o'r afon yn perthyn i rywun o ddylanwad gyda'r hawliau pysgota, ac nid oedd grantiau ar gael ychwaith.

Nid oedd gan y werin fawr o lais na dylanwad bryd hynny. Dywedai rhai mai brwydr amddiffyn Cwm Tryweryn oedd yr ysgogiad pwysicaf i'r deffroad a ddaeth ynglŷn â gweinyddiaeth sirol a chenedlaethol a dioddefwyd yr un math o broblem gyda'r gwasanaeth trydan. Rhedai gwifrau a pholion mawr i lawr y cwm o Faentwrog i Lannau Dyfrdwy ond ni châi trigolion bro Tryweryn ronyn o ynni ohonynt.

Penbryn Bach

Yma, oddeutu 1790, trigai gŵr o'r enw William Edwards a gyfansoddodd yr emyn adnabyddus:

> Does neb ond Ef, fy Iesu hardd
> A ddichon lanw 'mryd.

Dilynai ef y grefft o wehyddu, a phriododd â merch cymydog, John Evans, a byw yn nhŷ ei dad-yng-nghyfraith.

Nid oedd Achos yng Nghelyn bryd hynny a threuliodd William Edwards lawer o'i amser yn cynorthwyo Thomas Charles gyda gwaith yr ysgol Sul. Yn ogystal â'r emyn uchod, cofir ef hefyd am lyfryn a gyhoeddodd yn 1818, sef *Ychydig Hymnau ar Destunau Athrawiadol a Phrofiadol*. Credir mai i ardal Cynwyd, ger Corwen, y symudodd o Gelyn.

Wedyn daeth gŵr o'r enw Ifan Jones i Benbryn Bach, a phriododd ei fab â merch Nantllyn, sef chwaer fy nhaid. Cafodd y pâr ifanc bedwar o blant, sef tair merch ac un mab. Ymfudodd y mab i Unol Daleithiau America, a chartrefodd un ferch, Jane, a'i gŵr Eddie o Ryd-y-fen, yn yr hen gartref a chael tri mab. Er iddynt fynd i'r ysgol ramadeg, dod yn ôl i ffermio Penbryn Bach a Dolfawr wnaeth Johnny ac Iorwerth, ond aeth y trydydd mab i'r brifysgol a rhoi gwasanaeth hir fel athro ysgol ym Mhenbedw. Ymddiddorai David Parry yn fawr yn 'y pethe', a barddonai yn ei amser hamdden.

Cyfeiriwyd yn yr olwg gyntaf ar fro Tryweryn at y gwaith manganîs ar ochr Mynydd Nodol. Mae'n debyg mai yn ystod y cyfnod 1890-1913 y bu'r gwaith ar agor, gyda'r amser prysuraf tua 1906. Defnyddiwyd dynion lleol i durio, a cheffylau o'r ardal i gludo'r manganîs, a daeth y gwaith â thipyn o elw i'r ardal dros dro. Er enghraifft, Eddie Parry oedd y cyntaf i berchen car modur ym mro Tryweryn, a'i wraig Jane oedd piau adeilad siop Celyn nes iddi werthu'r lle i 'Nhad. Yn rhyfedd iawn, gan y meibion y prynodd fy nhad dŷ yn y Bala yn ei hen ddyddiau.

Wedi amser y teulu Parry ym Mhenbryn Bach aeth y fferm i ddwylo teulu di-Gymraeg o'r enw McNaught. Dyna rywbeth newydd i'r ardal a rhywbeth yr oedd Cymru wledig yn mynd i weld llawer ohono maes o law. Deellir i'r teulu hwn symud i ardal Rhosygwaliau ger y Bala a dod, yn y man, yn Gymry Cymraeg defnyddiol yn eu hardal.

Un elfen gyffredin yn y cefnu ar y trigfannau uchod oedd ei fod yn deillio o'r diboblogi cyson a fu yng nghefn gwlad yn ystod y deugain mlynedd diwethaf yn arbennig. Ni ellir cwyno bod Corfforaeth Dinas Lerpwl wedi erlid y trigolion o'r ardal; pwysau economaidd oedd y prif reswm dros y mudo.

Yn y bennod nesaf, cyfeirir at y tai a oedd yn gartrefi pan ddaeth y newydd sydyn yn niwedd 1955 am fwriad Corfforaeth Lerpwl i foddi'r ardal.

PENNOD 8

Dechrau'r Pumdegau

Wrth edrych ar hanes ardal Capel Celyn ac ystyried y sefyllfa gymdeithasol ar wahanol adegau, sylwir ar y gwahaniaeth mawr a fu ym mhatrwm byw y gymdeithas rhwng dechrau'r tridegau a phumdegau'r ganrif hon.

Bu'n amser anodd trwy'r wlad ar ôl y Rhyfel Byd Cyntaf, yr arian yn brin a'r gweithwyr yn chwilio ym mhobman am waith, ac yn aml yn gorfod symud ardal neu fynd i'r trefydd i'w gael. Oherwydd y diffyg arian, lleihaodd gwerthiant cynnyrch y ffermydd, gyda'r ymenyn a'r wyau yn rhad iawn. Er hyn, daliai pobl Celyn i weithio eu ffermydd yn ôl yr hen ddulliau a chyflogi'r bechgyn a'r merched lleol; pawb yn cael ei damaid rywfodd ac yn byw yn ddirwgnach er y tlodi a'r diffyg cymorth cymdeithasol o gyfeiriad y Llywodraeth. Gwelem ni yn y siop y tlodi, ac roedd yn anodd i 'Nhad ofyn i bobl a oedd wedi colli cnwd neu anifail, dalu biliau am nwyddau. Dioddefasom ninnau hefyd yn sgîl hyn.

Erbyn y pumdegau ar y llaw arall, yr oedd y Wladwriaeth Les ar ei thyfiant: y defaid yn ei 'gwneud hi'n dda', ond y ffermwyr wedi cael gwared â'u gweision a'r rheini wedi symud i dai cyngor ac oriau gwaith pendant. Disodlwyd y wedd gan y tractor, sef y 'Ffyrgi', hefyd yn ystod y cyfnod hwn.

Ceir cipolwg yn awr ar y cartrefi olaf i gael eu gadael yn wag cyn amser yr ymryson a'r boddi.

Y Tyddyn neu'r Tyddyn Bychan

Yn yr hen ffermdy hwn y preswyliai un o deuluoedd hynaf ardal Tryweryn. Tua 1740 Cadwaladr ap Huw neu Cadwaladr Ifan oedd yma, tra ffermiai ei frawd Wmffre fferm Coed-y-mynach.

Y penteulu olaf i fyw yma oedd mab i Robert a Hannah Edwards. Gŵr bychan barfog oedd Robert ac yn hynod fedrus gyda'i ddwylo. Cafodd ef a'i wraig wyth o blant, gan gynnwys Lilly, gwraig Thomas Williams, y Tyrpeg. Priododd pedwar o'r plant â phartneriaid a oedd yn gymdogion agos. Anaml yr âi neb i bellteroedd byd yn yr hen amser i chwilio am gymar priodasol.

Hafod Fadog

Cyfeiriwyd eisoes at y lle hwn a'i gysylltiadau â'r Crynwyr. Pan oedd y llyn ar ei isaf tua diwedd mis Awst 1984, gellid mynd i lawr yn is na'r fan lle'r oedd y tŷ a cherdded cyn belled â'r fynwent a oedd ar fin y dŵr.

David ac Elin Jones, Hafod Fadog, wrth ddrws y ffrynt. (Llun: Archifdy Gwynedd)

Yn ystod y ganrif ddiwethaf daeth dyn tra diddorol i fyw yma o Dal-y-bont. Er ei enw cyffredin, sef Dafydd Jones, yr oedd yn ddyn llithrig ei dafod a doniol ei natur. Dywedodd rhyw wàg amdano, 'Gŵr yw Dei a gâr ei daid'. Dilynwyd ef gan y teulu Rowlands ond yn 1884 daeth Hugh a Dorothy Jones, tad a mam Dei arall i fyw yma. Âi'r Dei hwn o dŷ i dŷ yn torri gwallt dynion yr ardal, gan gynnwys fy nhad. Deuai i'n tŷ ni ar ei feic bach modern a chostus gydag 'oil case'—rhan anarferol o feiciau'r cyfnod oherwydd y gost. Pan ddeuai Dei acw i dorri gwallt, câi swper gwerth chweil, ac o ganlyniad amserai ei ymweliad yn ofalus a châi owns o faco a sgwrs hefyd am ei drafferth; tâl go dda mewn gwirionedd.

Fel dyn cymdeithasol hoffai Dei fynd i'r Bala ar nos Sadwrn a drachtio cwrw'r Ship am ddwy geiniog a dimai'r peint. Byddai'n ofynnol wedyn, yn bur aml, llogi car Robert Tegid i fynd adref a dychwelyd ganol yr wythnos i nôl y beic!

Garnedd Lwyd

Mae'n bosibl mai un Rhobert Gruffydd oedd y cyntaf i fyw yma, ond tua chan mlynedd yn ôl Evan a Barbara Roberts oedd yno, teulu arall a chanddynt saith o blant. O archwilio'r enwau yng nghofrestr Ysgol Celyn, ymddengys fod plant morynion neu blant o dloty'r Bala wedi cael eu magu yma.

Preswylydd nesaf Garnedd Lwyd oedd Ellis Jones (Celynfab), un o feibion peniog Cae Fadog. Yr oedd ef yn gerddor da ac yn feistr y band yn Ffestiniog pan oedd y chwareli ar eu tyfiant.

Tuag amser y Rhyfel Byd Cyntaf dilynwyd ef gan Edward Morgan a'i deulu. Un cyflym ei dymer oedd Edward a châi hogiau'r ardal hwyl trwy ei brofocio a dweud ei fod dan bawen ei wraig!

Edward Evans a'i ddisgynyddion oedd y teulu olaf i ffermio'r lle cyn y boddi.

Cae Fadog

I Gae Fadog y daeth Thomas Siôn pan ddaeth i fyw i'r ardal o Ystumllyn yn Sir Gaernarfon yn yr ail ganrif ar bymtheg. Ceir cyfeiriad yn hanes y teulu at un Tomos gyda'r llysenw Twm Dew a oedd yn feistr ar fesur yr hir-a-thoddaid, ond nid oes sicrwydd mai hwn oedd y

Tŷ Cae Fadog. (Llun: Archifdy Gwynedd)

Tomos cyntaf. Huw Jones, nai Thomas Siôn, oedd yr un a sefydlodd am hir yng Nghae Fadog, lle bu teuluoedd mawr eto.

Yr oedd brawd i Ellis Jones o'r enw Huw yn byw yma ar ddiwedd y ganrif ddiwethaf, gŵr galluog a cherddorol. Pan ddaeth offerynnau cerdd yn dderbyniol yng ngwasanaethau'r capel deellir i amryw o'r teulu ddod yn offerynwyr medrus a threfnodd Huw Jones gerddorfa i'r plant gan eu dysgu i ddarllen hen nodiant—rhywbeth pur anarferol bryd hynny. Yr oedd nifer o'r teulu yn barddoni hefyd.

Bu farw Huw Jones rai blynyddoedd cyn ei wraig a chynorthwywyd hi wedyn gan Dafydd Jones y bugail. Yn ei nodiadau, rhydd Johnny Rowlands, a fagwyd yn y Gelli gyfagos, ddisgrifiad o'r weddw a'i harferion. Meddai:

Deuai Beti Jones yn aml i'r Gelli ar fîn nos i sgwrsio efo Mam, a dyna lle byddai'r ddwy o bobtu'r tân yn gwau hosanau ac yn sgwrsio, gyda'r gweill yn clecian; ond pur anaml yr edrychent ar yr hosan. Deuent â'u hosanau gyda nhw i wau wrth fynd a dod, a'r bellen wlân yn hongian wrth fach prês, a hwnnw wedi ei fachu wrth linyn eu ffedogau.

Yng Nghae Fadog byddai'n arferiad i dorri agen fach gyda chyllell yn ysgwydd pob dafad a rhoi ychydig o arian byw ynddo i gadw'r defaid yn glir o'r clafr. Ymddengys fod y driniaeth hon wedi llwyddo.

Dyma Johnny Rowlands eto:

> Byddwn bob amser yn mynd i Gae Fadog i gynorthwyo hel y defaid: yr oedd hynny cyn i'r mynydd fynd yn eiddo i Rhiwlas. Diwrnod hel defaid, codem tua thri o'r gloch y bore i fynd i ben y drum erbyn toriad y wawr; wedyn byddai'r defaid yn y gorlan erbyn saith.
>
> Byddai Beti Jones yn dod â bwyd inni at y gorlan a golwg urddasol fel brenhines arni,—ffedog wen gyda dwy ffrilen wen yn hongian o bobtu ei hwyneb.

Ar ôl ei hamser hi arhosodd ei mab, Thomas Cadwaladr, yng Nghae Fadog—dyn cerddorol eto—a bu ef yno tan ei farwolaeth, i'w ddilyn gan David Roberts a ddaeth yn adnabyddus fel Cadeirydd Pwyllgor Amddiffyn Capel Celyn. Cofiaf fynd i Gae Fadog i glywed Thomas Jones yn canu'r organ.

Y Gelli

Credir i'r ffermdy hir hwn gael ei adeiladu tua 1712. Yn ddiweddarach bu'r teulu Lewis yn byw yno, ond yn ystod y can mlynedd diwethaf y teulu Rowlands a gysylltwyd â'r lle.

Bu teulu mawr yma ddiwedd y ganrif, gyda thri ar ddeg o blant, er i ddau farw ar eu genedigaeth. Hoffai Morris y tad farchnata, ond ddioddefodd ddamwain gas wrth ddod o Ffestiniog ar ei ferlyn, ac o ganlyniad gorfu iddo ddibynnu ar fagl am weddill ei oes. Bu ef farw rai blynyddoedd cyn ei wraig a bu hi'n fam ardderchog, yn codi'r teulu dan anawsterau mawr. Rhaid cofio nad oedd dim cymorth i'w gael oddi wrth y Llywodraeth ac ni ddaeth pensiwn yr henoed tan amser Lloyd George.

Mae'n amlwg i Johnny Rowlands, un o'r plant, etifeddu gallu ei dad ym myd masnach. Bu'n ddyn busnes a ffermwr llwyddiannus gan gartrefu ym mhentref Llandderfel pan oedd pobl dalentog dros ben yn byw yno, megis Llywela Roberts, Catherine Rowlands (Evans wedyn) ac eraill. Aelod diddorol arall o'r teulu oedd Evan Rowlands 'y glo', sef brawd a symudodd i Nantyffyllon ger Maesteg. Roedd pawb yn ei ardal yn ei adnabod, a phan welais ef ddiwethaf, tua dechrau'r saithdegau yr oedd ymhell dros ei naw deg, yn cadw tŷ ac yn gofalu am ei ferch na allai symud o'i gwely oherwydd cryd cymalau. Fel Johnny, un doniol iawn oedd Evan.

Y teulu olaf i fyw yn y Gelli oedd Jac a Jennie Rowlands a'u dau blentyn, Glenys a Morris. Yr oedd Jennie yn berl o wraig, yn amyneddgar a charedig. Y Gelli oedd pencadlys byd cymdeithasol bechgyn ardal Tryweryn yn ystod eu hamser hwy yn y tridegau.

Bryn Hyfryd 1 a 2

Dau ben tŷ ynghlwm wrth ei gilydd oedd y rhain. Ni ddarganfuwyd gweithredoedd yn perthyn iddynt, ond yr oeddynt mewn cyflwr da er iddynt gael eu hadeiladu cyn yr ysgol gerllaw. Yn y cofnod cyntaf sy'n sôn amdanynt cyfeirir at un John Hughes yn mynd â'i fab i Ysgol Celyn yn 1881, sef blwyddyn gyntaf yr ysgol. Wedi hyn Edward ac Ann Jones fu'n byw yn un, a Richard a Lizzie Jones yn y llall.

Mae'n debyg mai un byr ei dymer oedd Richard ar adegau. Dyfynnir eto o atgofion Johnny Rowlands:

> Cofiaf un tro yn yr Ysgol Sul a Richard Jones yn athro ar chwech ohonom. Digwyddem ddarllen hanes Ioan Fedyddiwr yn y diffeithwch. Yr oedd yn y dosbarth un 'hogyn' sef gwas bach yng Ngwerngenau a oedd yn bur drwsgl fel darllenwr.
>
> Disgynnodd i'w ran yr adnod 'A'i fwyd oedd locustiaid a mêl gwyllt': ond fel hyn y darllenodd y bachgen hi, 'A'i fwyd oedd locustiaid a mul gwellt.'
>
> Mi chwerthais innau dros y capel, a'r peth nesaf a gefais gan Richard Jones oedd bonclust gyda'i Feibl gan ddweud, 'I beth wyt ti'n chwerthin wrth ben dy Feibl dywed?'

Mae'n amlwg mai dyna'r ffordd i gadw disgyblaeth yn yr ysgol Sul bryd hynny.

Ar ôl y teuluoedd hyn daeth Hannah Williams i fyw yn rhif 1, gwraig a wyddai rannau helaeth iawn o'r Beibl ar ei chof, a daeth Thomas ac Ann Humphreys yn gymdogion iddi yn rhif 2. Gweithio yn chwarel ithfaen Arenig a wnâi Tom, a golygai hynny gychwyn ar droed neu feic am hanner awr wedi chwech y bore. Prynai'r *News Chronicle* yng ngorsaf y trên yno, a byddai'r papur yn ehangu'n gorwelion ni a âi yno i weld sut yr oedd Everton a Dixie Dean wedi chwarae. Y *Daily Post* gaem ni gartref ac roedd hwnnw'n llai diddorol. Papur digon gwrth-Gymreig oedd y *Liverpool Daily Post* bryd hynny. Felly hefyd y *Western Mail* ond châi neb mo hwnnw; papur i bobl y de ydoedd.

Roedd gan Thomas ac Ann gramoffon, yr unig un o fewn milltiroedd, a'r record grafiadol a fyddai'n barhaus ar y bwrdd oedd un o William Edwards, Rhyd-y-main, yn canu cywydd Gwilym Hiraethog i'r gof ar Gainc y Datgeiniaid.

Yr oedd yn y tŷ hefyd set radio dda. Cossor oedd yr enw cwmnïol cyfarwydd arni ac yr oedd yn well na'r set a oedd gennym ni gartref. Yr oedd gwell derbyniad yno wedi'r nos. Cofiaf yn dda y gwrando ar y gornestau bocsio rhwng Jack Petersen o Gaerdydd a Len Harvey.

Glan Celyn

Mae'n debyg i'r tŷ dymunol hwn gael ei adeiladu yr un pryd â'r siop drws nesaf. Watkin Watkins oedd y perchennog cyntaf ond yn nechrau'r ganrif torrwyd y cysylltiad a daeth y tŷ, maes o law, i ddwylo Robert a Margaret Parry trwy ei thad hi.

Fel nifer dda o fechgyn ifainc daeth Robert i'r ardal fel pladurwr dros yr haf. Priododd â merch leol, ac yna aeth i ymladd yn rhyfel 1914-18 yn Ffrainc. Wedi dychwelyd o'r rhyfel, gallodd Robert, yn ôl ei hawl, brynu tri chae oddi ar Maes-y-dail—digon i gadw dwy fuwch. Ond nid oedd hyn yn ddigon i gadw gŵr a gwraig, a chafodd waith ar y rheilffordd yn trwsio'r cledrau o'r Bala i fyny i Gwm Prysor.

Yn y tridegau, fodd bynnag, daeth trefn newydd, gyda'r gweithwyr yn gorfod ymgynnull yn y Bala a theithio i'w man gweithio ar wagen fechan y gellid ei dodi ar y cledrau. Yn wyneb y fath chwyldro nid oedd dim i Robert i'w wneud ond prynu beic modur. Syniad Maggie oedd hyn gan na fyddai hi'n ystyried symud o'i hen gartref, a phrynwyd Triumph newydd sbon—digon i dynnu dŵr o'n dannedd ni fechgyn bach. Prynwyd garej newydd o bren i'r beic modur hefyd, ond bu'r gyrrwr yn araf ddychrynllyd yn dysgu marchogaeth. Yn y gêr cyntaf y bu Robert am rai wythnosau, gyda'r cychwyn a'r stopio yn weithredoedd cymhleth a llawn antur. Ni chredir i'r beic modur hwnnw erioed deithio dros ugain milltir yr awr, ac ni welwyd y gyrrwr erioed yn rhoi gwên a chwifiad llaw. Bu Margaret Parry fyw rai blynyddoedd ar ôl colli ei gŵr, a chafodd iechyd i orymdeithio yn Lerpwl fel protest yn erbyn y cynllun i foddi ei hen gartref. Bu farw, fodd bynnag, cyn gorfod gweld Glan Celyn yn cael ei ddymchwelyd ychydig cyn y boddi.

Ty'n-y-bont

Yn yr hen amser ymddengys fod teulu Dolgynlas yn Sir Ddinbych yn dra chefnog ac roedd llawer iawn o dir yn perthyn i'r ystad. Ymysg y ffermydd a gysylltid â Watkin Watkins tua chanrif yn ôl yr oedd o leiaf ddwy fferm yn Llandegla a dwy yng Nghwm Tirmynach, ynghyd â Thŷ Nant, Gwern Tegid a Thy'n-y-bont yn ardal Celyn. Y tŷ gwreiddiol oedd hwn, yr ochr draw i'r buarth, gyferbyn â grisiau'r llofft stabl. Adeiladwyd y tŷ newydd yr un pryd â'r capel. Cartrefodd teulu a pherthnasau'r Watkins yma, gan gynnwys Elizabeth Watkins a briododd â Robert Jones, Nantllyn.

Aeth un o'r meibion oddi yma i lawr i'r de a byw yn Ystalyfera. Maes o law symudodd ei blant i Abertawe ond aeth yr ieuengaf i ffwrdd i Sellafield fel gwyddonydd. Brawd arall, sef Cadwaladr, fu'n byw yma wedyn. Collodd ef ei wraig Gwen, a ddaeth o Gwm Prysor, yn ifanc iawn, a chollwyd bachgen bach hefyd o'r enw Gwilym. Er yn ŵr gweddw, llwyddodd Cadwaladr Jones i fagu dau o blant, sef John ac Anwen. Bu farw John yn Lloegr flynyddoedd yn ôl, ond deil Anwen, sydd wedi byw yn Solihull ers blynyddoedd lawer, i siarad yr hen iaith. Magwyd Gwenfron yr ail ferch yn Llandegla nes iddi ddychwelyd at ei thad yn ddeg oed. Bu hi farw yn Lerpwl yn ystod y rhyfel ond deellir bod ganddi fab a ddaeth yn arolygwr yn y gwaith olew tanfor, a bod ganddo ddiddordeb mawr yn ei gysylltiadau Cymreig.

Fel y nodwyd eisoes, darparwyd cytundeb priodasol yn gysylltiedig â mab y Rhiwlas ar ddechrau'r ganrif hon, gyda'r bwriad o godi £87,000 i foddhau, neu i warantu'r cytundeb. O ganlyniad, gwnaed rhestr helaeth o'r lleoedd a hawliai'r ystad. Rhestrwyd pob math o leoedd a ffynonellau elw, a chafwyd hyd yn oed Ty'n-y-bont ar y rhestr. Cafwyd achos cyfreithiol ynglŷn â pherchenogaeth y lle, ond cadwodd y teulu gwreiddiol eu gafael arno. Ar y rhestr hefyd yr oedd Llyn Arenig Fawr a'r White Lion ar Stryd Fawr y Bala. Dyma berl y rhestr, yn cyfrannu £132 y flwyddyn, sef rhent pur uchel y dyddiau hynny. Y gwir oedd bod yr ystad wedi bod mewn picil ariannol fwy nag unwaith, tra credai'r tenantiaid fod y teulu at eu clustiau mewn aur.

Rhwng y ddau Ryfel Byd gweithiai dau feddyg teulu yn y Bala, sef Dr. Arthur L. Davies a Dr. Robert Jones. Yr oedd Dr. Davies yn bysgotwr brwdfrydig iawn ac afonydd Celyn a Thryweryn oedd ei hoff gyrch-feydd. O ganlyniad, prynodd Dy'n-y-bont a chadwodd y lle hyd ei farwolaeth yn 1956. Roedd Dr. Davies yn annwyl iawn gan drigolion Celyn. Jennie merch hynaf Penbryn Fawr, a briododd â William Jones o Drawsfynydd, a ddaeth yma i fyw wedyn, a hi a'i theulu oedd yn y lle pan symudwyd hwy o'u cartref gan Gorfforaeth Lerpwl. Deellir y bu farw William Jones a bod Jennie wedi symud i Dal-y-bont, ond erys eu mab Euron Prysor Jones o hyd yng Nghelyn yn y tŷ newydd ar ochr Mynydd Nodol.

Tŷ Capel

Adeiladwyd y tŷ hwn yr un pryd â'r capel drws nesaf. Am flynydd-oedd bu John a Barbara Hughes yn ofalwyr y capel. Dywedid y byddai John yn hoff o'i ddiod nes iddo gael ei achub yn ystod Diwygiad 1904. Hen fachgen digon anodd a mympwyol oedd John, ond gwnâi fasgedi gwych. Unwaith, mewn tymer dda, gwnaeth ferfa fechan i'm brawd Albert.

Dilynwyd John a Barbara Hughes gan William ac Ann Hughes a'u merch Bet, a gartrefodd maes o law yn Ysbyty Ifan.

Penbryn Fawr

Yn nechrau'r ganrif ddiwethaf, John Huws, masnachwr moch adna-byddus oedd yn ffermio'r lle hwn a dilynwyd ef gan Wmffre Ifan o Goed-y-mynach y cyfeiriwyd ato eisoes. Nid yw'n hawdd dilyn hanes y teulu—teulu hynaf ardal Celyn o bosibl. Er enghraifft, yn y ganrif

Penbryn Fawr.

ddiwethaf ganed i John a Jane Evans un ar ddeg o blant a gadawodd y cyfan ond dau y lle. Y chweched plentyn oedd Cadwaladr a aned yn 1831 ac a briododd â Catherine Jones a chael un ferch o'r enw Jane eto. Priododd y Jane hon â Morris Rowlands o'r Gelli·gyferbyn, ond bu farw ef yn 33 oed. Ailbriododd Jane â gŵr o Dal-y-bont o'r enw James Edwards a ganed iddynt dri o blant, sef Jennie, Cadwaladr a Catherine (Cassie). Yn eu tro cafodd y rhain blant, Cadwaladr a Cassie ddau yr un a Jennie dri, a deil un o blant Jennie i fyw yn yr ardal. Gwraig urddasol oedd Jane Edwards, yn llawn hwyl a chroeso ac yn gogyddes ardderchog. Pan fu farw fy mam, a minnau ond dwyflwydd oed, bu Jane Edwards yn gyfeilles dda i'r teulu. Nid yw'n rhyfedd bod y pregethwyr a ymwelai â Chelyn wrth eu bodd yn aros ym Mhenbryn Fawr. Yr oedd yn dŷ cyffordddus a dedwydd. Dyma englynion coffa a gyfansoddwyd gan Watcyn o Feirion ar farwolaeth Jane Edwards yn 1959:

'Rôl wythnos y daeth noswyl,—y fwynaf
I'r fynwent o'i phreswyl.
Un selog oedd, Sul a Gŵyl,
Brenhines ein bro annwyl.

Bro annwyl geir yn wylo—ar aelwyd
Yr heulwen a'r croeso:
Yn ein hing nid â'n ango
Wên ei grudd er dan y gro.

Yn eu tai ar ddiwrnod du—y byddai
O'i bodd yn aberthu,
At alwad llawer teulu
Un o'i bath yn wir ni bu.

Y brawd arall a arhosodd yn yr ardal oedd Evan a briododd â Jane
Jones, Cae Fadog, a chartrefu yng Ngwerngenau. Merch iddynt hwy
oedd Jane Ellen a aned yn 1883. Priododd hi â Godfrey Jones o'r Bala a
chartrefu yng nghyffiniau Lerpwl. Ganed iddynt dri o blant. Gweithiai
Godfrey fel gweithredydd radio ar y môr ac mae'n ddiddorol mai ef a
anfonodd y neges fod Dr. Crippen y llofruddiwr ar ei long, sef y
Montrose, yn ceisio dianc o'r Alban i'r Unol Daleithiau. Cadwodd y
teulu gysylltiadau clòs iawn â Chelyn, a gwelir enwau'r teulu ar y
gofeb yn y Capel Coffa. Bu farw'r ddau fab yn ystod yr Ail Ryfel Byd:
Ifan wrth wasanaethu gyda'r Royal Signals yn Syria, a Tegid gyda'r
R.A.F. wrth hedfan dros yr Almaen. Yr oedd y ddau frawd yn gyfeillion
mawr a rhoddodd y teulu ysgoloriaeth yn eu henw i adran gerdd Ysgol
y Bala. Deil y ferch, Elizabeth Valmai, i fyw yn yr Hen Golwyn gan
gymryd diddordeb mawr yn ei chefndir Cymreig.

O feddwl am y ffermydd a foddwyd gellir dweud mai'r rhain oedd y
rhai gorau, am eu bod ar y gwastatir. Mae'n debyg mai Penbryn Fawr
oedd y fferm orau a gollwyd adeg y boddi.

Glan Aber

Mae'r ddogfen ar gael sy'n dangos trosglwyddiad tir yn perthyn i
fferm Gwerndelwau ar 11 Ebrill 1871. Prynodd gŵr o'r enw Elias
Hughes y tir a berthynai i Watkin Watkins er mwyn adeiladu tŷ a siop.

Watcyn o Feirion yn ffasiwn 1900.

Dyna pryd yr adeiladwyd Glan Celyn, y tŷ ynghlwm, hefyd. Ar 28 Ebrill 1877, ryw bymtheng mlynedd cyn i wraig y Rhiwlas agor y capel newydd, ceir Elias Hughes—a ddisgrifir fel 'butter dealer'—yn cael morgais o £200 ar y siop a'r tŷ. Yn 1894, gwerthwyd y lle am £340, a dengys hyn y pris a delid bryd hynny am siop mewn ardal wledig.

O archwilio'r gweithredoedd, diddorol yw gweld yr enwau annisgwyl a fu'n gysylltiedig â'r lle cyn i 'Nhad ei brynu, megis Charles Henry Dunn o Leybourne Park, Kew, Llundain. Gwerthodd fy nhad y lle yn 1947 i Harriet, merch Bob Tai'r Felin a'i gŵr John Parry am £950. Adeg y boddi talodd Corfforaeth Lerpwl y swm o £5,150. Dengys hyn effaith y chwyddiant cyson dros y blynyddoedd.

Pan brynodd fy nhad Glan Aber yn 1911, roedd gan y siop ystordy, stabl, tŷ crasu bara a chyfleusterau da, ond yr oedd y patrwm byw yn newid a'r arferiad o fynd i'r Bala i siopa a chael difyrrwch yn cynyddu. Nid oedd gan fy nhad fawr o uchelgais masnachol ychwaith. Er enghraifft, yn lle gwerthu blawd ei hun gadawai i Siop Parry o'r Bala adael blawd i ffermydd Celyn yn ein hystordy am ddim; ac eto, roedd yn bur amlochrog. Pan oedd yn ifanc, fel llawer o fechgyn ardal y Bala, cystadlai gyda'i gŵn mewn treialon cŵn defaid. Wedi'r cyfan, onid ar y Garth Goch nid nepell o Lyn Tegid y cynhaliwyd treialon Cŵn Defaid y Byd gyntaf yn 1873? Enillodd lawer o wobrau yn y maes yn nechrau'r ganrif.

Bu'n cystadlu yn bell ac agos fel unawdydd ond yr hyn yr ymhyfrydai fwyaf ynddo oedd ei lwyddiant fel arweinydd côr meibion a oedd yn adnabyddus iawn ar ddechrau'r ganrif, gyda'r enwog Bob Tai'r Felin ymysg y tenoriaid. Yn ddiweddarach hyfforddodd nifer o bartïon plant, a phartïon cerdd dant, ac enillodd un parti madrigal dair gwaith yn olynol yn yr Eisteddfod Genedlaethol. Ar wahân i fod yn un o sefydlwyr y Gymdeithas Cerdd Dant, gwisgo'r wisg wen yn yr Orsedd am flynyddoedd a beirniadu yn y Genedlaethol, câi fwynhad arbennig wrth hyfforddi a 'gosod' ym myd cerdd dant. Er enghraifft, enillodd fy chwaer Dorothy saith gwaith, a hyd yn oed finnau ddwywaith yn yr Eisteddfod Genedlaethol pan oeddwn yn blentyn. Yn ei amser hamdden cyfansoddai ambell englyn hefyd. Mewn ardal glòs fel ardal Celyn byddai pawb yn helpu ei gilydd heb ddisgwyl unrhyw dâl, ac yn rhyfedd iawn deuai rhywun i'r adwy bob tro i gyflawni anghenion y

Bob Tai'r Felin a Watcyn o Feirion, aelodau o gôr meibion enwog y Cwm ddechrau'r ganrif.

Parti Merched y Cwm a Chelyn.

gymdeithas leol boed yn ddiweddu corff adeg marwolaeth neu'n lladd
mochyn cyn y Nadolig. Gelwid ar fy nhad yn bur aml i gyflawni rhyw
dasg neu'i gilydd, yn enwedig i drin anifail afiach.

Un cymeriad diddorol a glywyd yn curo ar ein drws ni sawl gwaith
yng nghanol nos oedd y canwr adnabyddus o'r Bala o'r enw Bob Lloyd
(neu Robin John fel y gelwid ef yn y dref). Teithiai Bob i fyny ac i lawr y
wlad i gystadlu neu i gadw cyngherddau ac yn bur aml byddai ei hen
feic modur yn torri i lawr. Gwyddai Bob fod ein hystordy ni'n llawn o
geriach, gydag un neu ddau feic modur go iawn a adeiladwyd gan fy
mrodyr hŷn a byddai'n sicr o gael cymorth i gyrraedd adref. Yr oedd y
teulu Lloyd yn dalentog iawn yn y byd cerddorol, a chlywais Dan Jones,
y beirniad o Bontypridd, yn rhoi canmoliaeth uchel iawn i lais Bob.
Trueni na chafodd fwy o hyfforddiant. Yr oedd ei chwaer, Telynores
Tegid, yn fedrus dros ben hefyd ac yn gelfydd iawn ar y delyn deires. Bu
hi farw yn ferch ifanc. Yr oedd gan Bob chwaer arall hefyd a oedd yn
delynores dda, ond nid oedd ganddi'r hyder i ganu'r delyn yn
gyhoeddus.

Yr awdur a'i ddwy chwaer.

Bûm yn ffodus i fyw mewn cartref lle bu cymaint o ganu a chymdeith-asu, a chefais y fraint o weld a chyfarfod nifer o gewri llenyddol. Yr oedd Penllyn yn llawn o gymeriadau dawnus. Un o'r rhain oedd Bob Tai'r Felin, a hanai ei deulu o Gwm Celyn. Tra oedd Bob yn fywiog, yn sydyn ei symudiadau ac yn gyfnewidiol ei natur, un dawel ac annwyl dros ben oedd ei briod. Yr oedd croeso bob amser yn Nhai'r Felin.

Cwestiwn Bob i mi bob tro oedd, 'Sut mae Morris y bachgen 'ma yn ei gwneud hi ac yn bihafio tua'r ysgol 'ne, dŵed?'

Fy ateb i oedd bod y bachgen yn berl o ddisgybl, yn wir frwdfrydig ac yn ffefryn garw gan yr athro Cymraeg! Nid oedd hynny'n hollol wir, ond yr oedd y teulu am i Morris lwyddo yn y 'County School'.

Erbyn hyn, mae'n anodd cofio pa ymwelwyr a roddodd y boddhad mwyaf imi, ond un o'r rhai mwyaf difyr oedd Bob Owen Croesor y cyfeiriwyd ato eisoes. Yr oedd ei hanesion am wahanol bobl a'u hachau teuluol yn rhai hudol dros ben. Yn anffodus, yr oeddwn i yn rhy ifanc i allu deall a dadansoddi llawer o'i sylwadau, ond haeddai Bob bob diferyn o'i baned am ei ddifyrrwch.

Bu nifer o feirdd gwlad teilwng iawn yn ardal Celyn ei hun hefyd. Ceir gwaith rhai o'r beirdd hyn yn y gyfrol wych *Blodeugerdd Penllyn* a olygwyd gan Elwyn Edwards. Diddorol fyddai gwrando arnynt, pan alwent heibio fy nghartref, yn darllen eu henglynion ac yn trafod gwelliannau.

Yr oedd Dorothy, fy chwaer agosaf, yn hŷn na mi a chasglodd nifer o lofnodion a lluniau yn ei llyfr lloffion. Yn y casgliad hwnnw ceir dwy amlen nodedig a gyrhaeddodd Gapel Celyn; un oddi wrth y diweddar (Syr maes o law) T. H. Parry-Williams o Drelew ym Mhatagonia—wedi iddo oedi ar y cei yn Rio mae'n debyg—a'r llall oddi wrth Dewi Mai o Feirion, sef gŵr hynod ddisglair na chafodd y clod a deilyngai, dybiwn i. Ymwelai gwŷr diddorol a disglair eraill o fyd cerdd dant â ni hefyd, megis Erfyl Fychan a J. Breeze Davies, Dinas Mawddwy. Cofiaf yn dda gael reid yng nghar moethus Erfyl Fychan a chyrraedd 90 milltir yr awr.

Bu farw fy mam yn ddeugain oed, gan adael fy nhad i fagu saith o blant. Yr oedd hon yn ergyd erchyll i'r teulu a gorfu i Elizabeth y ferch hynaf adael chweched dosbarth yr ysgol a dyfodol tra addawol, yn un ar bymtheg oed, a gadael yr ysgol fu hanes Robert y mab hynaf hefyd. Aeth

Tri brawd o'r pentref.

ef at ewyrth yn Abertawe, a thrwy ddyfalbarhad enillodd gymwysterau fel pensaer, tirfesurydd ac athro a daeth, maes o law, yn Bennaeth Gradd Un yn y Gwasanaeth Sifil fel ei frawd Albert. Er y drychineb, fe gyd-dynnodd a chyfrannodd pob un o'r plant hŷn mewn rhyw fodd neu'i gilydd at les y teulu dan arweiniad cryf y chwaer hynaf. Ar y pryd yr oedd fy mrawd John dan hyfforddiant fel cyfrifydd, a Hannah (Nin) fel athrawes ysgol. Bu hi'n dysgu yn ardal hyfryd Llangywer cyn symud, a chartrefu, maes o law, yn Ninas Mawddwy.

Yr oedd yn gartref hapus iawn a derbyniais i lawer mwy na neb arall am mai fi oedd yr ieuengaf. Er enghraifft, rhoddodd fy mrawd Albert arian o'i enillion prin i'm cynorthwyo i fynd i'r coleg heb imi orfod benthyg arian oddi ar y Cyngor Sir—dyna oedd y drefn cyn dechrau rhoi grantiau. Cofiaf imi dderbyn rhyw bymtheg punt hefyd o ryw gronfa am fy mod yn dipyn o bêl-droediwr ac yn cyfrannu i chwaraeon tra oeddwn yn yr ysgol, ond nid hawdd oedd mynd ymlaen i goleg bryd hynny. Oherwydd dylanwad y cartref, yr oedd gennyf dipyn o ddiddordeb ym myd cerdd dant a'r cynganeddion pan oeddwn yn ifanc. Er enghraifft, cofiaf i mi ennill ar yr englyn digri yn yr Eisteddfod Rynggolegol, ond mae'n rhaid nad oedd y farddoniaeth o safon uchel oherwydd ni chofiaf linell ohono er bod y dystysgrif yn dal i fod gennyf, gydag enw'r beirniad, Waldo Williams, arni. Wedi ymuno â'r Fyddin, collais yr awen, a'r un a gludodd y faner farddonol yn y teulu yw John fy mrawd, sef Ioan o Benllyn, a gwelir casgliad da o'i englynion ym mlodeugerdd Elwyn Edwards. Dyma ddau englyn o'i eiddo:

Mam
Heb bryder mae'n priodi,—golud hon
 Yw gweld dydd y geni;
 Aelwydydd yn eu tlodi
 A ŵyr werth ei haberth hi.

Y Ffon Wen
Llawforwyn lawn llafurwaith,—rhydd arwydd
 I eraill sy'n ymdaith;
 Rhag damwain, gwir gydymaith,
 Yn llywio'r dall ar ei daith.

PENNOD 9

Mannau na Foddwyd

Pan gyflwynodd Corfforaeth Lerpwl eu hachos dros gael yr hawl i foddi ardal Tryweryn, pwysleisiwyd na fyddai hynny'n effeithio ar ddim mwy na rhyw ddeg a thrigain o drigolion yn unig.

Yr oedd y rhesymu hwn yn hollol gamarweiniol wrth gwrs. Unwaith y collid calon y gymdeithas, sef y pentref a'r cymdogion a gydweithiai ar ddyddiau cneifio ac yn y blaen, mater o amser yn unig fyddai cyn i weddill aelodau cymuned Bro Tryweryn adael eu cartrefi. Gellid disgwyl, hwyrach, y byddai rhai o'r ffermydd yn cael eu hadnewyddu, a digwyddodd hynny gydag un neu ddwy ohonynt, megis Maes-y-dail, ond pobl newydd fyddai'n cartrefu ynddynt.

Isod rhoddir amlinelliad byr o hanes y ffermdai na foddwyd yn 1965.

Hafod Wen

Enw'r ffermdy hwn ar lafar oedd y Fodwen, ac mae hanes perchenogaeth y lle yn ennyn chwilfrydedd.

Daethpwyd o hyd i ddogfen gyda'r dyddiad 1 Mai 1882 arni, sef cytundeb ynglŷn ag ystad Brogyntyn a thiroedd eraill yng Ngwynedd. Cyfeirir at Hafod Wen, ac mae'n syndod bod fferm mor fechan yn cael ei phrisio mor uchel. Yn ôl y weithred gwnaethpwyd cytundeb gan yr 'Honourable Augustus John Beaumont Paul, called Earl Wiltshire and the Hon. Henry Charles Legge, Lieutenant in Her Majesty's Coldstream Guards of the first part: The Right Hon. William Richard, Baron Harlech of the second part' i drosglwyddo'r lle i Robert Vaughan Jones, Bryn Melyn ym mhlwyf Llanycil, am £630.

Cymynnwyd y lle wedyn i'r plant, sef y ferch, M. A. Vaughan Roberts, a Mr R. E. Vaughan Roberts, y naturiaethwr adnabyddus.

Bu nifer o deuluoedd yn byw yn Hafod Wen er 1882, gan gynnwys taid John Thomas, Maes y Fedw, a ddaeth yn adnabyddus drwy Gymru yn ystod cyfnod euraid y Noson Lawen.

Gŵr diddorol arall a fu'n byw yma oedd Robert Griffiths. Dyn bychan o gorff ydoedd, a bu'n was ym Mhenbryn Fawr cyn mentro i ffermio ar ei liwt ei hun. Bu hefyd yn gweithio yng ngwesty Rhyd-y-fen,

Arenig, am gyfnod, lle y dysgodd goginio. Dywedid bod ei ginio Nadolig o ŵydd (gŵydd ac nid twrci oedd aderyn yr Ŵyl bryd hynny) a'r holl ddanteithion ychwanegol yn wledd amheuthun.

Ymunodd bachgen o Lanrhaeadr Dyffryn Clwyd, sef Albert Hugh Jones, â'r hen Robert fel 'bachgen', ac yr oedd yn fachgen gweithgar a hyfryd hefyd. Yn ddiweddarach cartrefodd yn ardal Llanuwchllyn, a chefais y pleser o gyfarfod ei ferch yn ei dosbarth yn Ysgol Gynradd y Bala yn y saithdegau.

Un o'r ychydig bethau a gofiaf am Robert oedd yr hanes am ei feddyginiaeth at boen y ddannoedd. Yn ôl y stori, casglai ychydig o ddŵr o bledren buwch a'i roi ar y dant drwg. Ni cheisiais brofi'r theori erioed ac ni chlywais am eraill y lleddfwyd eu poen yn y modd hwnnw, ond efallai bod rhyw asid neu elfen gemegol yn y dŵr!

Er mwyn cychwyn fel ffermwr fe fenthycodd Robert Griffiths £100 gan Hannah Williams, Bryn Hyfryd, a dyn o Flaenau Ffestiniog o'r enw John Davies. Yn rhifyn 30 Tachwedd 1929 o'r *Seren* hysbysebir arwerthiant methdaliad yr Hafod Wen ar alwad John Davies, pryd y gwerthid pymtheg dafad, ieir a hwyaid, ynghyd â gwerth rhyw swllt a naw ceiniog o gig moch a oedd yn hongian yn y gegin.

Roedd yr anfri a ddioddefid o ganlyniad i fod yn fethdalwr yn llawer gwaeth bryd hynny nag ydyw heddiw. Mae'n bur sicr nad oedd llawer o fai ar Robert Griffiths; yr oedd prisiau ei gynnyrch mor isel. Mae'n eithaf tebyg hefyd fod ar yr hen frawd, fel eraill yn y fro, dipyn o ddyled yn Siop Celyn, ond yr oedd fy nhad yn rhy dyner ar ei ddyledwyr i'w herlid. Parhâi biliau o flwyddyn i flwyddyn.

Y teulu olaf i fyw yn Hafod Wen oedd Thomas a Margaret Jones a ddaeth o Bentre Celyn pan adawodd Robert Griffiths. Dysgodd Tom y cynganeddion o lyfr Dafydd Morgannwg ond er iddo gystadlu'n gyson yn y Genedlaethol ni fu'n llwyddiannus, yn aml am nad oedd y beirniaid yn deall ei farddoniaeth—yn ôl y bardd! Eto, cyfansoddodd Thomas rai llinellau cofiadwy. Dyma englyn i'r garreg aelwyd.

> Llawr annwyl, lle'r rhieni—yn y tŷ
> O flaen tân i'n llonni;
> Lle'r goddef, allor gweddi
> Yn faen craig i anfon cri.

Wedi'r boddi, y mab, John Abel, a fu'n amlwg ym myd y Noson Lawen, fu yn byw yma. Cafodd ef waith yn cadw golwg ar y llyn ond bu farw yn nechrau 1987.

Tŷ Nant

Credir i'r tŷ gael ei adeiladu tua 1620 ond i adeiladau newydd gael eu hychwanegu wedyn.

Soniwyd eisoes am y dynion a aeth oddi yma i Bennsylvania, U.D.A. ac am y cyfeiriad yn llyfr Charles H. Browning at Dŷ Nant. Bu gŵr o Benmachno'n byw yma am gyfnod cyn symud i ardal Llangwm. Wedyn daeth gŵr o Hafod Elwy ym mro Hiraethog yma, gŵr blaenllaw yn y capel lleol a wnaed yn flaenor yng nghyfarfod misol y M.C. yn Ysbyty Ifan. Dengys hyn y byddai cyfathrebu clòs rhwng ardal Celyn ac Ysbyty Ifan. Wedi'r cyfan, onid dyma gyfeiriad y ffordd Rufeinig o'r pentref?

Daeth pâr ifanc i fyw yma wedyn, sef Robert Jones, fy nhaid, a'i wraig Elizabeth Watkins, a chawsant bedwar o blant. Bu llid y coluddyn yn felltith ar deulu Tŷ Nant. Gorfu i'r ferch Jane ddioddef llawfeddygaeth ar y bwrdd mawr gartref heb gymorth unrhyw anesthetig i leddfu'r boen. Bu farw nith iddi hefyd yn Ysbyty Lerpwl yn 1930 o'r un anhwyldeb, ac mae'n anodd i ni heddiw, pan yw tynnu allan y coluddyn crog yn fater mor syml, sylweddoli pa mor annigonol oedd y ddarpariaeth feddygol yr adeg honno.

Yr oedd gan fy nhaid gryn synnwyr digrifwch a digonedd o storïau am yr hen amser. Yr oedd hefyd yn gymdeithasol iawn ac wrth ei fodd yn cyrchu tua'r Bala neu'r Blaenau petai ganddo reswm digonol neu beidio! Y trueni yw na sylweddolais pa mor helaeth oedd yr atgofion. Ailadroddai straeon a glywodd am Huw Llwyd o Gynfal a'i ddewiniaeth, a'r porthmyn teithiol. Anghofiais fanylion y mwyafrif o'r hanesion ond clywyd am un porthmon gwartheg o'n teulu ni yn colli'r holl arian o'i werthiant tra oedd yn cysgu mewn tafarn ar ei ffordd yn ôl o Loegr.

Treuliem ni blant y siop ran o bob gwyliau haf yn hel y gwair yn Nhŷ Nant a dysgais lawer am waith fferm, megis pladuro a defnyddio cribin fach, dal ceffyl llawn castiau a llwytho car llusg. Dysgais hefyd am gastiau'r tywydd.

Dilynwyd Robert Jones gan aelod arall o'r teulu o'r enw Robert. Bu Mair a Bob—dau hwyliog a hoffus iawn—yma am flynyddoedd lawer gan godi llond tŷ o blant.

Ymfudodd dau o fechgyn Tŷ Nant i Ganada, a dyna lle y cartrefa'r hynaf, Arthur Wyn, hyd heddiw, gan fwynhau swydd dda yn Ontario. Trychineb ofnadwy oedd llofruddiaeth y llall, Gareth, yn y wlad honno. Ymddengys mai lladrata arian oddi arno oedd bwriad y llofrudd.

Hyd y gwyddys, cartrefodd gweddill y plant yng Nghymru. Dyma'u henwau—Emrys Lloyd, Elin Myfanwy, Gwennan, Robert Heddwyn, Delyth Mair, John Ellis, Morfydd, Geraint Lloyd, Ann Elizabeth, Llywelyn Arfon, Rhian Hughes ac Elfyn Lloyd. Gadawodd Mair a Bob eu hen gartref yn 1983 a symud i fyw i fan mwy cyfleus yn Fron-goch. Prynwyd y fferm gan eu mab Elfyn, ac ef sy'n ffermio'r tir yn awr.

Gareth Jones, a lofruddiwyd yng Nghanada.

Crugnant

Clywyd yr enw Craignant hefyd ar y fferm hon. Os yw'r rhestr yn gywir, perthynai'r lle hwn a Nantllyn i ystad y Rhiwlas yn 1904, a hawlid y telid £57 y flwyddyn am y ddau le. Ni chynhwysai hyn y mynydd, prif ffynhonnell elw'r tenant mewn lleoedd o'r fath, gan fod hawliau pori'r tir uchel yn perthyn i'r tenant, a chedwid y defaid yn eu cynefin heb gloddiau, er i'r tir i gyfeiriad Llyn Conwy a alwyd yn 'Scotland' gael ei ffensio tua dechrau'r ganrif. Fel arfer yn yr hen amser, yr oedd hawl gan yr holl drigolion, bydded gyfoethog neu dlawd, i gerdded y mynyddoedd, i godi mawn, i hel grug a llus a hyd yn oed i droi buwch i'r mynydd i bori yn yr haf. Bu'r Ddeddf Amgáu Tiroedd yn ergyd drom i'r werin ac yn fodd i ychwanegu at faint yr ystadau mawr. Mae'n bur debyg i lawer o dir a hawliau fynd i berchenogaeth uchelwyr ar seiliau go amheus.

Y nesaf i fyw yn y ffermdy a ffermio Nantllyn ar ôl amser ei fodryb oedd John Jones, mab hynaf Robert Jones, Tŷ Nant. Yr oedd ef yn ganwr gwych yn ei ddydd ac yn meddu ar lais trwm a hyfforddwyd gan yr Athro D. D. Parry, Llanrwst, hyfforddwr adnabyddus y cyfnod. Priododd John ag Ellen, wyres i'r bardd Marlwyd o Flaenau Ffestiniog, ac os cofir yn iawn, yr oedd hi'n yn un o ddeg o ferched. Cofnodir mewn mannau eraill fod dwy o'i chwiorydd hefyd wedi priodi â bechgyn o ardal Celyn.

Cafodd John ac Ellen Jones chwech o blant, gyda Jennie Lloyd, yr hynaf a Beti, yr ieuengaf, yn cartrefu yn ardal Ffestiniog. Fel ei thad, bendithiwyd Beti â llais gwych ac enillodd sawl gwaith ar yr unawd yn yr Eisteddfod Genedlaethol.

Onid yw'n rhyfedd i ardal mor ddiarffordd gynhyrchu dau o gantorion—Beti Hughes ac Alun Jones—a chanddynt leisiau mor dda? Bu farw Liz, Morfydd a Nan yn bur ifanc ac achosodd eu marwolaeth dristwch dwfn yng Nghwm Celyn.

Yr un a arhosodd gartref yw Gwynlliw sy'n dal i fugeilio llethrau'r Arenig Fach ac yn cael fflachiadau barddol fel gwobr ychwanegol i'r bugeilio. Hyfforddwr Gwynlliw yn 'y pethe' oedd Bob, y Cloddiau, a chyfansoddodd y disgybl gywydd coffa gwych i'w athro barddol. Gwynlliw a'i deulu yw'r unig bobl sy'n trigo yng Nghwm Celyn ar hyn o bryd.

Y llyn o Faes-y-dail.

Maes-y-dail

Ni welwyd gweithredoedd y fferm hon yn yr Wyddgrug gan y bu cryn brynu a gwerthu ar y lle. Y Rhiwlas oedd piau'r fferm 148 acer a William Jones oedd y tenant adeg agor yr ysgol. Gwelwyd cyfeiriad hefyd at wraig William yn mynd i gasglu arian yn 1887 ar gyfer prynu harmoniwm i'r capel newydd a oedd ar fin cael ei adeiladu. Jones arall, sef Anthony Jones, a symudodd yma tua 1909. Yr oedd ef yn gerddor da ac yn godwr canu yn y capel. Fel un neu ddau arall yn yr ardal, cafodd waith fel cipar yn cadw golwg ar y grugieir, yn lladd llwynogod ac yn dychryn yr herwhelwyr ar yr Arenig Fach. Wedi'r cyfan, yr oedd yn werth cyflogi ciperiaid gan fod y mynyddoedd yn dwyn arian da iawn i ystad y Rhiwlas o'r hawliau saethu. Darllenwyd y ceid tua dwy fil o bunnau'r flwyddyn o elw o'r saethu, gyda'r Arenig Fach yn cyfrannu £250.

Wedi iddo symud o Faes-y-dail i Foch y rhaeadr bu farw Anthony Jones a bu anffawd yn ystod ei angladd. Dywedir i ddŵr fyrstio trwy ochr y bedd pan oedd y galarwyr yn y fynwent a bu'n rhaid gohirio'r claddu. Yr oedd carreg fedd fawr o farmor ar ei fedd wrth fynedfa mynwent Celyn, ond ar 22 Gorffennaf 1964 symudwyd y garreg a'r cyrff i fynwent Llanycil.

Dilynwyd Anthony Jones gan ei fab a oedd yn grefftwr gwych—yn ddigon medrus i wneud telyn—Thomas Ellis a ddaeth yno ar ei ôl ef. Ar ôl marwolaeth mab Thomas Ellis, sef Enoc, cymerwyd y lle gan Laura Winnie, y ferch, a'i gŵr, Ieuan Jones o Ryd-y-main.

Prynodd Ieuan Jones gar ond cafodd gryn drafferth gyda'i brawf gyrru. Bryd hynny byddai'n rhaid i'r dysgwr fynd naill ai i Wrecsam neu i Borthmadog i sefyll y prawf, a'r stori o amgylch Celyn oedd bod Ieuan wedi'i gyflwyno ei hun am brawf ugain o weithiau ac wedi teithio dros fil o filltiroedd cyn llwyddo.

Prynwyd y fferm gan Gorfforaeth Lerpwl adeg y boddi, ond tua 1982 prynwyd hi'n ôl gan ystad y Rhiwlas. Gwerthwyd y lle wedyn mewn dim amser i un o weithwyr y Bwrdd Dŵr, a rhoddodd hwnnw'r lle ar y farchnad yn haf 1984, a chael tua £64,000 amdano—pris a fyddai wedi rhoi trawiad ar y galon i'r hen breswylwyr a fu yma!

Craig-yr-Onwy

Codwyd dau dŷ newydd ym mro Tryweryn oddi ar amser y boddi. Adeiladodd y diweddar William Jones a'i wraig Jennie eu cartref newydd hwy ar dir Penbryn Fawr gynt, ger safle 'halt' y trên ar ochr Mynydd Nodol. Y tŷ newydd arall yw'r Craig-yr-Onwy newydd a saif ychydig lathenni oddi wrth yr hen dŷ.

Cyfeiriwyd eisoes yn fyr at y teulu Edmwnd a gartrefai yma yn y ganrif ddiwethaf. Dilynwyd hwy tua throad y ganrif gan John a Lizzie Morris, ond ni fuont hwy yno'n hir ac eglwyswraig—peth pur anarferol yn ardal Celyn—oedd y tenant nesaf, sef Mrs Marged Roberts a gyrhaeddodd tua 1909. O Ddyffryn Tanat y daeth y wraig hon a'i theulu i Gelyn. Ni chlywyd sôn am ei gŵr ond yr oedd ganddi bum mab ac un ferch yn ôl yr hanes. Priododd y ferch â Gwyddel a byddai ei dau fab hi'n dod i'r ardal hon ar eu gwyliau. Ni ddaeth un mab gyda'r teulu ac yr oedd sibrwd bod rhyw drafferthion wedi bod, ond ni welais unrhyw gofnodion am hyn. Yr oedd yr hen wraig yn llawn urddas ac yn hoff o fynd gyda'r ferlen a'r trap i lawr i'r eglwys yn Fron-goch. Ffermiodd pedwar o'i meibion, 'yr hen blant', y tir i fyny Cwm Celyn ar ochr yr Arenig Fach, gydag un, Morris, a'i deulu yn byw yng Nghraig-yr-Onwy. Deil y cysylltiad teuluol â'r lle hyd heddiw.

Boch y rhaeadr

Credir mai Moch y rhaeadr oedd enw gwreiddiol y lle hwn a soniwyd eisoes am hanes cynnar y fferm. Yn 1790, Ellis Price oedd yma, ond tybir i fab Tan y Mynydd, Llidiardau, symud yma yn y ddeu-nawfed ganrif cyn mynd i Goed-y-mynach i gadw tafarn. Y rhai a'u dilynodd i Foch y rhaeadr oedd Vaughan Jones a'i deulu.

Eglwyswyr oedd hen deulu Boch y rhaeadr mae'n debyg. Yn rhyfedd iawn nid oes cyfeiriad at y lle i'w weld naill ai ar restr y capel na'r ysgol yng Nghelyn. Yn ystod ail hanner y ganrif ddiwethaf bu chwech o ddynion yn cartrefu yno ar ryw amser o'u bywyd. Credir bod y rhain yn frodyr o deulu Bryn Ifan ond bod dau hen lanc yn cael eu cysylltu â'r lle yn fwy na'r lleill. Tybir i un o'r enw Rolant farw'n ddibriod ar ôl byw yn y lle am amser maith, ond mae'n bosibl i Rolant arall fyw yno hefyd. Bu cysylltiad hir rhwng Boch y rhaeadr a Bryn Ifan yn y ganrif ddiwethaf, gyda Morris Vaughan Jones, dyddiadurwr, y cyfeirir ato eto, yn cadw golwg ar bethau, er iddo 'gwympo mâs' â'i frodyr sawl gwaith.

Yn nhridegau'r ganrif hon, ar ôl i John Anthony Jones a'i deulu ymadael, daeth Saeson hollol ddieithr i fyw yma. Richards oedd cyfenw'r teulu, gyda dau blentyn ifanc, Dorothy a Jack, ond nid arhoson nhw yma'n hir. Symud i ardal Llangollen fu eu hanes.

Ymhen amser wedyn daeth W. H. Pugh o'r Parc, gŵr adnabyddus iawn ym myd cerdd dant, yn berchen y fferm, ond mynd i fyw ym Mhant y Rhedyn yn nes at Arenig wnaeth ef. Bu Saeson yn denantiaid yma ar ôl hyn.

Byddai'n ddiddorol gwybod pam y dewiswyd y fan hon yn drigfan gan y mynachod, ac yn ganolfan hela gan y tywysogion yn yr Oesoedd Canol.

Gwerngenau

Credir bod un Richard Jones a'i deulu wedi byw yma am gyfnod yn y ganrif ddiwethaf, a bu John Dafis a'i deulu yma hefyd. Dilynwyd y rhain gan Ifan Evans, mab John Evans, Penbryn Fawr, a bu dau neu dri o deuluoedd yn byw mewn cutiau ar y tir, pobl fel George Wall a'i deulu adeg adeiladu'r rheilffordd. Yn 1884 bu farw gwraig ifanc wyth ar hugain oed yma ar enedigaeth plentyn, a chladdwyd hi gyda'r baban yn ei breichiau. Bu Ifan Evans a'i deulu, pobl ddeallus a blaenllaw, yma tan ei farwolaeth tua 1903. Y penteulu a gofiaf fi yma oedd Evan Edwards a ddaeth o ben draw Sir Gaernarfon i weithio yn chwarel Arenig a chartrefu gerllaw cyn symud i ffermio Gwerngenau. Yr oedd ganddo ef a'i wraig dri o blant, sef dau fab a oedd yn fedrus gyda thaclau mecanyddol, a merch a fu'n athrawes ysgol yng Nghelyn. Cyfeirir yn arbennig at y teulu hwn oherwydd bod yr hen Evan yn gymeriad eithriadol ac yn ffefryn mawr gan Delynoresau Maldwyn ac Eryri.

Ymddangosai fel pe bai'n gyfarwydd â bywyd morwr. Soniai yn aml am Borth Dinllaen a chofiai lawer o ganeuon morwyr. Yr oedd ganddo lais deniadol a byddai wrth ei fodd yn cyfrannu i fwyniant y noson gyda'i faledau. Dyma un o dalentau disgleiriaf Meirion yn ei ddydd, ond yr oedd wedi dod a mynd cyn i'r teledu a'r Noson Lawen gyhoeddus gael golwg arno.

Perchennog Gwerngenau yn ystod ymryson y boddi oedd Mr a Mrs Cadwaladr O. Jones, y ddau o Feirion, ac ef o deulu'r Garn i gyfeiriad Cwm Tirmynach. Yn rhyfedd iawn, yn Winnipeg, Canada, y cyfarfu'r ddau, ac yn Efrog Newydd, U.D.A., y priodwyd hwy.

Er na foddwyd ond rhyw ddeugain erw o dir isaf y fferm, ac er na foddwyd y tŷ, sy'n dal i sefyll, penderfynu gwerthu a wnaeth Mr Jones. Ef oedd y cyntaf yn yr ardal i gynnal arwerthiant, a digwyddodd hynny ar 5 Hydref 1958. Credir i'r ferch, Marian, ymfudo i Seland Newydd, a'r tebygrwydd yw bod llawer o aelodau iau y teuluoedd y cyfeiriwyd atynt uchod hefyd wedi teithio ymhell o'r hen fro.

Ardal Arenig

Erbyn heddiw drychiolaeth o le islaw rhwygiadau craig y chwarel ithfaen yw Arenig, ond nid dyna ydoedd ar ddechrau'r ganrif pryd yr oedd yma weithgarwch mawr. Er y gellir cysylltu cau'r chwarel â'r boddi o ganlyniad i golli'r rheilffordd ac ati, yr oedd dirywiad yr ardal wedi dechrau ymhell cyn hynny oherwydd gerwinder y tywydd ac ansawdd gwael y tir.

Wrth deithio o'r Llidiardau heibio i fferm Bryn Ifan i gyfeiriad safle'r pentref gynt, gwelir cyn dod i gyffiniau'r chwarel, grŵp bychan o dai. Dyma Fwlch y Buarth lle deuai ffordd y Rhufeiniaid a chledrau'r rheilffordd yn agos at ei gilydd. Yma safai tŷ o friciau coch, tŷ mwy diweddar na'r lleill, a dyma lle y trigai gorsaf-feistr y Great Western Railway yn Arenig. Gŵr gyda'r cyfenw Morris oedd y gorsaf-feistr ar ddechrau'r ganrif a chanddo dair merch, sef Maude, Nora a Florrie—enwau go swanc mewn ardal a welodd gymaint o ddefnyddio enwau megis John a Jane. Gŵr o'r enw Rowley a ddilynodd y teulu hwn, ac roedd ganddo ferch olygus iawn, na wyddys ei henw, a mab a ymunodd â'r heddlu yn Swydd Amwythig. Beth ddigwyddodd i'r teuluoedd hyn tybed? Bu dynion tra diddorol a dawnus yn gofalu am orsaf Arenig, pobl fel Eddie Vaughan Roberts o'r Bala, a Syd Dolben a oedd yn bysgotwr dihafal.

Ychydig lathenni ar ochr Celyn i'r tŷ o frics saif Bwlch y Buarth ei hun, a fu, yn ôl fy nhad, yn dafarndy pur bwysig yn yr hen amser. Yn y flwyddyn 1771 Robert ac Anne Roberts a drigai yma. Mewn un ddogfen, nodir mai enw eu merch oedd Gwen Dafydd, ac nid yw'n hawdd deall hynny oni bai iddi briodi â bachgen gyda'r cyfenw hwnnw. Fel y nodwyd eisoes mewn cysylltiad â gweithgarwch Richard Watkin Price (1780-1840), ffordd llawer mwy diweddar na ffordd Llidiardau oedd honno o'r Bala i Ffestiniog drwy bentref Capel Celyn. Ni wyddys pa bryd y codwyd Bwlch y Buarth na pha bryd y rhoddwyd y gorau i werthu diod yno, ond mae'n sicr bod y gweithgarwch a'r arian parod a oedd ar gael adeg adeiladu'r rheilffordd wedi hybu elw'r tafarndy. Dros y ffordd o Fwlch y Buarth safai dau dŷ ynghlwm. Dyma Bant y Rhedyn 1 a 2.

Fel y dywedwyd eisoes, câi capel M.C. Celyn anhawster i gadw eu gweinidogion am gyfnodau hir am na allent gynnig tŷ gyda'r ofalaeth. Ar ddechrau'r ganrif, fodd bynnag, cartrefodd y Parch. Robert Davies, ei wraig a'i ferch yn un o dai Pant y Rhedyn ac arhosodd y dyn da a dymunol hwn yn yr ardal yn hwy na rhelyw y gweinidogion a gafwyd. Symudodd Mr Davies wedyn i ofalu am gapel M.C. pentref Llan-rhaeadr, Dyffryn Clwyd.

Hanner ffordd rhwng Bwlch y Buarth ac Arenig saif dau fyngalo ynghlwm. Dyma Isfryn ac Isallt, ond prin bod neb yn byw yn barhaol ynddynt erbyn hyn. John Henry Owen o ardal Dinbych, ei wraig Hannah o Gelyn, a'u mab Henry a drigai yn Isallt, gyda John Williams, brawd rheolwr y chwarel ithfaen yn Isfryn.

Yr oedd tipyn o steil yn perthyn i'r teulu Williams. Prynodd John Williams feic modur Sunbeam a oedd yn werth ei weld. Yr oedd hen 'Baby Triumph' wedi bod acw ers blynyddoedd lawer. Ei rif oedd FF247 (os cofiaf yn iawn), ac roedd ganddo danc hir fel côn a chyrn llywio mawr gyda belt yn gyrru'r olwyn ôl. Byddai'n rhaid rhedeg y beic modur i'w gychwyn, a goleuo'r lamp garbeid wrth deithio yn y tywyll-wch. Fe fu beic modur yng Ngharnedd Lwyd hefyd—y cyntaf yng Nghelyn—ond yr oedd y 'Sunbeam' mewn dosbarth gwahanol.

Yn y tridegau, graddiodd y teulu o feic modur i gar modur newydd sbon, a byddent yn mynd heibio i Gapel Celyn ar y Sadwrn ar eu ffordd i'r Bala, a ninnau'r plant yn oedi i wylio'r amgylchiad fel pe bai'r teithwyr o rengoedd y Teulu Brenhinol.

Hyd amser yr Ail Ryfel Byd, galwai'r trenau yn yr orsaf yn aml ac roedd y chwarel yn llewyrchus. Yr oedd tri thŷ o fewn tafliad carreg i'r orsaf, sef Bron y Graig, tŷ Harri Roberts a thŷ'r 'Boss Mawr'.

Tŷ diddorol oedd yr ail am fod ganddo do fflat, ac am ei fod wedi ei wneud o goncrid a allai wrthsefyll y cerrig a chwythid arno o'r chwarel. Dau ddiddorol oedd y meibion, Robert Henry ac Iorwerth hefyd. Meddai'r hynaf ar y gallu i ddynwared yn gelfydd, a'i hoff wrthrych oedd y Parch. William Jones, y Parc.

Teimlai rhai pobl fod William Jones yn gul oherwydd byddai'n cymryd cipolwg drwy ddrws y Ship i weld a oedd rhai o flaenoriaid y fro wrth y bar. Byddai wedyn yn pregethu ar dorri dirwest yng nghapeli'r drwgweithredwyr ac yn eu hatgoffa am Ddydd y Farn!

Cychwynnwyd chwarel Arenig ychydig wedi troad y ganrif hon, a gwelwyd cyfeiriad at y ffaith ei bod yn newydd yn 1905. Evan Jones oedd enw'r gŵr a'i hagorodd, ac yr oedd ef, fel y soniwyd eisoes, yn ddyn mawr ei barch ac yn flaenor yng nghapel M.C. (sef Capel Mawr) y Bala. Fodd bynnag, adeiladodd gapel bychan yn Arenig ar gyfer gweithwyr ei chwarel.

Cododd Evan Jones tua naw o dai sinc ar gyfer y gweithwyr cyffredin. Codid lle tân ac un wal o frics rhwng y tai mewn rhes, a defnyddid coed a sinc yn ochrau a thoeau i'r tai. Nid oedd y tai hyn yn addas i deuluoedd fyw ynddynt mewn gwirionedd, a bu llawer o fynd a dod yn hanes y preswylwyr, ond bu pobl hyfryd iawn yn byw yma er gwaeled yr adeiladwaith. Nid slymiau mohonynt; cyflawnai gwragedd y gweithwyr wyrthiau wrth ddarparu dillad a bwyd ar gyfer plant. Foel View Terrace oedd yr enw ar y rhimyn o chwe thŷ, gyda Fir Grove rhyngddynt a'r capel. Noder yr enwau Saesneg!

Deuai nifer sylweddol o blant o'r tai sinc i lawr i Ysgol Celyn. Yn ogystal â'r cyfenwau arferol fel Williams, Jones, Owen a Hughes, yr oedd enwau dieithr hefyd. George Henry Clapham, Ernest Abbot a Henry Potts oedd tri o'r rhai nad oedd yn Gymry, ond mae'n debyg bod y plant hyn wedi llwyddo i gael crap pur dda ar iaith y plant eraill o dipyn i beth.

Gyferbyn â'r capel yr oedd dau dŷ sinc o'r enw Rhosgoed 1 a 2. Clywais fod dyn o'r enw Caruso yn byw yn un o'r ddau dŷ ar ddechrau'r ganrif, a byddai'n casglu mwsogl a chen y cerrig oddi ar lethrau yr Arenig Fawr, arferiad a oedd wedi dirywio erbyn y ganrif hon. Bu farw'r gŵr hwn, a hoffai ei gwmni ei hun, yn ei dŷ heb yn wybod i neb, a darganfuwyd ei gorff gan fy nhad rai dyddiau wedyn.

Bu gan Bodarenig, Fferm Bodrenig a Choedle, a oedd yn agos i'r tai uchod, gysylltiadau hir â Chapel Celyn. Teulu Evan Jones oedd yn byw yn y Coedle. Daeth ef o ardal Trefor yn Sir Gaernarfon i weithio yn y chwarel leol a phriododd â merch Weirglodd Ddu. Yr oedd saith o blant yn y teulu, ond bu farw dau ohonynt, sef Megan yr hynaf o'r merched a Llew yr ieuengaf ohonynt oll, o'r dicâu. Gwasgarodd y teulu hwn ar ôl marwolaeth y tad, gyda'r merched, Elsie a Mair, yn rhoi cartref i'r fam yng Nghaernarfon. Ymddengys nad oes ond un o'r teulu yn unig, sef Ieuan, ar ôl yng nghyffiniau'r Bala.

Dyma gerdd i Lyn Arenig o eiddo John Lewis, y mab hynaf, a fu'n athro ysgol yng Nghlwyd ac sy'n awr yn byw yng Ngwern-y-mynydd ger yr Wyddgrug:

Llyn Arenig

Yng nghanol y mynyddoedd rwyt fel gem
    Pan dania'r haul ei belydr ar dy li.
Heb dŷ na thwlc, dim ond rhyw ŵr ar sgawt
    Yn tarfu weithiau ar dy heddwch di.

Crwydrais dy lennydd ganwaith ym mis Awst
    A'r glaslwyd lus yn staenio safn a llaw,
A chriw o rugieir cegog ar y trum
    Yn dweud yn bendant wrthyf 'cadw draw'.

Teimlais hydrefwynt gwallgof ar ei gyrch
    Yn bwrw'i lid wrth groesi tir a mawn;
A gwyliais dy donnau rhag ei hwrdd yn ffoi
    Yn bendramwnwgl dros dorlannau'r cawn.

Aeth haf a hydref eto ar eu hynt,
    A minnau wedi methu â chadw'r oed.
Rhyw hydref arall ddaeth yn ddistaw bach
    A gadael ei efynnau am fy nhroed.

Cyfarfûm â John yn yr Wyddgrug yn 1986 a gwerthfawrogais ei barodrwydd i mi gynnwys peth o'i waith yn y gyfrol hon. Ceir mwy o'i waith yn *Blodeugerdd Penllyn* ond dyma dri englyn y teimlaf ei bod yn werth eu cofnodi yma:

Iesu'r Pasg

Yr Oen a fu'n dihoeni—ar y pren
    Wedi'r prawf a'i fryntni;
Hwn yw'r un a'n harwain ni
I lannerch Bro'r Goleuni.

Erchyllwaith oedd archolli—Aer y nef
Ar nawn didosturi.
A diangen drueni
Farw o Hwn ar Galfari.

Diangen? Onid angau—yr Iesu
A'i rasol weddïau
A roes fri i'n beroes frau
A hyder i'n heneidiau?

Claddwyd y tad a'r fam a'r plant ym mynwent Capel Celyn, ond yng
Ngorffennaf 1964, symudwyd eu cyrff a'u carreg fedd i fynwent
eglwys Llanycil.

Ar ddechrau'r ganrif, Bodarenig Hall oedd y tŷ o bwys ym mhentref
Arenig. Dyma gartref yr Evan Jones arall y cyfeiriwyd ato eisoes, sef y
saer, yr adeiladydd a pherchennog y chwarel. Cartrefai Evan Jones yn y
Bala cyn dod yma a chadwodd ei gysylltiadau â'r dref hyd ddiwedd ei
oes.

Mab iddo ef oedd y Parch. John Puleston Jones, y pregethwr dall.
Ganed ef yn Llanbedr Dyffryn Clwyd, ac o linach ei fam, sef Mary Ann
Puleston, y cafodd ei enw.

Pan oedd yn faban, cafodd John ddamwain gas a achosodd iddo golli
ei olwg, ond bu ei fam mor fedrus yn ei ddysgu fel y gallodd ei mab
ddilyn gyrfa ysgol a defnyddio ysgrifiadur arbennig. Mae'n debyg mai
ef oedd yr un a luniodd y gyfundrefn o reolau a ddefnyddir yn y Braille
Cymraeg heddiw. Wedi pasio yn uchel o Ysgol Ramadeg y Bala, bu
mewn coleg i'r deillion am gyfnod cyn mynd ymlaen i Goleg Balliol,
Rhydychen a graddio yn y dosbarth cyntaf mewn Hanes yn 1888.

Yr oedd galw mawr am wasanaeth y 'bachgen tywyll' fel pregethwr
yng Nghapel Celyn a Chymru gyfan, ac yr oedd ei allu i fynd o gwmpas
y wlad, bydded ar y trên neu ar ei geffyl enwog Dic, yn ddihareb. Hoffai
helpu ei dad yn y gweithdy hefyd. Yn sicr, dyma un o anwyliaid y genedl
yn ei ddydd. Claddwyd ef ym mynwent Eglwys Crist, y Bala, ar 21
Ionawr 1925.

Yr oedd gan John frawd o'r enw Robert Lloyd a oedd yn dirfesurydd.
Cododd ef a'i wraig lond tŷ o blant, ac i Ysgol Celyn y teithient ar un

adeg. Credir mai naw plentyn oedd yno, gyda'r enwau Esyllt, William, Iago, Norman, Gem, John, Harold, Lorna a Fanny, ond cilio o'r ardal wnaeth y teulu.

Cyfeiriwyd yn gynharach at y dwsinau o anheddau ar y tir uchel a oedd yn gartrefi yn y ddeunawfed a'r bedwaredd ganrif ar bymtheg. Erbyn hyn, un neu ddau o leoedd yn unig sy'n gartrefi. Chwalwyd y trigfannau a gynhaliai deuluoedd o sylwedd, a distaw yw'r chwarel ar hyn o bryd.

Er enghraifft, ryw chwarter milltir i'r gorllewin ar hyd y ffordd o'r chwarel, gwelir gweddillion Filltirgerrig. Er bod y tir uwchben y tŷ yn garegog, dywedai fy nhad fod teulu pur urddasol yn byw yma yn yr ail ganrif ar bymtheg a'r ddeunawfed ganrif.

Yr oedd gan un o'r teulu ddau fab, a'r stori oedd mai'r ddau hyn a ddechreuodd adeiladu clawdd terfyn y mynydd ond gadawsant fwlch pan aethant i ddilyn y gyfraith. Rhoddwyd yr enw Bwlch y Twrnïod ar y darn hwnnw.

Yn ôl yr un stori cyflogwyd hwy i weithredu ar ran Richard Price, y Rhiwlas, ond derbyniasant lwgrwobr i golli'r achos. Clywodd yr uchelwr am hyn a gorfododd y teulu i ymadael â'r fferm ar unwaith; bu'n wag am rai blynyddoedd wedyn. Roedd hi'n anodd cael rhywun i ddilyn y teulu, ond adwaenai Mr Price ŵr o'r enw Siôn Emwnt a ffermiai Nant Hir, Cwm Tirmynach, eglwyswr teyrngar a dyn cyfrifol. Pwysodd y tirfeddiannwr ar Siôn Emwnt i anfon un o'i blant yno, ac felly y bu. Cafodd Emwnt y mab y fferm am £15 y flwyddyn, yn ogystal â melin Rhyd-defaid, Fron-goch.

Dilynwyd yr Emwnt hwn gan ei fab Ellis a ymddiddorai i'r fath raddau mewn pethau ysbrydol nes iddo ddechrau esgeuluso'i waith, ond roedd ganddo wraig arbennig iawn a thrwy ei hymdrechion hi achubwyd bywoliaeth y teulu. Torrwyd cysylltiad yr hen deulu hwn â'r lle tua 1890.

Ryw hanner milltir i'r gorllewin o'r Filltirgerrig mae pont dros gledrau hen lein y trenau i 'Stiniog a ffordd fechan ar y chwith yn arwain i fyny at Amnodd Wen. Yn ôl fy nhad eto, bu Amnodd Wen yn breswylfan i deulu hynaf bro Tryweryn. Dyma gartref gŵr o'r enw Robert Richard yn gynnar yn yr ail ganrif ar bymtheg. Nid yw Amnodd Wen yn bell o ucheldir bro Llanuwchllyn a dywed Ap Vychan mewn un lle ei fod ef a'i frawd wedi cael croeso yn Amnodd Wen rywbryd yn ystod 1818 ar ôl bod yn cenna ar yr Arenig Fawr.

Yn y ganrif ddiwethaf daeth yr enw Roberts i deulu Amnodd Wen trwy gyfrwng priodas Robert Roberts, mab Bryn Ysguboriau, Trawsfynydd, â Margaret Lloyd (1803-1838) a oedd yn chwaer i'm hen nain. Cyflwynodd un o'r disgynyddion a gartrefodd yn Hendre Mawr ger y Bala, set hardd o lestri cymun i'r capel M.C. yng Nghelyn. Beth a ddigwyddodd i greiriau'r capel tybed? Derbyniais i lwy a chopi o'r Testament Newydd gyda stamp yr eglwys arno, a thrysoraf y rhain yn fawr.

Un ffaith ddiddorol yw bod y llythyren M, sef pyg-lythyren defaid Amnodd Wen, wedi cael ei defnyddio am genedlaethau nes i Gadwaladr Roberts a'i wraig symud i Wyddelwern ger Corwen yn 1923. Bugeiliodd y gŵr hwn yn dda a marchnata'n fedrus trwy roi misoedd o gredyd i ffermwyr Dyffryn Clwyd tra pesgid yr anifeiliaid. Bu'n hynod lwyddiannus a gallodd brynu fferm fawr yn Essex, ffaith sy'n dangos menter y dyn.

Bu Simon Evans a'i dilynodd yn llwyddiannus yma hefyd. Yn wir, bu mor llwyddiannus nes iddo allu prynu tŷ helaeth Ciltalgarth nid nepell o'r argae am tua £5,000. Yr oedd hwn yn bris mawr bryd hynny.

Ni fu Amnodd Bwll, y lle nesaf i fyny'r cwm croes i gyfeiriad Llanuwchllyn, hanner mor garedig wrth y tenantiaid. Gwelwyd cyfeiriad at Richard a Jane Jones yn byw yma yn 1870 ac yn cael baban marwanedig. Prin y gellid cael gafael ar feddyg mewn lle mor anghysbell. Er hynny, bu yma lond tŷ o blant yn ystod amser Owen a Jane Lewis, ond ni welwyd tystiolaeth i'r plant fynychu ysgol.

Clywais fod y postmon wedi galw yn Amnodd Bwll ychydig amser ar ôl y Rhyfel Byd Cyntaf ac wedi sylwi ar y plant—a oedd yn droednoeth ond yn hollol hapus eu byd—yn cilio fel cŵn bach dan y bwrdd o weld dieithryn yn dod i'r tŷ.

Credir mai wyth o blant oedd yno a bod Owen Lewis y tad wedi mynd â'i fintai gydag ef i 'gyfarfod bach' unwaith, sef cyfarfod cystadleuol neu eisteddfod bentref yn y Llidiardau, i gystadlu ar ganu ac adrodd. Er mawr syndod i'r enillwyr arferol, fe gipiodd plant Amnodd Bwll yr holl wobrau a'r bri, a chawsant gymeradwyaeth fyddarol gan y gynulleidfa.

Oherwydd bod y lle mor anghysbell nid arhosai teuluoedd yn Amnodd Bwll yn hir, a dioddefai'r bobl a'r defaid yn ystod y gaeafau caled. Er enghraifft, yn ystod gaeaf erchyll 1947, collwyd wyth cant o ddefaid a thaflwyd y cyfan i un bedd enfawr—golygfa drist iawn yn ôl fy nhad a welodd y digwyddiad. Heddiw gwelir ffordd newydd yn arwain o gyfeiriad Nant Ddu i fyny i gyfeiriad Amnodd Bwll.

O ddychwelyd at Fryn Maen Llifo, sef y groesffordd lle y gwahana'r ffyrdd, gwelir ar y chwith ar ffordd y Migneint, olion lle a thipyn o hanes iddo. Dyma Dai-hirion, y drigfan olaf cyn y mynydd. Awgryma'r enw fod mwy nag un tŷ wedi sefyll yma yn yr hen amser, ond nid oes sicrwydd pryd y daeth yr adeilad hir yn un tŷ.

Tua 1854 teithiodd yr enwog George Borrow dros y Migneint a dod ar draws Tai-hirion, lle y gwnaeth y sylw bod llawer blwyddyn wedi mynd heibio er pan adeiladwyd y tai hyn. Safai'r tŷ ar fin y ffordd Rufeinig o Gaer-gai ger Llyn Tegid i Domen y Mur, ac fel y nodwyd eisoes gellir gweld y bont fach Rufeinig o hyd ryw hanner milltir i gyfeiriad Ffestiniog ychydig islaw'r ffordd bresennol.

Oherwydd ei safle ger y mynydd nid yw'n rhyfedd bod y lle wedi bod yn dafarn o bwys yn amser y teithio ar droed a cheffyl. Dywedid yn bendant ers talwm fod un o'r llinach brenhinol wedi marchogaeth ei geffyl oddi ar y 'garreg farch' wrth dalcen y tŷ. Sylwodd Borrow hefyd ar y garreg uwchben y drws gyda'r dyddiad 1630 wedi ei gerfio arni. Yn ôl y wraig y siaradodd y teithiwr â hi, roedd Oliver Cromwell (teulu'r hwn a hanai o ardal Caerdydd) a'r Brenin Siarl ymhlith yr enwogion a oedd wedi defnyddio'r garreg.

Y tro olaf i mi deithio heibio i Dai-hirion oedd ar fy ffordd yn ôl o Eisteddfod Bro Madog yn 1987. Llanwyd fi â thristwch mawr a dicter o weld y murddun wedi ei ddistrywio'n llwyr, a ffens yn rhedeg drosto.

Ni ddaethpwyd o hyd i unrhyw ddogfennau na gweithredoedd yn dweud pwy adeiladodd y tŷ nac i bwy y perthynai. Nid oedd ar restr y Rhiwlas ar ddechrau'r ganrif ond saethwyr y Rhiwlas a hawliai'r saethu. Duw a ŵyr sut y daeth yr hawliau i lawr yr oesoedd.

Gŵr o'r enw Robert Roberts a'i deulu oedd yr olaf i fyw yn Nhai-hirion, ond bugail yn hytrach na thafarnwr oedd ef. Fel llawer lle arall yn yr ardal, yr oedd teulu mawr yma, ac er gwaethaf y cyni, yr oedd y bechgyn, chwech ohonynt, yn fawr eu maint a'u nerth. Tafelli tew o fara gwyn wedi ei grasu gartref gyda wynwyn arnynt a digonedd o laeth enwyn oedd eu bwyd canol dydd, gyda siot (picws mali yn iaith y de) fel newid yn yr haf. Roedd siot yn fwyd cyffredin iawn yn yr ardal hyd amser y boddi. Rhywbeth a ddaeth yn ystod, ac ar ôl, yr Ail Ryfel Byd oedd y cinio poeth wedi ei goginio yn yr ysgol. Agorwyd cantîn yn Ysgol Celyn yn Hydref 1947.

Yr oedd mynd a dod i Ysgol Celyn yn golygu teithio saith milltir y dydd i blant Tai-hirion a hynny ym mhob tywydd. Sut y gallodd y fam goginio, golchi a sychu dillad a wlychwyd ar y ffordd o'r ysgol, ni allaf ddirnad. Haeddai gwragedd yr hen amser fedalau lawer am eu dygnwch a'u dyfeisgarwch.

Ni wyddys ble mae'r bechgyn hyn erbyn hyn; mae'n bur debyg bod rhai ohonynt neu efallai eu plant yn dal yng Nghymru.

Ar ôl i Dai-hirion beidio â bod yn dafarndy, boddwyd anghenion teithwyr y Migneint yn Rhyd-y-fen ar ffordd y Bala o Fryn Maen Llifo. Cyrhaeddodd George Borrow yma hefyd a chael, yn ôl y llyfr (tud. 283), 'a jug of ale which, on tasting, I found excellent'. Ar ei ben ei hun y croesodd George Borrow y Migneint tua'r Bala. Yr oedd wedi gadael

Plant Ysgol Celyn adeg agor y cantîn yn 1947

ei wraig a'i ferch yn Llangollen tra bu ef yn teithio yng Ngwynedd. Yn ôl y teithiwr ei hun, ei ddiddordeb a'i wybodaeth gynyddol o'r Gymraeg oedd ei gymhelliad pennaf i weld Cymru. Sieryd yn ffafriol am ardal Tryweryn, yn enwedig i lawr tua Fron-goch: 'A more bewitching scene I never beheld'. Fe'i plesiwyd gan y cwrw yn ei westy yn y Bala hefyd, 'equal to the best that I had ever drunk before', a dyma ddweud pur gryf gan deithiwr mor helaeth.

Dywed iddo gael brecwast bythgofiadwy yn y White Lion hefyd. Datgela hyn rywbeth am arferion bwyta'r dydd ymysg y mwy cefnog eu byd yn yr ardal. Dyma'i frecwast: te a choffi, bara gwyn ac ymenyn, dau wy a dwy olwythen o borc, cig eog a brithyll a digonedd o bob dim a fynnaf.

Ni rydd Borrow enw'r preswylwyr yn Rhyd-y-fen ond nodir mai un Mr Pughe oedd y clerigwr er na ddatgelir i ba eglwys y perthynai. Gwyddys fod gŵr o ddylanwad yn Rhyd-y-fen ar ddiwedd yr ail ganrif ar bymtheg, sef John Jones a gladdwyd yn Llanycil yn 1726. Gwelir tabled er cof amdano ar fur yr eglwys ger Llyn Tegid.

Dilynwyd y teulu hwn gan Gymry gyda'r cyfenwau Jones, Gruffydd, Parry a Roberts, ond tua thridegau'r ganrif hon aeth y tafarndy i ddwylo Mr a Mrs Hayward, Saeson a chanddynt bedwar o blant. Yn anffodus, syrthiodd y tad oddi ar ysgol tra oedd yn trwsio to uchel y tŷ a lladdwyd ef gan y cwymp.

Fel Tai-hirion, nid yw Rhyd-y-fen yn dafarndy mwyach, ond mae golwg gwahanol iawn i'r tŷ dymunol hwn. Perchennog y lle ar hyn o bryd yw disgynnydd i Anthony Jones a fu'n ddyn o bwys yng nghymdeithas Capel Celyn ar droad y ganrif, felly deil yr hen gysylltiad teuluol a ffermir y tir yn effeithiol.

Ar wahân i Graig-yr-Onwy, sydd yn dŷ eithaf newydd nid nepell o'r maes parcio uwchben Llyn Celyn, y mae dau le arall i gyfeirio atynt. Y cyntaf yw Nant yr Helfa nad oes bron ddim o'i furddun ar ôl erbyn hyn. Yr oedd yn hen hen dŷ wedi ei adeiladu â cherrig mawr gyda chysylltiadau yn mynd yn ôl i amser y tywysogion yn ôl pob tebyg. Mae'n debyg bod y gair helfa'n cyfeirio at yr ymgyrchoedd hela a drefnid ym Moch y rhaeadr.

Ni fu Nant yr Helfa yn lle cynhyrchiol iawn i'r tenantiaid. Er enghraifft, darllenwyd am yswain y Rhiwlas yn anfon y beilïaid yno yn 1875 i 'straenio am y rhent' a bod arwerthiant wedi dilyn hynny. Bu dau neu dri chymeriad digon diddorol yn byw yma. Un ohonynt oedd mab Rolant Jones a ddaeth yno tua 1913. Roedd gan hwn enw arbennig, sef Edward William Rowland Price Vaughan Jones, enw mwy addas i un o'r Teulu Brenhinol! Yr oedd yn gawr o fachgen ysgol a chyn gryfed â hanner dwsin o fechgyn arferol. Yr oedd hefyd braidd yn oriog, a thueddai i ymddwyn fel unben. Bu'n of yn chwarel ithfaen Arenig am flynyddoedd ac ymddiddorai mewn beiciau modur ysblennydd. Byddai'n hoff iawn o ddangos ei allu fel gyrrwr, a broliai fel y gallai deithio o'r Bala i Gelyn yn eithriadol o gyflym. Eto, ni fentrodd fel yr adnabyddus Robin Jac o Lanuwchllyn i gystadlu yn y T.T. ar Ynys Manaw. Mynnai bechgyn eiddigeddus yr ardal fod y beiciau modur yn cael eu prynu ar y 'never never' sef modd o brynu a ystyrid yn waradwyddus cyn yr Ail Ryfel Byd. Eto, yr oedd ochr ddigon annwyl i Wil. Wedi ymddeol o'r chwarel aeth i fyw i Lan Ffestiniog i gadw siop sglodion tatws, ond bu farw yn 1980.

Cymeriad arall a fu'n byw yn Nant yr Helfa oedd y John Jones y cyfeiriwyd ato yn gynharach. Yn ogystal â gwerthu cig eidion Ariannin gyda basged sgwâr enfawr, gweithiai John 'Beef' fel postmon dan fy nhad. Ei gylchdaith ef oedd ardal Arenig ac i fyny i gyfeiriad Cwm Prysor.

Yr olaf o'r tai ar gylchdaith Arenig yw Pantllwyni sy'n dal ar ei draed ryw dri chanllath i'r gogledd o'r ffordd fawr i lawr i gyfeiriad y llyn o Nant yr Helfa. Credir i'r tŷ gael ei adeiladu gan deulu'r Rhiwlas fel tŷ cipar. Yn 1891 Anthony Jones oedd yn byw yma, y preswylydd cyntaf yn ôl pob tebyg. Am flwyddyn tua 1902-03 dyn o'r enw Robert Holmes oedd y tenant ac anfonodd ei ferch i Ysgol Celyn. Yn ôl adroddiad y capel yng Nghelyn, William Jones a'i wraig oedd yma yn 1905 ond nid arhoson nhw'n hir. Fe'u dilynwyd gan Thomas ac Ellen Jones gyda theulu o bump o ferched a dau fab. Yr oedd un bachgen, sef Thomas—neu Twm Taffi am ryw reswm—yn fachgen cydnerth a llawn hyder, ond mae'n debyg mai un tawel a swil oedd ei frawd pan oedd yn ifanc. Deellir ei fod ef, John Glyn, yn berchen caffe yn Llandudno. Kate, Winifred, Gwen, Maggie ac Eluned oedd y merched.

Bu Pantllwyni yn wag o dro i dro, ond y trigolion nesaf oedd Robert Thomas a'i wraig Ethel, hi yn un o dair chwaer o Ffestiniog a briododd â bechgyn o ardal Celyn. Cyfeiriwyd eisoes at Robert a'i fab Ithel mewn cysylltiad â'r Tyrpeg, ond yr oedd gan Ithel ddwy chwaer hefyd, sef Mair Annie a Jennie May. Yr oedd Mair, a fu farw yn 1987, yn un hwyliog dros ben a hyfryd ei natur, a mab iddi hi yw Elwyn Edwards a wnaeth waith mor glodwiw yn casglu gwaith beirdd Penllyn i un gyfrol. Etifeddodd Elwyn ddawn farddonol y teulu yn ei chyflawnder ac mae'n enghraifft dda o awen Meirion. Fel gweddill y teulu, teimlodd Elwyn y golled ym mro Tryweryn i'r byw, a threuliodd lawer awr yn ailymweld â'r hen lecynnau y gwyddai amdanynt pan oedd yn blentyn.

Dyma'i adwaith i'r hyn a welodd wrth droedio'r cwm yn ystod haf sych 1976 a syllu ar y mannau lle safai cartrefi gynt:

> Olion fy hil a welaf, ac aelwyd
> A foddwyd ganfyddaf.
> Ailagor craith i'r eithaf
> A wnaeth cwm yn hirlwm haf.

Y teulu olaf i fyw ym Mhantllwyni oedd Richard a Margaretta Williams a Joan eu merch fach. Dyn 'oddi ffwrdd' oedd Richard a dyn a wisgai'n llawer smartiach na'r brodorion. Merch leol oedd Margaretta er gwaethaf ei henw anarferol. Tybir i Joan gael swydd fel athrawes ysgol yng nghyffiniau Wrecsam.

Mae'n bosibl mai gan Fwrdd Dŵr Cymru y mae'r casgliad mwyaf o weithredoedd tir hen ardal Celyn, ond digon bratiog yw'r manylion am lawer lle.

PENNOD 11

Y Dyddiadur

Yr oedd gŵr unigryw yn byw ym mro Tryweryn yn ail hanner y ganrif ddiwethaf. Ei enw oedd Morris Vaughan Jones, a thrwy law Mr Ernest Jones, a chyda chaniatâd ŵyr yr hen Morris Vaughan, sef John Morris Jones, cafodd darllenwyr *Y Cymro*, yn 1961, gipolwg gwych ar fywyd dyn o sylwedd a gwreiddioldeb trwy gyfrwng detholiadau o'i ddyddiadur.

Ym Mryn Ifan, fferm ar yr ucheldir rhwng Mynydd Nodol a'r Arenig Fawr, y treuliodd Morris Vaughan Jones ei ddyddiau, a'r hyn a'i gwnaeth yn wahanol i eraill oedd y ffaith iddo gadw dyddiadur am tua deugain mlynedd. Dechreuodd gofnodi yn 1872, yn chwech a deugain oed, gan groniclo digwyddiadau teuluol a lleol yn gyson hyd y Rhyfel Byd Cyntaf. Bu farw'r hen frawd yn ystod y rhyfel hwnnw ym Mawrth 1915.

A fu cynnwrf cymdeithasol ei gyfnod yn ofid i Morris Vaughan Jones? Naddo. Er ei fod yn Gymro Cymraeg trwyadl ac yn byw mewn bro o werinwyr digon tlawd, Tori rhonc ydoedd a oedd yn uchel ei barch ymhlith gweinyddwyr gwleidyddol y dydd. Yr oedd yn ddigon parod ei gymwynas a chyfeiriai'n aml at wahanol bethau a wnâi ar ran ei gymdogion. Er nad ef oedd perchennog ei fferm—perthynai Bryn Ifan i'r Penmachno United Charities a fu'n gysylltiedig ag Urdd Sant Ioan o Gaersalem gynt—yr oedd yn ddyn o gryn ddylanwad. Er enghraifft, yr oedd yn un o warcheidwaid y tloty yn y Bala, a deuai pobl o bell i ymgynghori ag ef ynglŷn â'u problemau cyfreithiol ac amaethyddol. Yr oedd yn gyfeillgar â phobl 'fawr' bro'r Bala, o deulu Price y Rhiwlas, y tirfeddianwyr lleol, i Michael D. Jones, un o arweinwyr yr Anghyd-ffurfwyr ac arweinydd y mudiad i sefydlu gwladfa Gymraeg ym Mhatagonia. Er enghraifft, ceir dau gyfeiriad yn y dyddiadur at Michael D. Jones. Galwodd y gŵr hwnnw ym Mryn Ifan ar 14 Ionawr 1874, ac yna, naw mis yn ddiweddarach, ceir Morris Vaughan Jones yn mynd i Dy'n Cornel 'i gynnig setlo dros Michael D. Jones', a gŵr Ty'n Cornel yn gwrthod. Diddorol fyddai gwybod cefndir yr anghydfod.

Cofnodi uniongyrchol a geir yn y dyddiadur fel arfer yn hytrach na dyfynnu dywediadau a gweithgareddau pobl eraill.

Derbynnir y drefn gymdeithasol fel y mae, heb brotest na chymeradwyaeth, ac ni rydd y dyddiadurwr ei farn ei hun yn aml, felly rhaid defnyddio rhywfaint o ddychymyg wrth geisio amgyffred cefndir y digwyddiadau, safle'r trigolion a chyflwr yr unigolion y cyfeirir atynt. Yr oedd llawer o ddioddef distaw bryd hynny.

Rhaid cofio mai gwael oedd cyfleusterau addysg mewn broydd gwledig a bod yn rhaid i blant dalu am fynychu ysgol ddyddiol. Cafodd rhai bechgyn ffortunus o berfedd gwlad, fel William Morgan, eu noddi, ond wrth ymchwilio i hanes Cwm Tryweryn, ni ddaethpwyd o hyd i gyfeiriad at unrhyw blentyn o'r ardal honno a gafodd yr un fraint. Tybed a fyddai Morris Vaughan Jones wedi dod yn ysgolhaig enwog a dwyn enwogrwydd i'w fro pe bai wedi cael manteision addysgol?

Mae'n wir i O. M. Edwards a Tom Ellis o Benllyn dorri drwy'r anawsterau a disgleirio; efallai fod diddordeb Morris mewn amaethyddiaeth a'i hoffter o hela yn ddau reswm dros iddo aros yn ei fro enedigol. Yr oedd yn hoff o lyfrau yn bur sicr oherwydd ceir cyfeiriadau ganddo at lyfrwerthwyr teithiol yn galw yn rheolaidd ym Mryn Ifan. Er enghraifft, ar 18 Ionawr 1872 dywed iddo brynu *Dictionary Carfallwm*, a argraffwyd yn Ffestiniog, am ddeunaw swllt, pris uchel iawn am lyfr bryd hynny.

Yr un mis ceir bod Morris yn gweithredu ar ran ei frawd hynaf, nad oedd 'fawr o 'sglaig', ynglŷn ag ewyllys eu diweddar dad, ac ym Mai 1872 roedd y dyddiadurwr yn un o barti o wyth a aeth i Lundain i gasglu'r arian a ddeilliodd o'r ewyllys. Arhosodd y parti yn Westminster Bridge Road a derbyniasant £1,316. 16s. 11d. o'r ystad. Banciwyd £1,300 yn syth, gan adael £16. 16s. 11d., a chawsent y fraint o gael eu tywys drwy ddaeargell Banc Lloegr i weld yr aur. Ni ddatgelir sut cawsant ganiatâd i fynd ar y fath daith amheuthun, ond mae'n amlwg bod digon o hyder gan Morris a'i bartneriaid i ofyn am gael golwg. Nid adroddir ychwaith beth oedd adwaith y gwŷr o gefn gwlad, prin eu Saesneg efallai, i'r olygfa oludog. Yr oedd taith i Lundain yn dipyn o antur er bod y rheilffyrdd wedi dod i'r ardaloedd mwy poblogaidd erbyn hyn, ac yr oedd Lerpwl yn lle adnabyddus i Gymry'r gogledd.

Nid oedd rheilffordd o'r Bala i Ffestiniog yr adeg honno, ond yn Nhachwedd 1872 ceir y cyfeiriad cyntaf at y bwriad i adeiladu un. Er y gallai diffyg cyfleusterau teithio brofi'n broblem i bobl Cwm Tryweryn ar adegau, i bobl na chawsent erioed y fath freintiau, nid oedd cerdded neu farchogaeth merlyn yn fwrn. Un diwrnod, er mwyn 'gwneud gweithred ynglŷn â dau dŷ yng Nghaergybi', cychwynnodd Morris Vaughan Jones gerdded dros y Migneint. Newidiodd ei feddwl ar ôl cerdded rhyw ddwy neu dair milltir, a'i throi hi tua'r Bala er mwyn dal y trên i Benrhyndeudraeth. Wedyn aros yn Sain y Delyn, Caernarfon, ar ei ffordd allan ac yn Ffestiniog ar ei ffordd yn ôl, cyn dychwelyd ar droed dros y Migneint.

Nid oedd cerdded i'r Bala, taith o ryw saith milltir, yn fawr o broblem er i rai gael profiadau digon cyffrous. Er enghraifft, am un ar ddeg o'r gloch y nos ar 15 Orffennaf 1874 darllenir i'r dyddiadurwr weld ysbryd ar ei ffordd adre, sef dynes yn gwisgo het wen, a phlentyn yn ei breichiau!

Mae cyfeiriad neu ddau yn y dyddiadur at unigolion yn cael eu lladd gan foduron ar y ffyrdd ar ôl troad y ganrif, ond pethau dieithr iawn oedd moduron ym mro Tryweryn tan tua thridegau'r ganrif hon.

Yr oedd cerdded yn rhan o'r drefn, a chyfeirir yn y dyddiadur at Morris Vaughan Jones yn cael gwŷs gan Swyddfa'r Ordnans yn Llundain yn gofyn iddo gerdded terfynau plwyfi Llanycil a Llanuwchllyn. Parhâi'r arfer o gerdded terfynau ffermydd hyd amser boddi Capel Celyn a'r cylch, ond ni wyddys pryd y cychwynnodd na phryd y dibennodd yr arferiad o gerdded terfynau'r plwyfi.

Yr oedd llawer o grefftwyr a gweithwyr dros dro yn ymweld â'r ardal. Er enghraifft, yn saithdegau'r ganrif ddiwethaf deuai Cadwaladr y saer o amgylch i wneud clocsiau, a hefyd Owain Davies y teiliwr. Byddai dynion gwerthu nwyddau yn galw heibio yn rheolaidd, pobl fel Wil Trabŵn y cyfeiriodd Hugh Evans ato yn y gyfrol *Cwm Eithin,* a John Evans o'r Bala a adwaenid yn ddiweddarach fel John Ifans y mul. Dylid egluro mai cyfeirio at ddull y gwerthwr o deithio yn hytrach nag at y gwerthwr teithiol ei hun a wnâi'r gair mul. Gyda glo a halen ar gyfer Bryn Ifan, ar y llaw arall, prynid cymaint â thunnell neu fwy ar y tro.

Teithid i'r Bala neu i Ryd-y-fen, y tafarndy agosaf, pan oedd angen prynu cwrw neu chwisgi ar gyfer gwendid corfforol neu iselder ysbryd, a daeth problem ddiota i'r fro gyda dyfodiad estroniaid, yn enwedig Gwyddelod, adeg adeiladu'r rheilffordd. Byddai'r gweithwyr yn adeiladu cutiau, sef rhyw dai dros dro a gymerai enwau eu hadeiladwyr. Yr oedd o leiaf bedwar o'r rhain nid nepell o Fryn Ifan, sef 'Hutiau' Fisher, Benget, Brown a George Exworthy. Mae'n debyg y byddai gan y gweithwyr hyn dipyn o arian parod a ddenai rai o'r bechgyn lleol i werthu cig ac ati iddynt.

Mae'n sicr eu bod yn drigfannau eithaf llwm ac anghyfforddus, ac efallai i hyn ddylanwadu ar eu deiliaid i benderfynu gwneud cwrw i godi'r ysbryd. Yn wir bu cynhyrchu cwrw yn gymaint o lwyddiant nes i'r rhai mwy moesol yn y fro ddechrau cwyno bod trigolion lleol, a hyd yn oed morynion o'r Llidiardau, ym ymlwybro yno wedi nos. Mynnwyd fod y merched hyn wedi eu gweld wrth 'Hut' Benget am ddeg o'r gloch y nos. Yn 1879 darganfuwyd dyn wedi marw ger 'Hut' James a bu'n rhaid cynnal cwest. Y dyfarniad oedd bod y dyn, nas enwyd, wedi marw 'trwy ymweliad Duw'.

Tua'r adeg hon hefyd daeth arbenigwyr, sef 'deifars', i weithio i'r Shropshire Union Railways and Canals Company yn Llyn Arenig Fawr. Nodir hyn gan y dyddiadurwr am mai ef oedd yn gofalu am y llyn. Mae'n bur debyg mai dyna'r pryd y gosodwyd pibelli ar gyfer cyflenwad dŵr tref y Bala.

Yn 1880 daeth cynhyrchu a dosbarthu diod feddwol yn fater o bwys i'r trigolion a'r heddlu, ac yn ôl yr hanes, yn ogystal â'r 'hutiau', daeth fferm Gwerngenau dan ddrwgdybiaeth. Yn wir, daeth yr heddlu o hyd i gwrw yno, a daethpwyd ag achosion yn erbyn y troseddwyr. Cafodd Rowland Jones, Gwerngenau, ei ddirwyo £20, Joseph Fisher o Fwlch y Buarth £30 a Jimmy James, Penbryn Fawr, £20 am 'ddelio mewn diod gadarn', dirwyon trwm iawn yn eu dydd. Mewn tegwch â theuluoedd parchus y lleoedd uchod, dylid nodi mai gweithwyr dros dro ar y rheilffordd oedd y troseddwyr mwyaf. Agorwyd y rheilffordd yn 1882 gan y Great Western Railway, a diflannodd y gweithwyr ar ôl gorffen y gwaith heb adael fawr o effaith barhaol ar y gymdeithas. Fodd bynang, gwelir i blant o'r enw Exworthy fynychu Ysgol Celyn yn ystod blynyddoedd cynnar yr ysgol honno, sy'n awgrymu bod y tad a'i deulu wedi aros yn yr ardal am beth amser. Ceir sôn hefyd am Saeson yn byw neu'n aros dros dro ym Moch y rhaeadr yn 1905, er na fuont yno yn hir. Dyma arwydd cynnar o Seisnigo cefn gwlad, tuedd a gyflymodd mor ddychrynllyd yng Nghymru ar ôl yr Ail Ryfel Byd.

Yn wyneb yr anawsterau teithio mae'n rhyfedd bod cymaint o deithwyr a masnachwyr wedi ymweld â bro Tryweryn. Er enghraifft, ceir un William Daniel Davies o Scranton yn yr Unol Daleithiau yn dod o gwmpas i werthu llyfrau yn 1899 ac Eidalwr ryw dair blynedd yn ddiweddarach yn galw heibio gyda'i 'hand organ'. Rhyfeddach fyth efallai yw'r cyfeiriad yn *Cwm Eithin* at William Thomas, Pentrefoelas (perthynas i deulu fy mam fe gredaf), yn mynd oddi amgylch gyda'i organ i gynnal cyngherddau. Ni wyddys beth oedd ei ddull o deithio, ond yr oedd organ yn dipyn o lwyth i'w gludo.

Yr oedd angen mawr am adloniant, a diddorol yw deall fod y syrcas yn boblogaidd iawn ymysg y werin, a bod cwmnïau teithiol fel Edmunds a Wombell yn ymweld â'r Bala bob blwyddyn, o leiaf adeg y ddwy ffair fawr. Ar 'green' y Bala y lleolid y babell. Yr oedd y ddarlith yn boblogaidd hefyd a byddai gwŷr huawdl fel Hwfa Môn a Mynyddog yn denu'r tyrfaoedd gyda thestunau fel 'Hanes Rhyfel Ffrainc'.

Yr oedd hanes neu bigion o storïau am anturiaethau milwrol yr Ewropeaid yn eu hawch am dir a gogoniant yn Affrica yn ennyn diddordeb mawr, ond clywid beirniadu weithiau ar yr anturiaethau a'r rhyfela, yn enwedig pan ddeuai gwragedd o gwmpas i gasglu at anghenion teuluoedd amddifad y milwyr a laddwyd yn Ne Affrica. Ond daliai brwydr lwyddiannus enwog Waterloo ddiddordeb y cyhoedd er i'r frwydr honno ddigwydd flynyddoedd lawer ynghynt.

Yr oedd Morris Vaughan Jones hefyd yn amlwg yn falch o Wellington oherwydd prynodd lun o'r dug mewn arwerthiant. Yr oedd y lluniau hyn yn dra phoblogaidd ar y pryd. Mae'n syndod nad oedd ef, fel dyn ar ochr 'y Sefydliad', yn eglwyswr, ond ar y llaw arall, ni fynychai gapel arbennig ychwaith. Un ffaith ddiddorol am deulu Bryn Ifan yw y byddent yn cymryd diddordeb mewn cyfarfodydd pregethu yn perthyn i wahanol enwadau ac yn barod i fynd ymhell i wrando ar bregeth.

Mae'n amlwg fod brwydr y claddfeydd yn ei hanterth yn 1872 oherwydd cofnodir i Morris gasglu enwau mewn ymgyrch i gael mynwentydd rhydd i'r 'Sectarians'. Ar y llaw arall, ceir ef, fel un o wŷr sylweddol bro'r Bala, yn rhannu arian y plwyf i'r tlodion ar ran rheithor

Llanycil. Awgryma hyn fod y rheithor hwn ar delerau eithaf boddhaol â'r plwyfolion er na fynychai pobl Celyn yr eglwys yn Llanycil.

Cofnoda'r dyddiadurwr ddyddiad dadorchuddio cofgolofn Thomas Charles yn y Bala yn 1875 ac un Thomas Edward Ellis ar y Stryd Fawr yn 1903, ond nid oedd Morris Vaughan ar ochr y Rhyddfrydwyr. Yn 1886 sonia am fynd i bleidleisio o blaid John Vaughan yn erbyn mab y Cynlas, y Sarnau. Tom Ellis enillodd yr etholiad fodd bynnag.

Yn yr etholiad blaenorol yr oedd y Rhyddfrydwyr wedi ennill yn ddigon rhwydd, ond erbyn hyn, yr oedd yr elfen Gymreig wedi codi ei phen yn amlwg ac yn achosi hollt. Canlyniad yr etholiad oedd: Robertson o Blasty'r Pale, Llandderfel (y Rhyddfrydwr swyddogol), 3,780 pleidlais; Wynne o Beniarth (y Tori), 2,249, a Morgan Lloyd, (Rhyddfrydwr answyddogol), 1,907 pleidlais.

Mae'n sicr fod y mwyafrif o'r rhai a bleidleisiodd i'r Rhyddfrydwr answyddogol yn Gymraeg eu hiaith, yn anghydffurfwyr, yn wrthwynebol i'r degwm ac yn ffermwyr bychain a thenantiaid. Ar noson yr etholiad erlidiwyd Morris Vaughan Jones gan haid o etholwyr a wrthwynebai ei safiad gwleidyddol o blaid yr ymgeisydd Torïaidd. Yn ôl ei eiriau ei hun, 'Bu raid i mi saethu dros eu pennau i'w dychryn i ffwrdd'. Diddorol fyddai gwybod pam yr oedd y gwn o fewn ei gyrraedd o gwbl.

Yr oedd dynion Bryn Ifan yn hynod o fedrus gyda'u gynnau. Ym Mai 1873 daliodd dau o'r hen lanciau bry llwyd anarferol iawn ar lethrau'r Arenig, a chafodd yr anifail dieithr druan ei arddangos, am dâl, yn Ffestiniog a'r Bala. Yr amser hwnnw yr oedd cosb drom i unrhyw un a ddelid yn herwhela, ond mae'n debyg bod teulu Bryn Ifan yn cael saethu yn ddirwystr a hyd yn oed yn croesawu ymwelwyr i saethu yno.

Carchar Rhuthun oedd pen y daith i'r mwyafrif a ddelid yn herwhela, ac yr oedd yn amlwg bod yr ustusiaid yn bleidiol i safbwynt y tirfeddianwyr. Yn ôl Hugh Evans yn *Cwm Eithin*, codent eu hetiau i'r meistri tir wrth adael y llys.

Yr oedd hela, a herwhela, yn ddifyrrwch poblogaidd ymhlith bechgyn ardal Celyn i lawr i'm hamser i, a gwyddai fy mrodyr a bechgyn fel Bob, Tŷ Nant, am bob modfedd o gynefin y grugieir. Yn anffodus, oherwydd y tywydd drwg a diffyg gofal, diflannodd y grugieir o'r fro a rhaid i'r saethwr yn awr saethu colomennod clai.

Nodwedd arall o fywyd y cyfnod oedd y drefn o dalu trethi. Ceir cyfeiriad gan y dyddiadurwr at John Roberts, Weirglodd Ddu, yn dod heibio i gasglu'r dreth incwm a'r 'Dreth Fawr'. Yn 1872 yr oedd hyn, ond ceir cyfeiriadau at drethi hefyd, megis Treth y Tlodion o £1.15s.1d. yn 1872; Treth y Ffordd Fawr o 11/8d yn 1879 a Threth y Tir yn 1898.

Tua diwedd y ganrif newidiodd y ffordd o gasglu'r trethi a thalu biliau. Er enghraifft, ceir sôn am anfon llythyr i Drawsfynydd efo'r trên am 4d, sef grôt. Hefyd, daeth y post i'r fro, a chyfeirir yn y dyddiadur at aelodau'r teulu yn mynd i Fryneglwys i 'rodio'r gwyliau' sef i dreulio'r Nadolig a'r Calan. Diddorol hefyd yw'r ffaith mai 'at y Calan' y rhoddid gŵydd yn anrheg i'r ferch.

Bu'r 'Mrs', sef gwraig y dyddiadurwr, yn bur wael ei hiechyd am flynyddoedd a deuai dau feddyg o'r Bala i'w gweld. Credir mai Dr. White a Dr. Price oedd y rhain. Cyn ei farw yn 1908 yn 52 oed, yr oedd Dr. Price yn gryn ffefryn gyda'r teulu a'r tebyg yw eu bod hwythau yn annwyl ganddo ef hefyd. Prin iawn oedd adnoddau'r meddyg yn y dyddiau hynny, ond tra bo 'bosel triagl' yn ddigon da i Gwen y ferch i'w gwella, yr oedd Dorothy, 'y Mrs', yn haeddu siampên i'w chysuro a'i gwella hi.

Y meddygon a dynnai ddannedd y teulu hefyd, a swllt oedd y gôst; ond gallai telerau'r meddyg fod yn ffafriol i'r teulu oherwydd bod Morris Vaughan yn ddyn i droi ei ddiolchgarwch yn anrhegion.

Roedd pob dimai yn bwysig bryd hynny. Er enghraifft, ceir Elin fach o Foch y rhaeadr yn dod i nôl cyllell i flingo Jac yr hen geffyl a fu farw. Ar amgylchiad arall, pan laddwyd buwch, gwerthwyd y cig am 6d y pwys a'r croen am 16/4d. Yr oedd colli anifail fel hyn yn golled drom, ond cafwyd amcangyfrif fod dros fil o ddefaid yn pori ar Fynydd Nodol yr adeg honno.

Ystyrid Morris Vaughan Jones yn dipyn o filfeddyg hefyd, a'r rhyfeddod yw na cheir sôn ganddo am 'oil Morris Ifans' o Lan Ffestiniog. Erbyn fy amser i yr oedd yr olew hwnnw mor adnabyddus nes i storïau godi am ei rinweddau gwyrthiol. Un o'r rhain oedd bod peth o'r olew wedi cael ei golli ar fedd buwch a oedd newydd ei chladdu a bod ei nodweddion adfywiol wedi peri iddi atgyfodi!

Yr oedd gan y dyddiadurwr ei ffisig ei hun at wahanol ddibenion. Er enghraifft, ar 20 Mai 1873, cafodd genadwri fod tarw o'i eiddo a oedd yn pori yn Rhosygwaliau 'yn piso'n goch' a dyma'r feddyginiaeth a ragnodwyd: 'Owns o cream of tartar: owns o saltpeter: owns o alm: hanner peint o vinegar a hanner peint o sweet oil'. Ni wyddys a fu'r tarw fyw ar ôl llyncu'r fath gymysgedd. Oherwydd tlodi, yr oedd meddyginiaethau llafar gwlad yn boblogaidd iawn.

Bu llawer o ddioddef ymysg y werin, a'r rhai mwyaf truenus eu byd oedd y morynion. Efallai fod morynion ffermydd yn well eu byd na'r rheini a weinai yn y trefi mawr oherwydd gallent fynd i'r ffair i chwilio am gyflogwr arall os na fyddai eu meistres bresennol neu eu cyflog o ryw chwe phunt y flwyddyn yn foddhaol. Gwaith caled iawn oedd gwaith morwyn, ac erbyn dechrau'r ganrif daethai'n fwy a mwy anodd cael gafael ar un gan fod byd addysg, nyrsio a gweini yn y dref yn apelio llawer mwy.

Fel y nodwyd yn *Cwm Eithin*, ar ôl swper âi'r gweision a'r 'hogyn' i'r briws, sef y gegin gefn, i blagio neu brofocio'r forwyn neu'r morynion. Byddai'n drychineb i lanc gael ei ystyried yn fachgen heb gariad, ac o ganlyniad teithid yn bell ac agos i chwilio am un.

Byddai ambell forwyn yn ffortunus. Os byddai yn un ddeallus a theg ei gwedd, gallai obeithio priodi mab rhyw fferm, ond ansicr a digon diobaith oedd dyfodol y mwyafrif.

Cafodd Bryn Ifan, fel mannau eraill, lawer o drafferthion gyda'u morynion, ond morynion Boch y rhaeadr oedd y testun llosg. Yn un peth, yr oedd y ddwy forwyn yno yn ymladd â'i gilydd byth a beunydd! Ar 27 Ebrill 1872 ceir y cofnod canlynol:

> Mary yn curo Ann ac Evan yn bygwth lladd Ann ond Japhet Jones yn ei rhwystro.

Ni cheir mwy o fanylion ynglŷn â phwy oedd y bobl hyn. Mae'n debyg mai merched wedi dod i'r ardal oeddynt, o Drawsfynydd hwyrach, ond mae'r frawddeg o'r dyddiadur yn awgrymu sefyllfa ddramatig a difrifol.

O fewn dim amser ceir bod y Mary uchod yn ceisio cyflawni erthyliad arni hi ei hun. Rhoddodd Evan y gwas gadach iddi a choed tebyg i goed ywen ynddo er mwyn iddi hi eu crasu a'u malu yn llwch ac yna cymryd cymaint ag a safai ar swllt ohono bob hyn a hyn. Darganfuwyd potel o 'rum' dan y sachau yn y llofft; galwyd y meddyg, a chyfaddefodd Mary druan y cwbl.

Chwarae teg iddo, rhoddodd Morris Vaughan Jones fenthyg deg swllt i Mary a gadawodd iddi hefyd fenthyca'r ferlen er mwyn iddi fynd i Drawsfynydd i gael ei phlentyn. Dengys hyn ei garedigrwydd, a byddai llawer o bobl yn galw ym Mryn Ifan i ofyn cymwynas.

Yn ôl Albert fy mrawd, yr oedd ffynnon ddŵr glân y tu allan i ddrws ffrynt Bryn Ifan, a phan alwai yno wrth helpu 'Nhad gyda'r llythyrau arferai syllu i'r dŵr. Byddai dau frithyll yno bob amser, a dywedwyd bod un ohonynt wedi byw am ddeng mlynedd ar hugain.

Yn ystod blynyddoedd olaf ei fywyd, bu fyw Morris Vaughan fel gŵr gweddw, gyda'r mab Edward a'i wraig Kate, Werndelwau, Capel Celyn, a'u mab bychan John Morris. Effeithiodd colli'r 'Mrs' yn fawr arno, ond bu'n ffortunus i allu dal i fyw yn yr hen gartref hyd ddiwedd ei oes.

Yn anffodus, nid oedd yr hen frawd a'i fab Edward, nac Ishmael, barbwr y fro a oedd yn byw yno hefyd, yn cyd-dynnu bob amser. Yr oeddynt yn rhy bendant ac ystyfnig eu ffyrdd, a chofnodir cryn dipyn o gweryla, gydag Edward yn galw ei dad yn 'sgamo diawl' (term dilornus dieithr i ardal Celyn) neu'n 'ddiawl budr'—dywediad llawer mwy cyffredin.

Roedd yr hen frawd wedi gwirioni ar ei ŵyr bach John, ond unwaith cododd gynddaredd ei fab Edward am iddo odro'r fuwch yn lle John Bach. Yr oedd plant eraill yn byw ym Mryn Ifan hefyd, sef Edward, Dora, Ann a Gwen. Bu yno hefyd was o'r enw Cadwaladr Hughes.

Erbyn fy amser i yr oedd John Bach wedi tyfu'n fachgen ifanc mawr a chryf ac, fel ei daid a'i dad a'i ewythredd, roedd yn arbenigwr gyda gynnau a chŵn hela. Yng nghyfnod Edward, trigai Jane, Winnie a Dorothy, sef 'Doli Bach', ym Mryn Ifan.

Ni chofiaf fawr ddim am Edward, ond am y ffaith bod daeargwn hyfryd ganddo. Cofiaf hefyd Dafydd Daniel yn yr ysgol a synnu at yr enw 'Bono' a roddid arno gan yr hen Edward. Symudodd Dafydd Daniel, maes o law, i Swydd Amwythig. Ni chyfarfûm â'r merched, hyd y cofiaf, ond credaf fod un, sef Mrs Pritchard, yn byw yn ardal Llanfor ger y Bala. Priododd John Bach â merch o Garrog a chawsant ddau o blant. Fel ei dad, bendithiwyd y mab Alun â llais trwm gwych, a thrwy ei ganu cofiadwy a buddugoliaethus ar lwyfan yr Eisteddfod Genedlaethol, daeth Alun Jones a'i ruban glas yn adnabyddus trwy Gymru gyfan.

Fel y nodir gan Elwyn Edwards yn *Blodeugerdd Penllyn* (tud. 71), bu sôn bod rhyw awdurdod â'i lygad ar foddi Cwm Tryweryn yn y ganrif ddiwethaf hefyd. Roedd yr hen Domos o Gae Fadog wedi datgan yr ofnau mewn pennill, ond wfftiodd Siôn Cadwaladr o Benbryn Fawr y syniad. Meddai ef:

> Tra byddo'r sêr gloywon, yr afon a red;
> Mi wn nad oes undyn
> A wisgodd ddilledyn
> All atal Tryweryn i waered.

Un cofnod o ddiddordeb arbennig yn nyddiadur Morris Vaughan Jones yw'r un ar gyfer 24 Mai 1892. Dyma'r dyfyniad: 'Mr Price Rhiwlas i fyny gyda'r Land Surveyors yn chwilio am le i wneud llyn i gael dŵr i Lundain'. Ymddengys felly fod yr hen Domos yn llygad ei le, ac nad Corfforaeth Lerpwl oedd yr awdurdod cyntaf i ystyried boddi Cwm Tryweryn!

PENNOD 12

Ysgol Celyn

Agorwyd Ysgol Celyn yn Ionawr 1881, ond credir i'r adeiladu gychwyn tua diwedd 1879, ac mae'n anodd deall pam fod blwyddyn a mwy wedi mynd heibio cyn i'r gwaith gael ei gwblhau. Ni welwyd cyfeiriad at bwy a gyflawnodd y gwaith. Y Cyngor Sir a dalodd am yr adeiladu, seiri maen, nid dynion yn pentyrru brics, fu wrthi. Gwnaed gwaith gwych.

Dywedir bod gŵr ifanc o'r Llidiardau wedi cadw ysgol neu ddosbarth o ryw fath am flwyddyn neu fwy cyn yr agoriad swyddogol, ond nid oes tystiolaeth iddo fod yn yr ysgol yn 1881.

Yn Archifdy Meirionnydd yn Nolgellau, mae'r llyfrau canlynol ar gael (sylwer mai'r Saesneg yw'r iaith swyddogol):

(1) Managers' Minute Books 1949-1960 a 1963 tan y cau.
(2) Admission Register 1881-1915.
(3) Log Books (3) 1881-1963.
(4) Evening Schools Log Books 1894-95.

O'r llyfrau uchod, y cofrestr derbyn plant i'r ysgol yw'r un mwyaf diddorol a defnyddiol i'r hwn sy'n dymuno edrych yn ôl.

Siomedig yw cofnodion y prifathrawon gan nad eglurant beth oedd yn digwydd mewn gwirionedd, megis pwy oedd yn cymryd yr awenau, a phwy oedd yn gadael. Hefyd, ni chofnodir pa ddefnydd a wneid o'r ysgol yn achlysurol, ond yn 1894-95 ceir cyfeiriad at ddosbarthiadau a drefnwyd dan nawdd y W.E.A.

Agorwyd yr ysgol ar 17 Ionawr 1881, ond ni fu seremoni, hyd y gwyddom, ac roedd hi'n 21 Ionawr cyn i rywfaint o'r hanes gael ei adrodd yn y llyfr cofnodion.

Nid yw'n bosibl dweud ai y Rhys Lewis y cyfeiriwyd ato eisoes oedd yn feistr yno ar y diwrnod cyntaf, ond yr oedd un athrawes yno. Mae'n amlwg nad oedd ganddynt lawer o gyfarpar. Dywedir yn y llyfr cofnodion mai 'testing the children' a wnaed; ac nid yw hynny'n rhyfedd oherwydd yr oedd yn fis Ebrill cyn i'r bwrdd du gyrraedd.

Wythnos ar ôl agor yr ysgol cyfeirir at ryw Dr. Hughes o'r Bala yn ymweld â Chelyn ac yn cyflwyno llyfryn i bob plentyn, ond nid eglurir pa fath o lyfr ydoedd.

Defnyddiwyd llechi gan y plant bach i sgrifennu arnynt tan tua 1930. Nid oedd y beiro'n bod cyn yr Ail Ryfel Byd! Defnyddiai'r plant hynaf bin sgrifennu gyda nib (y byddai'n rhaid ei newid bob hyn a hyn), a throchid hwnnw mewn inc a gedwid mewn potel fach yng nghoed y ddesg. Byddai llyfrau sgrifennu rhai plant yn llanastr llwyr! Byrddau duon gydag isl a ddefnyddid gan yr athrawon.

Cofrestrwyd deunaw o blant ar ddiwrnod agoriadol yr ysgol, tri yr ail ddiwrnod a dau ar bymtheg wedi hynny yn ystod Ionawr 1881. Mae gennyf frith gof am bedwar o'r rhai a gofrestrwyd ar y diwrnod cyntaf, ond y person mwyaf nodedig oedd Griffith Hughes 'y siwrans' a dreuliodd ei blentyndod gyda'i frawd Elias yn Siop Celyn. Dyn bychan oedd Griffith a oedd yn bysgotwr dihafal ac a ddychwelai yn aml i afon Celyn i bysgota. Nid oedd yn boblogaidd iawn gyda ni'r plant busneslyd oherwydd er inni ei holi, ni fyddai byth yn dangos cynnwys ei fasged na sôn am unrhyw lwyddiant! Ef oedd yr unig un o'r disgyblion gwreiddiol a oedd yng nghyfarfod cau yr ysgol yn 1963.

Cyfeirir at y pellter mawr y gorfu i'r plant deithio i ddod i'r ysgol heb na beic na merlyn. Er enghraifft, ceir rhyw ŵr o'r enw John Spiers (gweithiwr ar y lein yn ôl pob tebyg), ar 30 Ebrill 1881 yn cyflwyno ei ferch Elizabeth Ellen o Flaencwm, Cwmprysor. Druan o'r fechan yn gorfod wynebu taith o bron bum milltir o gyfeiriad Trawsfynydd. Wrth gwrs, mae'n bosibl ei bod yn lletya yng nghyffiniau'r ysgol, ond ni welwyd cyfeiriad at yr arferiad hwnnw. Ceir nifer o enwau dieithr ar y gofrestr, a thebyg yw i nifer o deuluoedd symud yn ôl lleoliad y gwaith ar y rheilffordd. Yn anffodus, annigonol yw'r wybodaeth am y plant ar y gofrestr.

Mae nifer o enghreifftiau o blant eraill a deithiai yn bell i'r ysgol, megis Gwen, merch Richard Jones o Amnodd Bwll ar ochr yr Arenig Fawr, ac yn 1889 ceir Edmund Davies yn anfon Elizabeth o Fedw'r Gog ger Fron-goch i'r ysgol. Nid yw'r rhyfedd bod ystafell sychu dillad yno.

Un ystafell fawr oedd yr ysgol yn sylfaenol, heb ddim canolfur, a olygai bod gwaith athrawes y plant bach yn enwedig yn un anodd.

Oherwydd hynny, defnyddid cyntedd y merched weithiau yn yr haf i roi mwy o ryddid a lle. Pan ddechreuodd plant Arenig fynd ar y trên i ysgol y Bala, lleihaodd nifer y disgyblion yn sylweddol, a daeth pethau ychydig yn haws, ond mae'n amlwg mai ysgol wedi ei chynllunio ar gyfer defnyddio 'monitors' ydoedd. Hynny yw, disgwylid i un athro allu trin chwe dwsin a mwy o blant gyda chymorth un neu ddau o blant yn eu harddegau.

Yr oedd lle-tân mawr ar ganol y wal hir nesaf at y ffordd, a chodai'r corn simdde i fyny drwy'r to. Defnyddid y simdde hon hefyd i wasgaru mwg stof yr ystafell sychu. Am nad oedd nenfwd i'r ystafell fawr cedwid tanllwyth o dân yn y gaeaf, a byddai Elin Roberts, fel Marged Roberts ei mam-yng-nghyfraith o'i blaen, yn sicrhau bod cyflenwad digonol o lo am y dydd mewn bwcedi mawr ar bwys y 'guard'.

Yr oedd un ffenestr fawr uchel i'r dde o'r lle-tân a dwy ffenestr debyg yn wal gefn hir, ogleddol, yr ysgol. Ar y ddwy ochr gul i'r adeilad, i'r gorllewin a'r dwyrain, yr oedd pâr o ffenestri culion gyda mynedfa'r bechgyn yn y gornel ddwyreiniol a'r merched yn defnyddio'r drws yn y pen arall. I ddod i'r ysgol o'r ffordd fawr islaw yr oedd yn rhaid agor gât haearn drom, dringo grisiau ac agor drws porth y bechgyn. Rhedai ffens o reiliau haearn ar hyd gwaelod iard y merched uwchben y ffordd, a pharhâi'r ffens hon ar hyd ochr y grisiau ac i fyny at yr ysgol. Dyma'r ffin a wahanai'r bechgyn a'r merched.

Pentref Capel Celyn a'r ysgol.

Lleolwyd yr ysgol ar dipyn o lechwedd, a golygai mynd i'r tai bach ym mhen uchaf yr iard y tu ôl i'r ysgol dipyn o waith dringo i'r plant lleiaf. Wal o ryw chwe throedfedd a wahanai'r merched a'r bechgyn yma, a rhedai wal gyffelyb o amgylch yr holl fuarth fel rhyw glawdd terfyn gwaharddedig.

Fel arfer, cyflogid dau, neu ddwy, o athrawon neu athrawesau ar y tro gydag un wraig ychwanegol (sef Margaret Parry, Glan Celyn, yn fy amser i) yn dod i mewn ryw ddwywaith yr wythnos i ddysgu gwnïo. Yn anffodus, oherwydd y diffyg manylion yng nghofnodion yr ysgol, ni ellir bod yn siŵr pryd yr oedd dau, neu ddwy, a phryd yr oedd dim ond un yn dysgu yno. Pan oedd dwy, fel yn fy amser i, cymerai'r brif-athrawes y plant hŷn yn hanner yr ystafell a oedd nesaf at iard y bechgyn, ac athrawes y plant bach a feddiannai'r hanner arall a wynebai'r pentref. Dyma'r hanner lle y lleolid yr organ a'r brif ddesg fawr ar gyfer cofrestru.

Yr oedd tipyn o le ar y waliau islaw'r ffenestri ar gyfer arddangos gwaith da a lluniau dros dro, ond yr oedd rhai lluniau nad aflonyddwyd arnynt. Ar y wal wrth fynedfa'r bechgyn yr oedd llun mewn ffrâm o Syr O. M. Edwards, a bu hwnnw yno am flynyddoedd lawer. Cafodd map o'r byd yn ôl dull Mercator a phoster mawr gyda'r geiriau 'Cleanliness is next to Godliness' arno deyrnasiad o rai blynyddoedd hefyd.

O lyfr cofnodion yr ysgol 1881-1894 gellir cael enwau'r athrawon a fu'n dysgu yno, ond mae aneglurdeb yma ac acw. Er enghraifft, ar 23 Mawrth 1882, cyfeirir at James John Morgan 'who completed his apprenticeship as a Pupil Teacher in the Talybont British School . . . entered upon duties as the Master of the above school'.

Wedyn, yng nghanol Awst 1883 darllenir am J. R. Morgan 'having completed my apprenticeship as pupil in Penrhyn Coch National School' yn dod yn 'master of this school'. Awgryma'r ffaith mai ef sy'n ysgrifennu ei fod yn gyfrifol am yr ysgol. Mae'n amlwg iddo ef ddilyn y James J. Morgan uchod ond ni cheir arwydd fod 'monitor' neu athraw-es ychwanegol yng Nghelyn.

Un cofnod o ddiddordeb yw: 'I, Sarah Jones, trained at the Swansea Training College, was appointed mistress of the Capel Celyn Board School in December 1880 and commenced duties as mistress of the above school on the first day of January 1881'. Dengys hyn ei bod yno pan agorwyd yr ysgol. Gadawodd ei swydd ar 16 Gorffennaf 1881, ond ni cheir y rheswm am ei hymddiswyddiad. Mae'n bosibl iddi deimlo bod Capel Celyn yn anghysbell a'i bod wedi cael gafael ar swydd arall mewn lle mwy hwylus. Yr oedd yn rhywbeth anarferol i ferch gyda chymwysterau colegol fod ar staff ysgol wledig bryd hynny.

Noda Miss Jones ei bod yn trosglwyddo'r awenau i Mrs Mary Roberts, a throsglwyddodd hithau ofal yr ysgol i Mr J. J. Morgan ym Mawrth 1882. Erbyn hynny yr oedd yr athro ifanc wedi ei gofrestru yn 'Provisional Certificated Master', ond ni cheir manylion am yr hyfforddiant a gawsai.

Yn rhyfedd iawn, ceir tri Mr Morgan yn dilyn ei gilydd. Gyferbyn â'r dyddiad 13 Awst 1883 yn y llyfr cofnodion mae enw R. E. Morgan 'late master of Elerch C.E. School'. Ni chlywir mwy amdano, ac ar 11 Mawrth 1889, dechreuodd W. E. Roberts, a oedd yn 'Provisional Certificated Teacher' ar ei waith yng Nghelyn gyda 21 o blant yn bresennol. Ni cheir mwy o'i hanes ef ychwaith, ond y mae dau gofnod yn 1892 sy'n awgrymu ei bod yn anodd denu athrawon i'r ardal.

Ar 1 Chwefror 1892, cofnodir: 'mistress has left to take charge of Cwmtirmynach School, and this school is in the charge of a temporary teacher,—the Board having failed to obtain a suitable master or mistress'.

Ni roddir enw'r person a lanwai'r bwlch, ond erbyn 19 Ebrill 1892 yr oedd y Bwrdd wedi gallu cael J. Evan Parry, 'certificated teacher', i ddod i'r ysgol.

Dechreuwyd llyfr cofnodion newydd yn 1895 a cheir tipyn o fynd a dod nes i Miss Thomas o'r Berth, ger y Bala, gyrraedd. Gwelir enwau Richard Hughes, 'late student of U.C.W., Aberystwyth', Winnie E. Roberts, Mrs Jones a Mrs Williams. Mae'n anodd deall y cyfeiriadau at y gwragedd priod, ond mae'n bosibl mai cofnodi gwallus oedd yn gyfrifol oherwydd cyfeirir hefyd at Miss Jones a Miss Williams. Yn 1905 a 1909 nodir i Catherine Davies 'C. Mistress' lanw'r bwlch yn yr ysgol ond ni roddir unrhyw fanylion amdani. Ym Mai 1912, daeth Miss S. A. Roberts o'r Parc i Gelyn fel 'supply teacher' ond cafodd ei symud i Ysgol y Bala i dderbyn hyfforddiant. Yr oedd dyddiadau'r tymhorau'n wahanol bryd hynny. Rhyfedd i ni heddiw yw darllen am 13 Awst a 7 Chwefror fel dyddiau dechrau gweithio yn yr ysgol. Dros dro y bu

Plant Ysgol Celyn yn y dauddegau.

John T. Jones yn Ysgol Celyn hefyd, ond ni roddir enw'r feistres a oedd yn absennol ar y pryd. Credir, fodd bynnag, mai Miss S. B. Thomas, y Berth, oedd yr athrawes (er na chyfeiriwyd at ei phenodiad), oherwydd ar 16 Rhagfyr 1925 ceir Watkin Jones yn cyflwyno set o lestri te arian iddi 'am ei gwasanaeth effeithiol a ffyddlon dros gyfnod o ddeng mlynedd'.

Teg yw dweud bod Miss Thomas yn athrawes eithriadol, a bod plant Capel Celyn yn freintiedig o'i chael yn brifathrawes. Yn y llun gwelir hi a Miss Susie Edwards ar y dde (wrth edrych arno), a Mrs Margaret Parry, yr athrawes gwaith llaw, a Watkin Jones ar y chwith. Merch leol o Werngenau oedd Susie Edwards nad oedd wedi cael y fantais o fynychu coleg, ond cyfrifid hi yn athrawes ddawnus dros ben.

Darllenir i Mrs Hannah Williams o Fryn Hyfryd gael ei phenodi yn lanhawr yr ysgol ond ni pharhaodd yn hir yn y gwaith. Dilynwyd hi gan Margaret Roberts o'r Weirglodd Ddu, mam David Roberts a fu'n Gadeirydd y Pwyllgor Amddiffyn. Ni roddir dyddiad, ond yn 1927 syrthiodd ar rew ym muarth yr ysgol a gorfu i Elin Roberts, ei merch-yng-nghyfraith, gymryd ei lle a daliodd y swydd am flynyddoedd lawer.

Yn Chwefror 1924, cyfeirir at Catherine Morfydd Davies yn dechrau fel athrawes yn yr ysgol gyda Mrs M. Parry yn awr yn gyfrifol am y gwnïo. Ni ddynodir swydd pwy yr oedd Miss Davies wedi ei chymryd, a byr fu ei harhosiad hi yng Nghelyn. Credir mai hon oedd y wraig a aeth o'r Bala yn genhades i Ogledd Lushai yn Assam. Yn ddiweddarach, dychwelodd i ardal y Bala gyda hanesion tra diddorol am ei phrofiadau a'i theithiau fel cenhades.

Gydag ymadawiad Miss Thomas y Berth, bu newid mawr yn hanes Ysgol Celyn, oherwydd yn Ionawr 1926, gadawodd plant Arenig a'r cylch yr ysgol honno a dechrau mynychu Ysgol Elfennol y Bala, sef y 'Board School' gan deithio yno ar y trên. Datblygiad synhwyrol iawn oedd hwn, oherwydd yr oedd y daith o ddwy filltir a mwy yn rhy anodd i blant bach yn nhywydd caled y gaeaf.

Prifathrawes nesaf yr ysgol yng Nghelyn oedd Miss Cassie Ellis Jones. Bu hi yno am gyfnod o bum mlynedd, ac yn nes ymlaen dychwelodd am gyfnodau byr fel athrawes dros dro. Credir iddi fod yno am y tro olaf yn Hydref 1940, a hithau erbyn hynny yn Mrs Roberts ar ôl iddi briodi â gŵr a oedd yn berchennog siop esgidiau yn Stryd Fawr y Bala, gyferbyn â'r adeilad a ddaeth yn Eglwys y Pabyddion maes o law. Yr oedd Miss Cassie Ellis Jones yn athrawes wych, ond cofiaf iddi hi—neu fi efallai—gael rhai dyddiau digon diflas!

Yn ystod ei chyfnod cyntaf hi y daeth Elizabeth, neu Lisi May fel y galwem hi, fy chwaer hynaf, i'r ysgol fel 'Supplementary Teacher'. Ni chlywais hi erioed yn cwyno nac yn edliw dim, ond mae'n sicr bod dysgu yn ogystal â gwneud y gwaith tŷ a gofalu am 'Donos' a minnau yn llwyth trwm iddi. Gwn na allaf fi byth fesur, na datgan, fy nyled drom iddi.

Yn Awst 1931 cymerodd Miss Margaret Janet Jones le Miss Cassie Ellis Jones, ac arhosodd yn yr ysgol fel prifathrawes tan fis Gorffennaf 1933, pan ymadawodd i ofalu am ysgol fechan Rhosygwaliau a oedd yn nes at ei chartref yn y Bala.

Mae'n sicr bod pellter Celyn o'r Bala a'r diffyg cyfleusterau teithio wedi dylanwadu'n anffafriol ar arhosiad yr athrawon, fel y gwein-idogion. Yr oedd ymadawiad Margaret Janet Jones yn golled gan ei bod yn gwneud gwaith gwych, ond dilynwyd hi gan eraill a oedd hefyd yn ddymunol a dawnus. Daeth Tomos Gwyn Humphreys Jones i ofalu am yr ysgol am ryw fis neu ddau yn 1934, a dilynwyd ef, eto dros dro, gan Griffith John Davies. Dyma ddynion a anfonwyd gan Mr Barnett, swyddog yr Awdurdod Addysg yn Nolgellau, a ymddangosai i werinwyr Celyn a'r cylch fel cynrychiolydd Duw ar y ddaear gyda'r pŵer i hybu neu hualu gyrfa athro neu athrawes ifanc.

Mae'n debyg bod y gŵr hwn wedi gweithredu'n deg iawn, ond roedd gan Gymru yn gyffredinol enw drwg am ei swyddogion a'i gwŷr o ddylanwad ar y cynghorau sir. Yn ôl straeon y pentan, cynghorwyr y de oedd y mwyaf euog o dderbyn a gwerthu ffafrau, ond yr oedd murmuron cryf fod canfasio yn rhywbeth digon cyffredin yn y gogledd hefyd. Teimlai rhai cynghorwyr fod yr ymgeiswyr yn dangos diffyg parch os na alwent i gardota am y bleidlais!

Cyn yr Ail Ryfel Byd, un o'r bobl o ddylanwad ysgubol ym Meirionnydd oedd yr Henadur R. T. Vaughan o ardal Llanfor, a sicrhaodd athrawon da iawn i Ysgol Celyn.

Yn 1935 daeth Llew Glyn Davies yno, ond bu'n sâl yn 1936 a chymerwyd ei le am gyfnod gan Ieuan Lloyd. Erbyn y tridegau, yr oedd nifer y plant yn Ysgol Celyn wedi gostwng i lai nag ugain, ac o ganlyniad, trosglwyddwyd fy chwaer Elizabeth i Ysgol Maes y Waun, gan adael Mr Davies i ddysgu'r holl blant o bedair i un ar ddeg oed ar ei ben ei hun. Nid yw'n rhyfedd iddo anesmwytho a cheisio symud i ffwrdd. I Drawsfynydd yr aeth yn 1938, a dilynwyd ef yn Ysgol Celyn gan Miss Laura Myfanwy Edwards, ond gadawodd hithau am Lansannan o fewn rhyw flwyddyn.

Yn ystod ei chyfnod hi yn yr ysgol dechreuodd gadw'r cofnodion yn Gymraeg, ond yn 1940 ailddechreuodd Mrs Cassie Roberts—a oedd yno dros dro— ddefnyddio'r Saesneg; un hoff o'r Saesneg, hyd yn oed ar lafar, oedd hi. Yr oedd yr agwedd hwn yn gyffredin iawn yng nghefn gwlad yn ogystal ag yn y trefydd bryd hynny. Saesneg oedd iaith busnes a llwyddiant y dyn dysgedig; rhywbeth i 'ddynion y ffordd' a gweision y ffermydd oedd yr hen iaith.

Erbyn hynny, roedd nifer y disgyblion wedi gostwng i bymtheg, ond yna cafwyd athrawes effeithiol a phoblogaidd iawn ym mherson Miss Gwyneth Griffiths y credir iddi ddod o ardal Rhyd-y-main, ger Dolgellau.

Plant Ysgol Celyn yn y pumdegau, gyda'u hathrawes Miss Gwyneth Griffiths.

Dychwelodd y naws Gymreig i'r ysgol yn ystod ei chyfnod hi, a chafwyd llwyddiant mawr gyda pharti adrodd yr ysgol. Gyda dim ond tua deg ar lyfrau'r ysgol, tipyn o gamp oedd ennill gyda'r parti yn Eisteddfod Genedlaethol yr Urdd yn Rhosllannerchrugog. Profiad amheuthun i'r plant hefyd oedd cael gwahoddiad, yn sgîl hynny, i berfformio i'r Cymry yn Llundain, a chael eu tywys o gwmpas Tŷ'r Cyffredin gan eu Haelod Seneddol, Mr Emrys Roberts, yn Hydref 1946.

Parhaodd Miss Griffiths i fod yn gyfrifol am yr ysgol tan Ragfyr 1957, pan welwyd bod y frwydr i gadw'r ysgol ar agor ar fin cael ei cholli. Dilynwyd hi am gyfnod machlud yr ysgol gan Mrs Martha J. Roberts o'r Bala a fu yr un mor dderbyniol a gwych yn ei gwaith.

Er yr holl anawsterau, bu enw da i Ysgol Celyn ac anwyldeb y plant dros y blynyddoedd. Yn ystod y dadleuon ynglŷn â boddi'r ardal gwnaeth cynghorydd sir o Gorris sylwadau cas am Gwm Tryweryn a'r ysgol, ond safodd Mr Ben Maelor Jones, a welsai fechgyn o Ysgol Celyn yn dod i'w ysgol ramadeg ef yn y Bala, yn gadarn iawn o'i phlaid.

Canmol yr ysgol fach a wnaeth y Cyfarwyddwr Addysg a cheryddu'r cynghorydd.

Bryd hynny, llwyddiant yn y 'Scholarship', a adwaenid fel yr 11+ maes o law, oedd y llinyn mesur, ac o'r dwsin olaf o blant i adael Ysgol Celyn, fe basiodd saith ohonynt i'r Ysgol Ramadeg. Nid oedd canlyniadau fel hyn yn anarferol. Er enghraifft, yn fy mlwyddyn olaf i yn yr ysgol daeth un bachgen yn seithfed ar restr y sir. Yn y cyfnod hwnnw argraffai'r Cyngor Sir restr o'r holl ddisgyblion ynghyd â'u marciau arholiad.

O tua 1958, pan ddechreuodd cwmni Tarmac ar y gwaith o adeiladu'r argae, bu bywyd pobl y pentref a gweithio yn yr ysgol yn anodd iawn oherwydd y llwch a'r llaid a greai'r lorïau enfawr wrth deithio o foncyn Ty'n-y-bont, lle y darganfuwyd digonedd o raean, at yr argae wrth y Tyddyn. Gorfu i'r trigolion ddioddef hynny am tua phum mlynedd a gweld un adeilad ar ôl y llall yn cael ei ddymchwel.

Yn 1963 dechreuwyd llyfr cofnodion newydd gan reolwyr Ysgol Celyn ac egyr hwn gyda'r sylw trist bod y cwm yn anghyfannedd ac wedi ei ddryllio o ganlyniad i'r chwilio am raean, gyda phob teulu ond tri wedi symud i ffwrdd.

Fel arwydd o barch a ffarwél i'r ysgol penderfynwyd cynnal cyfarfod syml ar 5 Gorffennaf 1963 a gwahodd Cyfarwyddwr Addysg y sir, Mr W. E. Jones, yr Henadur C. M. Jones o'r Bala a'r Cynghorydd John Guest, yn ogystal â Gruffydd Hughes o'r Bala a welodd agor yr ysgol yn 1881.

Ar gyfer y cyfarfod dilynol penderfynwyd gwahodd pobl ychwanegol, megis swyddogion o Ddolgellau fel Tecwyn Ellis, Cyril Edwards a Norman Jones. Ychwanegwyd at y rhestr hefyd y Cynghorydd Caradog Roberts, y Parch. H. E. Jones, Miss Gwyneth Griffiths ac Emrys Davies, Fron-goch; i'w ysgol ef y byddai'r plant yn mynd wedi i Ysgol Celyn gau.

Yn ôl ei arfer byddai Watcyn o Feirion yn cyflwyno anrhegion i'r plant, ond nid rhai Nadolig y tro hwn, a byddai llywodraethwr arall, sef David Roberts, Cae Fadog, yn arwain y cyfarfod.

Erbyn dydd y cyfarfod yr oedd nifer y cyfranwyr wedi lluosogi'n fawr a Mr Gruffydd Hughes 'y siwrans' wedi penderfynu cyflwyno

Testament i bob un o'r tri ar ddeg o blant a oedd yn yr ysgol pan gaewyd hi.

Fel llawer o hen ddisgyblion eraill, ymwelais â'r ysgol ar ddydd y cyfarfod, a thrwy gyrraedd yn gynnar, gellais fynd i mewn i wrando. Dyma drefn y cyfarfod yn ôl y daflen a ddosbarthwyd:

1. Agoriad: Canu emyn Elfed, 'Cofia'n Gwlad'. (Dyma'r emyn a glywyd gan bobl Lerpwl yn ystod yr orymdaith yn 1957.)
2. Cydadrodd Salm 23 gan blant yr ysgol.
3. Hanes Ysgol Celyn gan Mrs Martha J. Roberts, yr athrawes.
4. Atgofion cyn-athrawes, Miss Gwyneth Griffiths.
5. Atgofion brodorion: Mr J. Anthony Jones, Mr J. W. Evans, Mr J. A. Jones a Mrs E. M. W. Mrowiec (sef Miss E. Watkin Jones a fu'n dysgu yno).
6. Anerchiad: Mr Tecwyn Ellis, dirprwy-Gyfarwyddwr Addysg.
7. Anrhegu'r plant: Mr Gruffydd Hughes a Watcyn o Feirion.
8. Anerchiadau: Yr Henadur C. M. Jones, Cadeirydd Pwyllgor Addysg y Sir, Y Parch. G. Prys Owen, Llidiardau, Y Parch. H. E. Jones, y Bala, Mr Cyril Edwards o Ddolgellau, Miss Gwyneth Evans, Arolygwr Ysgolion, ffrind i'r ysgol a Mr David Roberts, Cadeirydd Pwyllgor Amddiffyn Capel Celyn.
9. Diolchiadau: Y Cynghorwyr J. Guest a C. Roberts.
10. Emyn: Dan dy fendith wrth ymadael.

Gellid dadlau bod llawer gormod o bobl wedi cael gwahoddiad i siarad, ond er y bu'n gyfarfod pur faith, ni fu'n un diflas. Erbyn 1963 yr oedd Cymru yn llawn o wrthwynebwyr i gynlluniau Lerpwl ac roedd hi'n anodd dewis a chwtogi ar y nifer o siaradwyr. Erbyn hynny, yr oedd pawb am ddangos eu hochr.

Yn ystod y pedwar ugain mlynedd y bu'r ysgol ar agor gwelwyd newid mawr yn agwedd y gymdeithas a'r Llywodraeth at addysg a Chymreictod. Dysgu Saesneg oedd y peth mawr yn nyddiau cynnar yr ysgol, a cheir syniad o'r cefndir wrth edrych ar y caneuon a ddysgid i'r plant.

Dyma'r caneuon a ddysgwyd yn 1882: 'The Hunter of the Alps', 'London's Burning', 'Watching for Pa', 'The Mountain Shepherd Boy',

'The Coral Insect', 'Exercise', 'As Tommy was Walking', 'The Foxes'
Journey'.

Gwelir nad oes un gân Gymraeg ar y rhestr. Felly hefyd yn 1883, ond
cafwyd un stori gyda chefndir Cymreig y flwyddyn honno sef hanes
Gelert y ci.

Yn 1883 dysgwyd y caneuon ychwanegol hyn: 'Jolly Little Clacker',
'Farewell to Study', 'The Old Black Cat', 'The Canadian Boat Song'.

Hefyd rhestrwyd y storïau canlynol: 'Mary's Little Lamb', 'The Bee
and Persevere', 'Lucy Gray', 'Llywelyn and his Dog'.

Beth bynnag yw ein barn ni am y dewis, yr oedd y ddau arolygydd a
alwodd i weld gwaith yr ysgol, sef W. Williams ac F. G. Parameter, yn
fodlon iawn. 'This little school appears to be satisfactorily conducted,
but the number in attendance is very small at present'.

Ymysg cryfderau'r gwaith ysgol yng Nghelyn, yn ôl adroddiad yr arol-
ygwyr, oedd llawysgrif y plant, 'being excellent'.

Erbyn 1887 yr oedd plismon plant neu 'attendance officer' wedi ei
benodi, sef Edward Morris, gŵr o'r Bala, mae'n debyg. Galwodd
Arolygydd—neu H.M.I.—newydd yn yr ysgol hefyd, sef Thomas Jones.

Yn 1887 ceir y cyfeiriad cyntaf at gân Gymraeg yn cael ei dysgu, sef
'Geiriau'r Bywyd'. Dysgid 'Parsing' a 'Stocks and Shares' i'r plant
hefyd—dewis rhyfedd o ystyried cefndir ac anghenion plant cefn
gwlad. Ceid 'Object lesson' hefyd gyda *Watson's Arithmetic* yn llyfr
sylfaenol.

Erbyn 1891-2 yr oedd tair cân Gymraeg ar y rhestr, sef 'Dos ato Ef',
'O na Bawn fel yr Iesu', ac 'Y Gân Newydd', ond yr oedd pump o rai
Saesneg arni o hyd.

Ar gyfer Mai 1895 ceir y cofnod hwn: 'L. J. Roberts, H.M.I., carried
out the annual inspection', sy'n dangos bod gwaith ysgolion o'r fath yn
cael ei archwilio'n flynyddol. Chewch ar hugain o blant oedd ar y gof-
restr yr adeg honno, a hyfryd yw darllen sylwadau Mr Roberts: 'The
behaviour of the children in this school is most pleasing. The instruct-
ion is thorough and intelligent and the singing charming'.

Hyfryd hefyd yw casglu oddi wrth sylwadau'r arolygwyr dros y
blynyddoedd fod gan Ysgol Celyn a'i disgyblion enw da a bod i'r plant

le cynnes iawn yng nghalon arolygwyr fel Miss Cassie Davies a Miss Gwyneth Evans a oedd hefyd yn ffefrynnau gyda'r plant.

Gwelir arwyddion o Gymreictod yn ymddangos yn 1905 pryd y ceir y sylw hwn gan yr arolygydd: 'Welsh has been taken up in earnest and the children all appear very promising'. Mae'n anodd deall arwydd-ocâd y gair 'promising' yn wyneb y ffaith mai o gefndir hollol Gymraeg a Chymreig y deuai'r plant. Erbyn 1907 ceir hyd yn oed yr Arolygydd David Peters yn sgrifennu'r sylwadau hyn am yr ysgol: 'Ymwelais â'r ysgol heddiw. Cefais y gwahanol ddosbarthiadau mewn llawn gwaith. Ymddangosai'r plant yn hapus gyda'u gwersi. Llawenydd yw gweled fod yr iaith Gymraeg yn prysur ennill ei lle ei hun yn ein hysgolion elfennol'.

Yn 1907 y dechreuodd O. M. Edwards ar ei waith fel Prif Arolygwr yng Nghaerdydd, ond yr oedd hi'n 11 Medi 1914 cyn i'r dyn mawr ymweld â'r ysgol fach. Yn rhyfedd iawn, yr oedd cyd-ymwelydd gydag ef, sef Syr Henry Robertson y Rhyddfrydwr o blasty'r Pale yn Llan-dderfel. Ni wyddys beth oedd y rheswm am ymweliad y gŵr bon-heddig. Hwyrach ei fod yn rhywbeth i'w wneud ag etholiad seneddol, neu fod yr Arolygwr yn ceisio darbwyllo pobl ddylanwadol yng Nghymru fod y fath beth ag iaith frodorol fyw a diwylliant Cymraeg mewn bodolaeth.

Ar yr un adeg bu cyfathrach rhwng gwraig plasty'r Rhiwlas—Saesnes bur—a'r ysgol hefyd. Ar 24 Mai 1905, bu dathlu mawr yn y Bala oherwydd priodas Captain R. K. Price, mab y tirfeddiannwr lleol. O rywle daeth yr awdurdod i roi diwrnod o wyliau i blant Ysgol Celyn, fel ysgolion eraill ym mhlwyf Llanfor, er mwyn i'r plant a'u rhieni weld y briodas. Efallai hefyd fod teulu'r priodfab yn awyddus i greu argraff ffafriol a bod llawer o denantiaid yn rhan o'r ystad. Cyflwynwyd rhestr o dai a thiroedd cyn y briodas honno.

Ar 4 Medi 1906, ymwelodd Mrs Price â'r ysgol, ac mae'n amlwg iddi ddod yn hoff o'r plantos. Daeth yr ymweliad hwn yn arferiad blynyddol am beth amser wedyn, a rhoddai hi oren a chacen i bob plentyn. Ar y llaw arall, derbyniai hithau anrhegion o ddwylo'r plant.

Erbyn fy amser i, Saesnes arall o'r enw Miss Arkle, a drigai yng Nghiltalgarth, a Mr Owen o Borth y Waun, y Bala, oedd y rhoddwyr, a chofiaf i ni'r plant gael ein dysgu gan Miss Cassie Ellis Jones i ddangos ein 'parch' i'r ddeuddyn hyn: y merched i nodio'r pen a ninnau'r bechgyn i droi'n pennau ac edrych i'w cyfeiriad a rhoi saliwt fyddinol wrth eu pasio ar y ffordd allan i chwarae.

Yr oedd ffigurau presenoldeb yn yr ysgol yn amrywio yn ôl y tywydd a gwaith y ffermydd. Yr oedd dwy ffair fawr yn y Bala bob blwyddyn, sef Ffair Galan Mai a'r Ffair Ganol yn yr hydref, ac roedd hi'n arferiad i gau'r ysgol er mwyn i'r teuluoedd cyfan allu mynd. Dyddiau cyflogi a dathlu oedd dyddiau ffair.

Droeon eraill, bu achlysuron mwy cofiadwy. Er enghraifft, caewyd yr ysgol ar 3 Hydref 1903 am ei fod yn ddydd dadorchuddio cofgolofn Thomas Edward Ellis ar Stryd Fawr y Bala.

Roedd hi'n bosibl ennill gwobr o oriawr am bresenoldeb di-dor dros gyfnod o bedair blynedd. Yn llyfr cofnodion Ysgol Celyn ceir enwau Robert, John a Hannah Watkin Jones yn cael eu hanrhegu ar yr un diwrnod, ond ni chlywais air am hynny gartref ac ni welais erioed wynebau'r watsys hyn. Mae'n amlwg nad oeddynt wedi eu gwneud o aur!

Byr hoedl hefyd gafodd y deisen fawr a anfonwyd i gyfarfod ffarwelio yr ysgol yn 1963 gan Ieuenctid Plaid Cymru ym Mhwllheli, ac ni fu'r ysgol ar ei thraed yn hir wedi hynny ychwaith.

Y tebyg yw i Gorfforaeth Lerpwl deimlo y byddai'n well cael gwared â'r holl dystiolaeth o'r hyn a achosodd i Gymru ddeffro, ond deffro'n rhy hwyr, i arbed Tryweryn.

Rhan 2

CWM TRYWERYN
(Cyflwynwyd i Gymdeithas Amddiffyn Capel Celyn)

Cyfododd y Golïath pres yn Lerpwl
 I waradwyddo ac ysbeilio'r werin;
Gan gasglu'r afonydd at ei gilydd i gyd
 I foddi'r gymdeithas yn Nhryweryn:
Tyred, Ddafydd, â'th gerrig o'r afon,
 A Duw y tu ôl i'th ffon-dafl,
  I gadw emynau Capel Celyn,
  A baledi Bob Tai'r Felin
Rhag eu mwrdro gan y dŵr yn argae'r diafl.

Gofyn, Ddewi, i Dduw yn dy weddïau
 Am achub rhag y Philistiaid dy werin;
Arweiniwch, y ddau Lywelyn a Glyndŵr,
 Eich byddinoedd i Gwm Tryweryn:
A thi, y Michael mawr o Fod Iwan,
 Pe byddet yn y Bala yn awr,
  Ni châi mynwent wag Capel Celyn,
  Cartref a chnwd a chân a thelyn
Eu claddu tan argae'r dienwaededig gawr.

D. Gwenallt Jones

Cymylau'r Pumdegau

Problemau economaidd yn gysylltiedig â gwendid y bunt oedd testun parhaus y newyddiaduron yn nechrau'r pumdegau ym Mhrydain. Yr oedd y ddoler holl nerthol yn codi cywilydd ar y bunt sigledig, ac yr oedd cyfeiriadau aml iawn at yr angen i ehangu, allforio a sicrhau tyfiant diwydiannol. Yn wir yr oedd y tyfiant diwydiannol hwn, a'r sôn amdano, yn ymddangos yn rhywbeth diddarfod, gyda rhagfynegiant o ddyfodol economaidd disglair yn sgîl datblygiad yr atom a'i hynni yn peri i olygon y gweithiwr godi yn uchel iawn a'i annog i hawlio oriau gwaith a chyflog a fyddai'n cyd-fynd â'r disgwyliadau. Clywid lleisiau yma ac acw a geisiai ddwyn sylw at y cilio cyson a oedd yn digwydd yng nghefn gwlad, ond ni chymerai neb fawr o sylw ohonynt. I'r rhai o'r tu allan, datblygiad naturiol ydoedd yn hytrach na phroblem.

Yr oedd trefydd mawr Lloegr yn dal i dyfu, a rhai fel Llundain a Birmingham yn dechrau meddwl am y posibilrwydd o symud rhan o'u poblogaeth i fannau fel Llangefni a Llandrindod. I ddangos ewyllys da, byddent yn barod hyd yn oed i godi tai ar gyfer eu 'pobl dros dro'—eu sbwriel dynol, yn ôl eu beirniaid. Gwyliai'r trefydd Seisnig ei gilydd: gwyliai Coventry Ddinas Birmingham a'i chynlluniau tra gwyliai Rhydychen Ddinas Coventry.

Un o'r dinasoedd nad oedd am gael ei gadael ar ôl oedd Lerpwl. Yr oedd diwydiant yn ffynnu ar lannau Merswy, ac ar lannau Dyfrdwy yn Sir Fflint hefyd o ran hynny. Câi Lerpwl y rhan fwyaf o'i dŵr o Lyn Efyrnwy a Rivington ac yr oedd y cyflenwad yn ddigonol ar gyfer y ddinas ei hun, ond yr oedd Awdurdod Lerpwl yn gyfrifol am gyflenwi dŵr i tua 25 o awdurdodau llai, cyfagos hefyd. Busnes llewyrchus iawn a busnes a oedd ar ei dyfiant oedd hwn.

Yr oedd Cyngor Dinesig Lerpwl yn awdurdod cryf gyda phrofiad hir o gasglu a gwerthu dŵr. Fe fu eu cyrch ar ardal Llanwddyn yn niwedd y ganrif ddiwethaf yn un buddiol dros ben, gyda'r taliad o ryw £35,000 mewn trethi blynyddol i'r cyngor sir lleol yn cynhyrchu miloedd ar filoedd o elw.

O'r gronfa yn Efyrnwy, a gronnwyd gyntaf yn 1888, cludid y dŵr dros y blynyddoedd mewn pibell fawr y saith deg milltir o fro Llangynog i Lerpwl.

Yn 1923 ceisiodd Warrington efelychu Lerpwl a throi tua chanoldir Cymru i chwilio am ddŵr. I Ddyffryn Ceiriog yr aethant, ond fe ddatganodd Lloyd George ei atgasedd tuag at y fath beth: 'It is monstrous,' meddai, 'for English Corporations to come to Wales and drown our historic and beautiful valleys.' Ond bu Warrington yn rhy ddigywilydd ac uchelgeisiol. Eu bwriad oedd boddi un eglwys, pum capel, dwy fynwent, dwy ysgol, dau dŷ tafarn, pum siop, un efail, ac 82 o dai, 45 ohonynt yn ffermydd; cynrychiolai hynny 13,600 o erwau. Y fath hyfdra!

Yng nghyfyngder Cwm Tryweryn nid oedd cyn-brif weinidog nac enwogion gwleidyddol ar gael i gynnig eu cymorth, ond yn 1923 yr oedd dau ymladdwr medrus yn barod i wynebu gelyn Dyffryn Ceiriog. Y cyntaf oedd gwas sifil pwysig, sef Syr Alfred T. Davies, Ysgrifennydd Parhaol Adran Gymreig y Weinyddiaeth Addysg yn Whitehall, Llundain. Hanai ef o'r Dyffryn. Y llall oedd Robert Richards o Langynog, Athro Economeg yng Ngholeg y Brifysgol ym Mangor ac Aelod Seneddol dros Wrecsam.

Y gwahaniaeth mawr rhwng yr Aelod hwn a'r un a gynrychiolai Wrecsam yn y pumdegau oedd y ffaith bod Robert Richards ar dân dros yr ymgyrch i arbed ei fro enedigol rhag y gelyn. Ni wyddys i Mr Idwal Jones ddangos fawr o ddiddordeb yn Nhryweryn.

Nid oedd brawd Aelod Seneddol Wrecsam, sef Mr T. W. Jones, (yr Arglwydd Maelor yn ddiweddarach), yn siŵr iawn o'i agwedd ar ddechrau'r ymgyrch i wrthwynebu boddi Cwm Tryweryn ychwaith. Ei safiad cyhoeddus diamodol ef oedd mai 'dymuniadau Cyngor Sir Meirionnydd' oedd ei ddymuniadau ef ac mai ar lais y Cyngor y byddai'n gwrando—boddi neu beidio.

Ymddengys i nifer o safleoedd—cymaint â thri ar ddeg yn ôl un adroddiad—gael eu hystyried gan Gorfforaeth Lerpwl wrth iddynt drefnu y byddai gan ddinasyddion a diwydiant eu dinas a'u cwsmeriaid cyfagos ddigonedd o ddŵr tan ddiwedd y ganrif.

Disgynnodd y coelbren ar ardal Dolanog ym Maldwyn. Yn anffodus i'r swyddogion a fu'n ymchwilio yn y dirgel, yr oedd yr ardal—neu o leiaf yr enw—yn adnabyddus drwy Gymru gyfan. Dyma fro Ann Griffiths, yr emynyddes nodedig. Braidd yn araf fu'r Cymry i sylweddoli'r hyn a oedd ar gerdded, ond nodwyd yn *Y Cymro* fod Cynan, ar ran Llys yr Eisteddfod, wedi datgan y siom fod y Gorfforaeth yn arbrofi ar gyfer cynlluniau dŵr yn Nolanog. Hawdd i ni heddiw yw rhyfeddu at dynerwch y datganiad, ond dyddiau gwyleidd-dra a thaeogaeth oedd y rheini cyn cynnwrf Tryweryn.

'Sŵn y dŵr ym mro Ann' oedd prif bennawd *Y Cymro* ar 15 Medi 1955, gyda'r gohebydd yn nodi bod 'sibrydion fod Corfforaeth Lerpwl yn bwriadu boddi Dolanog'.

Nid oedd datganiad wedi ei wneud gan Lerpwl, ac ni wyddid ble yn hollol y lleolid y gronfa a'i hargae, ond tybid y byddai'r Capel Coffa, eglwys y plwyf ac efallai Dolwar Fach ei hun yn cael eu boddi. Mewn gwirionedd, yr oedd peirianwyr Lerpwl eisoes wedi archwilio'r lle yn fanwl gan ddisgwyl bod yn barod i gyflwyno mesur ynglŷn â'r boddi yn y Senedd yn Llundain y flwyddyn ganlynol!

Wrth gwrs, gellid troi at Ardal y Llynnoedd yng ngogledd Lloegr i gael cyflenwad o ddŵr, a chydweithio â Manceinion. Fel y crybwyllwyd sawl gwaith gan Gymry'r dydd, gellid hefyd edrych tuag afon Merswy am ddŵr ar gyfer diwydiant, ond yr oedd y posibiliadau yn gyfyngedig yma. Cael digonedd o ddŵr i'w werthu, a'i gael yn rhad, oedd y nod.

Yr oedd un cynllun eisoes ar y gweill ger y Bala, ond yr oedd gwaith pwysig Capenhurst yn mynd i hawlio'r flaenoriaeth yn y cyfeiriad hwn, er bod Sir Gaer a Sir Ddinbych—rhan o Glwyd erbyn hyn—i elwa hefyd, yn ôl adroddiadau'r papurau newydd.

Cynllun oedd hwn gan Fyrddau Dŵr Dyfrdwy a Chlwyd i sicrhau pymtheng miliwn o alwyni'r dydd trwy ailreoli afon Tryweryn a dŵr Llyn Tegid. Bu'r gwaith hwn yn llwyddiant, ac agorwyd y cynllun ar 29 Medi 1955 gan Major Gwilym Lloyd George, y Gweinidog Cartref a'r Gweinidog dros Faterion Cymreig. Yr oedd hyn, wrth gwrs, cyn i Gymru gael ei Gweinidog ei hun.

Yng nghwmni'r Aelod Seneddol dros Sir Feirionnydd, sef Mr T. W. Jones, ynghyd â Syr Geoffrey Summers, teulu'r hwn a adeiladodd Waith Dur enfawr Shotton, ac eraill o fyd cyhoeddus siroedd y gogledd, dywedodd y Gweinidog mewn ateb i gwestiwn ynghylch pryderon trigolion bro Tryweryn, nad oedd ef am gael ei dynnu i mewn i unrhyw ddadl ynglŷn â chynlluniau Lerpwl am mai ef oedd yr aelod heddychlon o'r teulu. Cyfeirio yr oedd at agwedd ei chwaer Megan a'i safiad cyhoeddus yn erbyn ildio tir ar gyfer anghenion Lerpwl.

Heb wybodaeth am gefndir a dulliau gweithredu aelodau Pwyllgor Dŵr Dinas Lerpwl, ni ellir cynnig barn ar bwy oedd yr ymennydd y tu ôl i'r cynllunio a'r sibrydion a'r datganiadau a ledaenwyd ynglŷn â phrinder dŵr. Ni ddarganfuwyd tystiolaeth bod cwmni cyhoeddusrwydd wedi cael ei logi, ond gwnaethpwyd argraff ddofn ar bobl drwy greu'r syniad fod argyfwng ar y trothwy, a lluniwyd darlun du o'r dyfodol.

Yn y papurau newydd, er mwyn ennyn cydymdeimlad, rhoddwyd hanes yr holl ymdrechion dros y blynyddoedd i sicrhau dŵr glân i'r dinaswyr a'r tlodion. Darllenwyd am y merched druan yn yr unfed ganrif ar bymtheg yn cludo dŵr o ffynnon Fall Well ar ben St John's Lane ac fel y bu i fesur cyntaf Lerpwl yn y Senedd yn 1694 fethu dwyn ffrwyth. Darllenwyd hefyd am y llyn dŵr ar Mount Pleasant yn bwrw'r glannau ac yn achosi niwed; am y llynnoedd a gronnwyd yn Kensington a Rivington Pike, ac am adeiladu, tua 1892, y llyn mwyaf yn Ewrop o waith dyn—yn Llanwddyn.

Cyflwynwyd yr Awdurdod fel un a chonsýrn am y cyhoedd, un a ganmolwyd dros y blynyddoedd am eu menter a'u dyfeisgarwch yn cyflawni'r orchest o osod pibellau dur enfawr ar wely afon Merswy i gario dŵr. Gellid dadlau'n gryf mai tacteg oedd hon i greu agwedd ffafriol tuag at y cynlluniau a oedd ar y gweill yn Nhryweryn.

Pwysleisiwyd trwy'r amser fod Lerpwl a'i bwrdeistrefi cyfagos yn tyfu'n gyflym ac y rhagwelid adeiladu dros 62,000 o unedau byw newydd. O ganlyniad byddai galw am ddwy filiwn a hanner o alwyni o ddŵr y dydd yn ychwanegol. Cyhoeddwyd ystadegau'n dangos y bu cynnydd o 8.5 i 20.2 miliwn galwyn y dydd yn anghenion Lerpwl o 1920 i 1955, gyda'r cynnydd o 15.9 i 20.2 miliwn galwyn y dydd, sef 30%, yn digwydd rhwng 1950 a 1955. Defnyddiwyd y ffigurau hyn fel prawf fod argyfwng yn agos.

Byddai rhai pobl yn barod i awgrymu mai symudiad tactegol hefyd oedd bygwth boddi Dolanog ac mai ar rywle arall yr oedd golygon Lerpwl. Ar 22 Medi 1955, cyhoeddwyd yn y wasg fod y Ddinas yn bwriadu codi cronfa mewn gwirionedd, ond erbyn 22 Rhagfyr, deallwyd na fyddent yn bwrw ymlaen â'r cynlluniau. Mae'n sicr fod yr ymateb chwyrn a gafwyd yng Nghymru wedi bod yn ddylanwadol, ond yr oedd, yng nghyffiniau'r Bala, le gwell o lawer am ddŵr. Byddai cronfa yno yn costio dwy filiwn o bunnoedd yn llai, a gellid tynnu ugain miliwn o alwyni y dydd yn fwy nag o fro Dolanog. Gwaredigaeth Dolanog felly oedd dechrau gofidiau Cwm Tryweryn.

Beth oedd ymwybyddiaeth y genedl o'i Chymreictod yng nghanol pumdegau'r ganrif hon? Byddai'n anymarferol ceisio dadansoddi'r sefyllfa yn fanwl yma, ond gallwn gymryd cipolwg arwynebol.

Fel gyda Rhyfel Mawr 1914-18 daethai'r Ail Ryfel Byd ag atgyfnerthiad o'r syniad o Brydeindod i Gymru, ond erbyn 1955 yr oedd rhai arwyddion fod teimlad o genedligrwydd yn codi yma ac acw. Yn ôl Dr. William Thomas, Cadeirydd Cyngor Cymreig y Gwasanaeth Cymdeithasol, yr oedd 10% o weithwyr Cymru yn dal i weithio ar y tir o'i gymharu â 5% yn Lloegr. Yn ôl yr ystadegau yr oedd dros ugain mil yn ddi-waith yng ngogledd Cymru yn Rhagfyr 1954, a bu cynnydd o ryw dair mil yn ystod Ionawr 1955. Yr oedd dros 200 yn ddi-waith yng Nghaergybi, a bu gorymdaith drwy dref Caernarfon yn Hydref 1955. Ar y cyfan, fodd bynnag, gellid dweud fod y mannau diwydiannol yn ffynnu tra oedd yr ardaloedd pellaf o ddwyrain Lloegr yn dioddef tipyn gan ddiweithdra. Un cynllun calonogol yng Ngwynedd oedd yr un i adeiladu chwaer i hen bont Telford yng Nghonwy a adeiladwyd yn 1826. Byddai'r bont newydd yn costio £430,000 a deuai â thipyn o waith i'r fro. Yr oedd chwarel y Llechwedd yn cynhyrchu llechi ac yn eu hallforio, ond yr oedd tipyn o segurdod ac angen gwaith yn y broydd gwledig gyda'r ffermwyr yn rhoi heibio cyflogi gweision ac yn canolbwyntio ar gadw defaid. Hysbysebai Gwersyll Butlin ym Mhenychain (neu 'Penny Chain' i'r ymwelwyr) am 'Ballroom Dancing Instructors', gan gynnig cyflog o £10 yr wythnos, a gellid cael gwaith fel 'barman' am ddeg swllt y noson, sef tair punt yr wythnos, ond Saeson a lenwai'r math yna o swyddi fel arfer. Erbyn hyn yr oedd llawer o Saeson yn dod i mewn i'r wlad, ac achosai hynny dristwch ymysg y mwy meddylgar o'r Cymry Cymraeg. Yr oedd y Gymraeg yn cilio.

Dyma dabl i gymharu nifer y bobl a oedd yn siarad Cymraeg yn y pum sir yn 1931 a 1951 (y ffigurau wedi eu sylfaenu ar gyfrifiadau'r blynyddoedd hynny).

Sir Fôn	41,044	38,443
Sir Ddinbych	73,092	62,502
Sir Fflint	34,076	29,121
Sir Feirionnydd	35,544	29,966
Sir Drefaldwyn	18,845	15,340

Yn ôl y ffigurau am Gymru gyfan, yr oedd nifer y siaradwyr Cymraeg wedi gostwng o tua 909,000 yn 1931 i tua 715,000 yn 1951.

Erbyn amser cynnwrf Tryweryn yr oedd gan Gymru ei Welsh Grand Committee a oedd i fod i warchod buddiannau'r genedl, ond nid oedd fawr o ddylanwad ganddo, efallai oherwydd diffyg brwdfrydedd yr Aelodau Seneddol.

Yn etholiad 1955, etholwyd 27 o Aelodau Llafur, chwe Cheidwadwr a thri Rhyddfrydwr, ac yr oedd nifer o'r rhain—y mwyafrif efallai—yn hapus gyda threfniant gweinyddol Cymru. Yr oedd unigolion yn eu mysg yn barod i weld mwy o awdurdod yn cael ei roi i Gymru, ond yr oedd eraill, fel D. T. Llewellyn (Tori) a George Thomas (Llafur), dau Aelod dros Gaerdydd, yn sefyll yn bendant iawn yn erbyn gwanychu dylanwad Llundain. Gyda llaw, yr oeddynt hwy o blaid boddi Tryweryn.

Yn nes ymlaen penodwyd Cyngor Cymru, gyda Huw T. Edwards o Gyngor Sir Fflint yn Gadeirydd. Gŵr amlwg yn y Blaid Lafur oedd ef, ond er gwaethaf teitl ei hunangofiant, *Tros y Tresi*, dyn a berchid gan y Sefydliad ydoedd, oherwydd cafodd ei ddewis i lanw'r swydd am bedwar cyfnod. Yn rhinwedd ei safle, ymddengys na allai roi cymorth i drigolion Tryweryn. Dyma ei ymateb i'r symudiad i wneud materion Cymreig yn rhan o gyfrifoldeb y Weinyddiaeth Dai:

> Bydd yn ddrwg gennyf dorri'r cysylltiadau a fu rhyngof a'r Swyddfa Gartref, ond credaf fod y trosglwyddo i'r Weinyddiaeth Dai yn symudiad i'r cyfeiriad iawn, yn bendant. Y mae gan Adran o'r Weinyddiaeth Dai swyddfa yng Nghaerdydd, ac nid oes gan y Swyddfa Gartref un.

Mae'n debyg y byddai Cadeirydd Cyngor Cymru wedi bod yn ddigon balch o weld Swyddfa Gymreig yng Nghaerdydd ond ni wyddys iddo beryglu ei ddyfodol ei hun trwy gynhyrfu'r dŵr. Yn rhyfedd iawn, pan ddaeth Gweinidog ar wahân i Faterion Cymreig, rhoddwyd y swydd i ŵr nad oedd ganddo fawr i'w ddweud wrth hunanlywodraeth i'r genedl, sef James Griffiths. Yn ôl un anerchiad o'i eiddo yn Ynys-y-bŵl, ni welai unrhyw fantais o gael senedd neu lywodraeth ar wahân i Gymru.

Unedau mawr oedd yn boblogaidd yn y pumdegau ac fe welir enghraifft o'r dyhead cryf am dyfiant ym myd y colegau. Cyflwynwyd cynlluniau i ddatblygu Colegau Prifysgol Cymru er mwyn cystadlu â cholegau eraill yn Lloegr ac America. Nid rhywbeth ar gyfer deallusion Cymreig yn unig oedd y Brifysgol ond rhywbeth i'w gynnig i'r Deyrnas Unedig yn ogystal. Ofnai rhai y byddai'r pwyslais hwn ar faint yn golygu gostwng safonau a denu yr eilradd eu cyraeddiadau o froydd pell. Rhaid osgoi bod yn blwyfol, meddai eraill, a welai agoriadau iddynt eu hunain yn yr ehangu. Yn Ionawr 1955, penderfynodd Llys y Brifysgol na fyddid yn cymeradwyo coleg Cymraeg i athrawon.

Yn 1955 hefyd yr oedd yr ysgolion Cymraeg wedi bod yn destun trafod. Yn wahanol i'r sefyllfa gyda'r colegau, oddi isod y deuai'r tyfiant yma, gyda'r awdurdodau yn gorfod darparu ar gyfer gofynion rhieni. Digon gwael oedd yr adeiladau a gâi'r ysgolion hyn yn aml, ond erbyn tua Gŵyl Ddewi 1955, yr oedd o leiaf wyth ohonynt wedi'u sefydlu, gyda chant neu fwy o blant ar lyfrau bob un. Yr oedd ysgolion meithrin hefyd yn dangos cynnydd, a theimlid fod rhyw ysbryd newydd ar gerdded.

Un elfen nad oedd yn helpu'r sefyllfa o gwbl oedd ansawdd derbyniad y rhaglenni Cymraeg ar y radio, ac o ganlyniad ffurfiwyd Cymdeithas Gwrandawyr Cymru gan Bwyllgor Gwaith Plaid Cymru. Byddai'r tâl cofrestru o ddeuswllt yn mynd tuag at hybu gwaith y Gymdeithas ac nid i'r Postfeistr Cyffredinol. Yr oedd aelodau'r Cyngor Darlledu a swyddogion y BBC yn llawn cydymdeimlad, ac fe gyflawnodd unigolion fel Sam Jones lawer er gwaethaf y prinder adnoddau. Yr oedd yn amlwg mai'r gwleidyddion a'r rheolwyr yn Llundain oedd ar fai, yn methu dirnad bod galw am y fath wasanaeth, ac yn meddwl mai rhyw nifer bach o Gymry oedd yn cadw twrw. Yr oedd dosbarthu'r tonfeddau yn fater cymhleth; prin y gellid rhoi rhagoriaeth i gyn lleied o wrandawyr.

A bod yn deg, yr oedd Aelodau Seneddol o bob plaid yng Nghymru wedi cymeradwyo galw cynhadledd i ystyried ad-drefnu'r tonfeddau radio er mwyn cael gwared â'r ymyrraeth yn y darllediadau wedi nos.

Y Ceidwadwyr oedd wrth y llyw bryd hynny, gyda'r hen ŵr Winston Churchill ar ddiwedd ei gyfnod olaf fel Prif Weinidog. Yr oedd yn ddiwedd ar gyfnod Syr Thomas Dugdale fel Gweinidog Amaeth hefyd. Nid oedd y ffermwyr, ffrindiau traddodiadol y Torïaid, yn hapus â'u Gweinidog, a dyrchafwyd Mr Heathcoat-Amory, gŵr a chanddo enw da fel gŵr cadarn, i'r swydd. Credai'r ffermwyr, a oedd beunydd mewn perygl o golli tir i'r adeiladwyr a'r cynllunwyr traffyrdd, y byddai ef yn siŵr o warchod eu buddiannau. Ond er bod boddi Cwm Tryweryn yn golygu colled fawr i amaethyddiaeth, ar ochr Lerpwl y pleidleisiodd y gŵr cadarn hwn!

Roedd diboblogi cefn gwlad yn cynyddu, nid yn unig yng Nghymru ond ym mhob gwlad amaethyddol, gyda phoblogaeth Iwerddon, er enghraifft, 2,894,822, yn is nag y bu ers canrifoedd. Gyda gwaith ar gael i'r hwn a oedd yn barod i fynd i Loegr i chwilio amdano, a'r Gwasanaeth Lles yn arbed y gwannaf rhag newynu, nid oedd, ar y cyfan, danbeidrwydd mawr ynglŷn ag unrhyw broblem. Yr oedd y ddiod feddwol yn gwerthu'n dda, gyda'r gwerthiant bron yn ugain galwyn y pen yn 1954, y clybiau yn ffynnu, y capeli yn gwagu a'r werin yn troi at y *People* a'r *Mirror* yn hytrach na'r Beibl am eu hysbrydoliaeth wythnosol ar y Sul.

Ond yr oedd cenedlaetholdeb yn dal yn y tir, ac ar 4 Mawrth 1955, cafodd S. O. Davies, Aelod Seneddol Llafur Merthyr Tudful, gyfle i gyflwyno mesur preifat yn Nhŷ'r Cyffredin i gael rhyw fath o ddatganoli ar gyfer Cymru ar batrwm Gogledd Iwerddon. Yn ôl y mesur byddai 72 aelod yn cael eu dewis i gynrychioli'r bobl, a byddai'r senedd yn gallu trafod a phenderfynu hynt chwe maes yng Nghymru. Cynrychiolydd y Goron fyddai'n arolygu'r cyfan. Hynny yw, byddai Gweinidog Cymru a'i gynghorwyr, neu ei gabinet, yn trafod cyllid, llafur, iechyd, amaethyddiaeth, addysg a materion cartref yng Nghymru.

Prin fod yr annwyl S.O., a oedd yn hen law ym myd gwleidyddiaeth, yn gobeithio llwyddo. Wedi'r cyfan, yr oedd sawl cynnig wedi ei wneud i gyflwyno'r math hwn o fesur er 1882, a dim ond rhyw ddau, sef un gan E. T. John yn 1914, ac un yn enw Syr Robert Thomas yn 1922, a wnaeth unrhyw argraff. Fel y disgwylid, dim ond 60 o dros 600 o Aelodau a drafferthodd i ddod i wrando yn y Tŷ a phleidleisio, a cholli wnaeth y mesur. Pleidleisiodd 16 o blaid a 48 yn erbyn, gydag un Ceidwadwr o Sais, Cyrnol Wigg, ac un Aelod Llafur, Mr Noel-Baker, o blaid. Yn erbyn yr oedd y Saeson eraill i gyd. Mynnai'r gwrthwynebwyr o Gymry eu bod yn gystal Cymry ag unrhyw un, ond ni welent ddyfodol i hunanlywodraeth. Clywyd yr un math o siarad gan bobl fel Neil Kinnock pan drafodwyd mesur John Morris, A.S. Aberafan, cyn y Refferendwm yn 1979.

Ond roedd cyffro yn y gwynt. Yn Rhagfyr 1955 sefydlwyd Undeb Amaethwyr Cymru yng Nghaerfyrddin, gyda Mr Ifor T. Davies o Bencader yn arwain yr ymraniad o'r N.F.U. Gwelai rhai fod yn rhaid i Gymru gael ei chyrff gweinyddu arbennig ei hun, ond gwan oedd yr ymateb cyhoeddus. Yr oedd y Rhyddfrydwyr yn fwy cefnogol na'r Blaid Lafur, ond nid oedd fawr o ymdeimlad o Gymreictod yn bodoli. Yn 1951 nid oedd gan Blaid Cymru ddigon o adnoddau, er gwaethaf dygnwch ei harweinyddion a'i ffyddloniaid, i alluogi ymgeiswyr i sefyll mewn mwy nag ychydig iawn o etholiadau. Erbyn 1955, fodd bynnag, yr oedd y Blaid (a anwyd ym Mhwllheli yn 1925) wedi dod yn ddigon cryf i sefyll mewn pum etholaeth. Tipyn o syndod oedd i Mr Gwynfor Evans, gŵr o'r de, ennill 5,243 o bleidleisiau yn etholaeth Meirion yn yr etholiad cyffredinol, a gostwng mwyafrif Mr T. W. Jones, yr ymgeisydd Llafur llwyddiannus, i 3,813. Byddai rhai o fro Tryweryn yn dadlau bod y canlyniad hwn wedi dylanwadu tipyn ar agwedd eu Haelod Seneddol tuag at eu problem.

Yr oedd canol y pumdegau yn gyfnod machlud Winston Churchill a ddilynwyd yn Downing Street gan Syr Anthony Eden (Lord Avon yn ddiweddarach). Gydag anturiaeth annisgwyl Suez ar ddod, nid oedd ei fachlud ef ymhell ychwaith. Yr oedd gorfodaeth filwrol i fechgyn ieuainc Prydain yn dal mewn bodolaeth, gyda chynnwrf mewn sawl lle yn y byd: Korea, Kenya a Malaya yn tawelu, ond Cyprus yn parhau mewn cyflwr o ryfel cartref, a Suez, maen tramgwydd Prydain, gerllaw.

Yn y cyfnod hwn, gyda'r fath drybini drwy'r byd, nid oedd gan lywodraeth y dydd fawr o amser i ystyried gofynion Cymru, ond gallai'r Ceidwadwyr o leiaf hawlio iddynt gychwyn arferiad newydd a phwysig, sef noddi llyfrau Cymraeg i oedolion. A'r cyfraniad o goffrau'r Deyrnas? Mil o bunnoedd am y flwyddyn!

Yr oedd dadl seneddol ar Faterion Cymreig i'w chynnal yn y Tŷ yn Hydref 1955, ond er i'r di-waith yng Ngwynedd orymdeithio ac i'r Fonesig Megan Lloyd George alw yn Llanidloes am senedd i Gymru i ymgymryd â'r problemau, yr oedd yr Aelodau Seneddol yn rhy brysur i drafod anghenion Cymru tan ar ôl y Nadolig.

Dyma'r union amser yr oedd Corfforaeth Lerpwl yn trin a thrafod eu gofynion a'u tacteg ynglŷn â chronni dŵr yng Nghymru. Yn gynnar ym mis Rhagfyr 1955 dosbarthwyd i Gadeirydd ac aelodau o Bwyllgor Dŵr Corfforaeth Lerpwl adroddiad swyddogol gan gwmni o beirianwyr sifil o Lundain.

Yn yr adroddiad cyfeiriwyd at ymweliad dau arbenigwr, sef Mr Gourley a Mr Steer, ynghyd â Mr J. H. T. Stilgoe a'r Athro Shakleton o Lerpwl, â gwahanol fannau yng Nghymru ym Mawrth 1955 er mwyn ystyried lleoedd i gronni dŵr. Enwyd pum lle ym Maldwyn a Meirion a ystyrid yn bosibiliadau. Dyma enwau'r afonydd cysylltiedig:

(1) Efyrnwy yn Nolanog
(2) Banwy ger Llanerfyl
(3) Banwy ger Cae'n y Mynydd
(4) Twrch yn yr un ardal
(5) Y Gam eto yn yr un ardal
(6) Tryweryn ryw filltir i'r gogledd o'r Bala
(7) Tryweryn tua phedair milltir i'r gorllewin o'r Bala

Edrychid am gyflenwad o 60-70 miliwn galwyn y dydd (m.g.d.) er mwyn cyflawni anghenion y Gorfforaeth am gyfnod maith, er na welid mwy na 1 i 1½ m.g.d. o dyfiant yn y galw am ddŵr yn flynyddol.

Cyfeiriwyd yn yr arolwg at y gronfa ddelfrydol y gellid ei hadeiladu o ddilyn argymhelliad a wnaed yn 1928 gan beiriannydd o Sir Gaerhirfryn, Mr W. J. E. Binnie, a Dr Herbert Lapworth. Cynllun y ddeuddyn clyfar hyn oedd codi lefel Llyn Tegid a chodi argae tua Bodwenni ar ochr Llandderfel. Hynny yw, boddi tref y Bala!

Er gwyched atyniadau'r cynllun a'r rhwyddineb peirianyddol, teimlai awduron yr adroddiad y byddai'r gwrthwynebiad iddo yn llawer mwy ffyrnig yn 1955 nag a fu yn 1928. Oherwydd hyn ni fyddid yn ystyried y cynllun yn fanwl y tro hwn. Mae'n anodd credu bod y sylwadau hyn wedi cael eu gwneud.

Teimlwyd fod posibiliadau da ar gyfer codi argae ym Mhowys, yng Nghae'n y Mynydd, ond ar sail côst y cynllun a rhwyddineb cludo'r dŵr, Tryweryn oedd piau hi heb unrhyw amheuaeth.

Felly, dri diwrnod cyn Nadolig 1955, dyma ddatganiad yn y wasg fod Lerpwl wedi rhoi'r gorau i'r bwriad o foddi Dolanog a bod cynllun gwell a rhatach mewn golwg, cynllun a gostiai tua £16 miliwn, sef dwy filiwn a hanner yn llai. Crynhoi afon Tryweryn bedair milltir i'r gorllewin o'r Bala oedd y cynllun hwn.

Gyda miri'r Nadolig wrth law, tybed beth fyddai maint y diddordeb cyhoeddus yn y penderfyniad?

PENNOD 14

Cynlluniau

Yng nghyfarfod blynyddol cangen Morgannwg o Gymdeithas Diogelu Harddwch Cymru yn Hydref 1955, cyhoeddodd y Cyrnol H. Morrey Salmon y newydd fod Corfforaeth Lerpwl, yn ôl pob tebyg, wedi rhoi'r gorau i'w bwriad i foddi Dolanog. Fel y soniwyd eisoes, ni ddaeth datganiad o gwbl o gyfeiriad Lerpwl tan yr wythnos cyn y Nadolig, a datganiad i'r wasg oedd hwnnw. Mae'n amlwg mai'r bwriad y tu ôl i'r amseriad oedd y byddai prysurdeb y Nadolig yn lleddfu rhywfaint ar yr ymateb i'r datganiad.

Un peth a ddaeth yn glir oedd bod peirianwyr ac arolygwyr tir y Ddinas wedi cwblhau eu cynlluniau fwy neu lai yn y dirgel. Gwelwyd pobl yn mesur y tir ac yn tyllu yng ngwanwyn 1955, ac mae'n amlwg bod y Cyngor Sir ac ystad y Rhiwlas wedi rhoi caniatâd, ond ni chysylltwyd o gwbl â'r bobl oedd yn mynd i gael eu troi o'u tai a'u tir. Yn ôl swyddogion Lerpwl, gweithredodd y Gorfforaeth yn hollol gyfreithlon, gan hysbysu'r holl gynghorau angenrheidiol, fel y Cyngor Dosbarth a'r Cyngor Sir, a gwyddai Cyd-Bwyllgor Ymgynghorol Parc Eryri a'r Byrddau Dŵr fod ymchwilio ar y gweill. Dadleuai'r bobl leol, ar y llaw arall, na ddatgelwyd yr holl stori ac mai yn eithaf diweddar y cysylltwyd â'r cynghorau.

Yr oedd y dacteg a ddefnyddiwyd yn un effeithiol. Ni chafwyd yr ymateb ffrwydrol a ofnid. Y datganiad swyddogol cyntaf a wnaed, hyd y gwyddys, oedd eiddo'r diweddar Mr J. E. Jones o Felin-y-wig ar ran Plaid Cymru yn *Y Cymro*.

> Byddem yn llwfr pe caniataem i Gorfforaeth Lerpwl ddinistrio'r bywyd diwylliedig Cymreig yn Nyffryn Tryweryn. Cystal yw i Gorfforaeth Lerpwl ddeall yr ymleddir y cynllun hwn bob cam o'r ffordd gan Gymru unedig. Eisiau dŵr i ddiwydiant sydd arnynt. Gallasai'r diwydiannau fod yng Nghymru.

Prin y rhoddwyd clod digonol i'r gwasanaeth a roddwyd i Gymru dros y blynyddoedd gan *Y Cymro*. Gyda helynt Tryweryn, bu'r papur ar y blaen eto yn disgrifio, egluro ac yn ceisio hysbysu'r genedl o'r hyn oedd ar gerdded.

Mor fuan â 5 Ionawr 1956, yr oedd ymchwiliad wedi ei wneud i gyflwr yr ardal a barn y bobl gan John Aelod Jones, sef John Roberts Williams, ar ran *Y Cymro*. Nodwyd y byddai deuddeg o gartrefi yn mynd dan y dŵr, gyda 48 allan o'r 67 o drigolion yr ardal yn colli eu cartrefi. Cyfeiriwyd at y tai gweigion yn yr ardal, sef Bryn Hyfryd 1 a 2—tai digon teilwng, y Tŷ Capel, yn ogystal â Gwerndelwau a Chaegwernog i fyny Cwm Celyn.

Nodwyd nifer y bobl a oedd yn byw ym mhob tŷ:

Y Llythyrdy—3, Ty'n-y-bont—4, Glan Celyn—3, Penbryn Fawr—4, Hafodwen—2, Moelfryn—3, Tŷ Nant—14, Maes-y-dail—2, Craig-yr-Onwy—4, Boch y rhaeadr—7, Gwergenau—3, Ty'n cerrig—3.

Ymddengys fod cynghorwyr yr ymchwiliwr wedi anghofio cynnwys y Gelli, Cae Fadog a Garnedd Lwyd yn y cyfrif.

Nodwyd bod naw o blant yn mynychu Ysgol Celyn ar y pryd, gydag un fechan, Morfudd Jones, ar gychwyn. Dyma enwau'r disgyblion: Bethan Jones Parry (wyres Bob Tai'r Felin; merch a ddaeth yn athrawes ysgol ond a fu farw o'r cancr yn ifanc), Emyr Wynn, Eira a Megan Rowlands o'r Gelli, Robin Heddwyn, Delyth Mair a John Ellis o Dŷ Nant, Edward Samuel Jones o Garnedd Lwyd ac Alun Vaughan Jones o Fryn Ifan (a ddaeth yn ganwr adnabyddus, gan ennill y Ruban Glas yn 1987). Y brifathrawes bryd hynny oedd Miss Gwyneth Griffiths o Ryd-y-main.

Cyfeiriodd yr un adroddiad at y ffaith fod y Comisiwn Coedwigo wedi cael gafael ar dir yn y fro a bod si wedi cael ei ledaenu mai tir gwael oedd yn y cwm. Yn y cyfeiriad hwn, diddorol yw deall bod Moses Griffith a Dr. R. I. Davies, yr arbenigwr ar bridd o Goleg y Brifysgol ym Mangor, wedi gwneud adroddiad ar ansawdd a dyfnder y pridd a'u bod wedi nodi'r ffaith fod dyfnder annisgwyliadwy i'r tir ac y gallai gynhyrchu cnydau da gyda ffosio. Profwyd maes o law fod adroddiad yr arbenigwyr hyn yn gywir, a bod cwmni Tarmac wedi bod yn hynod o ffortunus yng nghynnyrch yr ardal o ystyried eu hangen am raean.

Cyfeiriwyd yn yr adroddiad hefyd at y pileri trydan mawr a redai trwy'r cwm heb i un uned o drydan ddod i dai pobl yr ardal. Nodwyd ymhellach gŵyn un ffermwr am ei feistr tir, sef na fu'n gwneud dim ond trwsio ffenestri ac ati ers blynyddoedd lawer.

Fel cyferbyniad, cyfeiriwyd at Cae Fadog, fferm o chwe ugain erw a ddaeth yn eiddo'r Comisiwn Tir, sef yr un awdurdod ag a ofalai am Ystad Glanllyn. Gwelwyd yng Nghae Fadog yr hyn y gellid ei gyflawni drwy'r cwm pe bai arian yn cael ei fuddsoddi. Dyma fferm a chanddi gyflenwad o ddŵr glân yn y tŷ, a gadwai braidd da o ddefaid yn ogystal â gwartheg duon Cymreig a gynhyrchai laeth 'T.T.', gyda'r ffermwr David Roberts yn fawr ei barch.

Cyfeiriodd John Aelod Jones hefyd at ei wraig Elin Roberts a orfodwyd i adael ei chartref, y Feidiog Uchaf, yn ardal Trawsfynydd pan ddaeth y Fyddin, ar ôl rhyw rith o archwiliad, i feddiannu'r tir. Yna cyfeiriodd at Benbryn Fawr y bu teulu Mrs Jane Edwards yn gysylltiedig ag ef am ddwy ganrif. Dyma dŷ a fferm ardderchog eto, fferm o gan erw o dir da a phedwar cant a hanner o ddefaid ar y mynydd. Bryd hynny yr oedd pedwar ceffyl ar ôl yn yr ardal, dau ohonynt ym Mhenbryn Fawr. Yr oedd cwch gwenyn yno hefyd.

Clywodd gohebydd *Y Cymro* gan Watcyn o Feirion fod deuddeg athro ysgol a hanai o'r fro yn fyw ac yr oedd eraill wedi llwyddo'n dda yn eu gyrfaoedd. Yr oedd o leiaf chwe bardd hefyd a'u gwreiddiau yn y tir, nifer pur deilwng o le mor fychan. Ymddiddorai llawer yn y cynganeddion.

O dipyn i beth, daeth y manylion ynglŷn â chynlluniau Lerpwl i sylw'r trigolion. O'r 743 erw o dir llafur yn yr ardal yr oedd 510 erw i'w boddi, ac o'r 983 erw o dir pori, byddai 380 erw yn diflannu. Effeithiai hynny ar 275 o wartheg a rhai miloedd o ddefaid. (Rhoddwyd y ffigur o 8,375, ond prin ei fod yn gywir.) Adeiledid argae llydan o gerrig, graean a thywyrch yn hytrach na choncrid. Byddai hwnnw 147 troedfedd o uchder, 2,200 troedfedd o hyd a 1,160 troedfedd o drwch, gyda'r ochr ddwyreiniol yn dir glas, a chydag adeilad rheoli'r dŵr islaw wrth y fan lle y gollyngid y dŵr o'r llyn. Byddai tŵr rheoli hefyd ychydig bellter o'r argae ym man isaf y llyn.

Byddai'r fath gronfa yn dal tua 16,000,000,000 o alwyni o ddŵr a gellid tynnu allan i fyny at 65 miliwn galwyn y dydd. Amcangyfrifid y gallai'r gôst fod tua £16 miliwn gyda £5½ miliwn arall i gynyddu'r gwaith tynnu allan yn Huntington, Sir Gaer, er mwyn gallu cael llawer mwy na'r 24 miliwn o alwyni y dydd a dynnid allan ar y pryd.

Golygai'r cynllun hwn na fyddai pibelli yn rhedeg o'r llyn, ond byddid yn rheoli llif afonydd Tryweryn a Dyfrdwy trwy ollwng y cyflenwad priodol o ddŵr.

Yn y gwanwyn cafodd dau gynrychiolydd o Lerpwl, sef Mr P. S. Harvey, Dirprwy Glerc y Gorfforaeth, a Mr J. H. T. Stilgoe, Peiriannydd Dŵr y Gorfforaeth, gyfle i egluro eu cynllun i gyfarfod o Gyngor Tref y Bala. Yr oedd y Gorfforaeth am i ddau ŵr rhesymol sicrhau aelodau'r Cyngor na fyddai bodolaeth llyn yn Nhryweryn yn effeithio dim ar gronfa ddŵr glân y Bala, sef Llyn Arenig Fawr.

Nid yw'r rhyfedd felly mai Cyngor Tre'r Bala oedd yr unig un o'r cynghorau y gofynnwyd am eu cefnogaeth a anwybyddodd lythyr apêl Pwyllgor Amddiffyn Capel Celyn.

Eglurodd y ddau gynrychiolydd fod Lerpwl a'r cylch yn defnyddio 57 miliwn o alwyni'r dydd, a byddai 4 miliwn galwyn ychwanegol i'w cael ar ôl cwblhau'r gwaith ar Lyn Efyrnwy. Yr oedd gofyn am 63 miliwn galwyn y dydd eisoes a 76 miliwn galwyn y dydd erbyn 1965.

Y bwriad gwreiddiol, meddent, oedd codi mur o goncrid wrth Frongoch a phibellu'r dŵr ar hyd y 54 milltir. Ond bu newid meddwl a phenderfynwyd cael clawdd naturiol a defnyddio'r afon. Trwy ddefnyddio'r afon i gludo'r dŵr arbedid o leiaf £13 miliwn, heb sôn am y trethi a fyddai'n dilyn.

Fel dau neu dri chorff arall a wrthwynebai'r cynllun ar y dechrau —cyrff fel Bwrdd Dŵr Glannau Dyfrdwy—ceisio darganfod sut y byddai cynllun Tryweryn yn effeithio arnynt hwy eu hunain a wnaeth aelodau Cyngor Tref y Bala. Wedi iddynt ddeall y byddai eu cyflenwad hwy yn ddiogel, ac y gallai'r cynllun ddod â thipyn o waith ac arian i'r dref, yna 'rhwydd hynt' oedd agwedd y cynghorwyr. Tybiai rhai fel Mr Bason y byddai'r trigolion yn well eu byd, hyd yn oed ar ôl colli eu cartrefi! Caent dai gwell, meddai.

Hollol wahanol oedd ymateb aelodau Cyngor Gwledig Penllyn dan lywyddiaeth Mr O. Wynn Edwards o Lawr y Betws. Pasio yn unfrydol i wrthwynebu 'yn y modd mwyaf pendant' gynlluniau Corfforaeth Lerpwl a wnaethant hwy. Eglurwyd goblygiadau'r cynllun a chafwyd manylion am faint y llyn ac yn y blaen gan y clerc, Mr Aneurin Humphreys. Er enghraifft, byddai'n rhaid symud y ffordd fawr a'r rheilffordd, a byddai hynny'n esgus ardderchog dros gau'r lein. Boddid yr holl dir o dan 975 troedfedd uwch lefel y môr a byddai Lerpwl yn barod i ailgodi capel, ysgol a thai ble bynnag y dymunid, pe bai galw.

Yr oedd Mr David Roberts a ddaeth yn Gadeirydd y Pwyllgor Amddiffyn yn aelod o'r Cyngor hwn, ac eglurodd ef sut y gwellhawyd tair o'r ffermydd yn ddiweddar a sut y gellid gwella'r holl drigfannau gyda buddsoddi rhesymol. Cafwyd ymateb gan y Parch. Euros Bowen a ddywedodd na ddylai Cyngor Sir Meirionnydd erioed fod wedi rhoi caniatâd i Lerpwl archwilio a thyllu'r tir fel y gwnaethant, a dylid gofyn i brifddinas newydd Cymru, sef Caerdydd, trwy ei Harglwydd Faer, alw cynhadledd gyda'r bwriad o sefydlu Bwrdd Dŵr Cymreig. Cafwyd hefyd ymateb gan y Cynghorydd R. R. Thomas, a ddywedodd ei bod yn ddyletswydd arnom fel Cymry i fynnu ein hiawnderau ac y dylem fod ar dân wrth edrych ar ymddygiad y fandaliaid estronol.

Yna yn Amwythig ym mis Mawrth, cynrychiolwyd y Cyngor gan Mr Humphreys, Clerc y Cyngor, a'r Parch. Euros Bowen mewn cyfarfod o Gymdeithas Awdurdodau Lleol Cymru, a chafodd y ddau dderbyniad caredig.

Roedd hi'n anodd i'r trigolion ddirnad maint a ffurf y llyn a fyddai'n ddwy filltir o hyd a milltir ar draws yn ei fan lletaf, ond yr oedd y ffaith y byddai'r gwaith yn cymryd dros bum mlynedd i'w gwblhau yn awgrymu beth oedd maint y cynllun. Ond ni ragwelodd neb ar y pryd y llwch a'r baw a fyddai'n cael eu creu o ganlyniad i'r cludo diddiwedd ar hyd y ffordd i lawr tua'r Tyddyn, yn enwedig o foncyn Ty'n-y-bont, y darganfuwyd ei fod yn chwarel raean ardderchog. Tarmac oedd y cwmni a dderbyniodd y cytundeb.

Wrth ddilyn y ffordd i fyny o gyfeiriad y Bala gwelid y byddai fferm fechan y Tyddyn yn sicr o fod ar ffordd yr adeiladwyr ond y byddai peth o'r tir uwchlaw'r tŷ yn glir o ben gogleddol yr argae. Byddai'r math hwn o ddinistr yn nodweddiadol o'r hyn a ddigwyddai trwy foddi. Hynny yw, byddai'r tir isel yn cael ei foddi a'r ffriddoedd yn cael eu cymryd drosodd gan y Comisiwn Coedwigo gyda ffordd newydd lydan ar waelod y mynydd-dir.

Yn ystod hafau sych 1976 a 1984, fel y nodwyd eisoes, gellid gweld ôl yr hen ffordd a âi heibio'r Tyrpeg, Hafod Fadog, Garnedd Lwyd, Coed-y-mynach a'r Gelli. Safodd llawer o ymwelwyr wrth y bont a'r garreg goffa uwchben Hafod Fadog a gweld amlinelliad o furiau'r tŷ ar ochr uchaf yr hen ffordd o leoliad yr hen fynwent ar fin y dŵr islaw'r tŷ. Mae'r amlinelliad yn anarferol oherwydd bu'n bolisi gan Gorfforaeth Lerpwl i ddinistrio pob tystiolaeth o adeiladau, ar wahân i'r capel a'r fynwent, ac i ddiwreiddio pob coeden nes bod wyneb y cwm yn ymdebygu i wyneb y lleuad.

Aelodau'r Blaid Lafur oedd yn y mwyafrif ar Gyngor Dinesig Lerpwl yr adeg honno, gyda Mrs Bessie Braddock a'i gŵr yn tynnu'r llinynnau yn y cefn. Er i'r Blaid honno, yn draddodiadol ac yn genedlaethol, bledio achos y gwan a'r tlawd, yr oedd yr hen syniadau imperialaidd yn dal i lechu dan yr wyneb cyn belled ag yr oedd rhedeg y Ddinas yn y cwestiwn. Prin y gallai gwerinwyr gwledig Cymreig drefnu gwrthwynebiad unol effeithiol yn erbyn eu 'gynnau mawr' hwy yn San Steffan, heb sôn am y bargyfreithwyr enwog y byddent yn eu cyflogi. Gwyddai rhywun ymysg eu harbenigwyr sut i gyflwyno mesur heb orfod ei gyflwyno i gynrychiolwyr Cymru ymlaen llaw. Hynny yw, yr oedd yn bosibl osgoi mynd â'r mater o flaen y Welsh Grand Committee, a hynny drwy gyflwyno mesur preifat.

Yn allanol, ni ddigwyddodd llawer yn ystod Ionawr a Chwefror 1956. Ar 4 Ionawr bu farw R. Williams Parry, 'Bardd yr Haf', yn ei gartref a denodd hynny dipyn o sylw'r Cymry Cymraeg. Erbyn diwedd Chwefror, fodd bynnag, yr oedd teimlad o anniddigrwydd yn dechrau codi ei ben o ddifrif. Yn y *Times* ar y 27 ain ceid y pennawd 'Liverpool to hear from Nationalists', ond ni ragwelai papurau eraill unrhyw berygl o drafferth. Meddai un gohebydd, 'Mr Parry views the prospect of drowning the valley philosophically'. Hwn oedd Mr Parry'r Llythyrdy.

Beth allai'r bobl ei wneud? Nid oedd ganddynt Ysgrifennydd Gwladol na fawr neb i droi ato. Nid oedd gan y Ceidwadwyr na'r awydd na'r bwriad i ddatganoli a rhoi lle i deimladau lleol. Darparwyd adroddiad gan Ness Edwards, Aelod Seneddol Llafur Caerffili, yn rhoi ei syniadau ef ar gyfer Cymru. Awgrymai ef y dylid cael Gweinidog Gwladol i Gymru gyda sedd yn y Cabinet a heb unrhyw waith arall ganddo.

Edrychai Aelodau Seneddol Cymraeg eu hiaith, pobl megis Goronwy Roberts, Cledwyn Hughes a nifer o rai eraill, i'r un cyfeiriad, ond yr oedd amheuaeth hefyd ymysg yr Aelodau Llafur. Ar y llaw arall yr oedd y Rhyddfrydwyr yn bendant o blaid cael Ysgrifennydd Gwladol i warchod achosion Cymru, ond ni wrthwynebent gynlluniau Lerpwl yn filwriaethus ar y dechrau.

Clywais Elizabeth M. Watkin Jones yn dweud iddi deimlo'n wir ddigalon wrth geisio codi gwrthwynebiad cyhoeddus o blith gwŷr blaenllaw y genedl.

Yr oedd Plaid Cymru wedi cynnal rali yn Llanuwchllyn ar 25 Medi 1955 i ddatgan eu gwrthwynebiad i'r ffaith fod Lerpwl yn gallu troi at Gymru yn hollol unbenaethol a dweud wrth y trigolion fod eu tir yn mynd i gael ei foddi. Dolanog oedd dan gwmwl bryd hynny, ond rhybuddiwyd y Gorfforaeth y byddai unrhyw gynllun o'i heiddo yn cael ei wrthwynebu'n ffyrnig.

Yr oedd Plaid Cymru yn ddigon gwan yn ariannol, fel y nodwyd, ond yr oedd diddordeb cynyddol yn y wlad a mwy o bobl yn dod yn ymwybodol o'u cenedligrwydd. Eto, ymysg y mwyafrif o'r di-Gymraeg a'r Saeson, yr oedd i'r gair 'nationalist' arwyddocâd anffafriol, y di-Gymraeg yn gweld eu hunain dan anfantais economaidd a'r mewnfudwyr yn ystyried y cenedlaetholwyr yn benboethiaid. Yr oedd gwahaniaeth pwyslais o fewn y Blaid ei hun hefyd; rhai yn pwysleisio'r agwedd economaidd a'r lleill yn rhoi blaenoriaeth i dynged yr iaith. Ond gydag argyfwng boddi Cwm Tryweryn, ni fu unrhyw amheuaeth na llaesu dwylo. Yr oedd pawb yn unol.

Y Blaid a ddaeth i'r adwy i drefnu, gyda'r trigolion, gyfarfod cyhoeddus yng Nghelyn er mwyn ffurfio corff a mudiad i wrthwynebu'r cynllun i foddi'r ardal. Nid oedd y syniad bod y trigolion yn cydweithredu'n glòs ag un blaid wleidyddol arbennig yn plesio rhai pobl; gwell ganddynt hwy fyddai gweld unigolion o safle yng Nghymru ac arweinwyr o wahanol bleidiau yn cael eu dwyn i'r frwydr ochr yn ochr â'r Cyngor Gwledig, ond nid oedd brwdfrydedd yn y cyfeiriad hwn ac ni chafwyd canlyniadau. Fel y soniwyd eisoes, ymateb Aelod Seneddol y sir oedd datgan y byddai'n dilyn dymuniadau'r Cyngor Sir.

Nid felly'r Cynghorydd Gwynfor Evans o Langadog, Llywydd Plaid Cymru. Yr oedd ef ar dân dros achos pobl Celyn. Nid mater a gyfyngwyd i unrhyw grŵp neu blaid oedd argyfwng Tryweryn iddo ef ond mater o bwys i Gymru gyfan. Dyna safbwynt Mr J. E. Jones a Mr Elwyn Roberts hefyd. Er gwaethaf cyhuddiadau eu gelynion gwleidyddol a fynnai fod y Blaid yn troi'r helynt i'w mantais ei hun, yn ôl Ysgrifenyddes y Pwyllgor Amddiffyn, yr oedd eu dilysrwydd yn gant y cant.

Daeth y Pwyllgor Amddiffyn i fod o ganlyniad i gyfarfod cyhoeddus a gynhaliwyd ar nos Wener, 23 Mawrth 1956. Yn ôl y Parch. H. M. Hughes a etholwyd ar ddechrau'r cyfarfod yn Gadeirydd, Cynghorau Plwyf Llanycil a Llanfor a alwodd y cyfarfod gyda'r bwriad o brotestio yn erbyn boddi'r cwm. Yn bresennol, yn ogystal â'r bobl leol, yr oedd Mr Aneurin Humphreys a'r Parch. Euros Bowen, Rheithor Llangywair, a oedd wedi gwneud ymdrech i fod yno ar ôl treulio diwrnod mewn cyfarfod o Gymdeithas Awdurdodau Lleol Cymru yn Amwythig.

Dyma aelodau'r pwyllgor: Cadeirydd—Y Parch. H. M. Hughes; Is-Gadeirydd—David Roberts; Ysgrifenyddes—Elizabeth M. Watkin Jones; Trysorydd—John Abel Jones. Hefyd Cadwaladr Edwards, Watcyn o Feirion, John Guest, Gwilym Pugh, E. P. Roberts, Iorwerth Roberts.

Bu trafod mawr yn ystod y noson, a phenderfynwyd yn bendant i wrthwynebu. Soniodd y Parch. Euros Bowen y gallai o leiaf ugain o bobl o Lerpwl ymfudo i'r ardal, heb sôn am y cannoedd o weithwyr symudol estron eu hiaith a fyddai yno yn ystod yr adeiladu. Dywedodd James Roberts o'r Bala, a oedd yn gweithio fel gard ar y trenau, y byddai'r rheilffordd yn sicr o gael ei chau pe câi Corfforaeth Lerpwl ei ffordd. Yr oedd yr amser yn brin a llawer o waith i'w wneud i geisio deffro'r genedl o'i difaterwch.

'Digynllun fu Cymru erioed; mae'r amgylchiadau yr un heddiw,' meddai'r gwleidydd Elystan Morgan. Eto, yr oedd argoelion fod pobl yn dechrau cydweithio ac uno i ddatgan eu barn ar broblemau'r dydd. Er enghraifft, galwyd cyfarfod o Fudiad Merched Cymru (adran newydd o Undeb Cymru Fydd) yn Aberystwyth ddydd Sadwrn 28 Ebrill 1956. Dr. Gwenan Jones (gynt o'r Bala) a gymerodd y Gadair a theimlodd yr aelodau—deg ar hugain ohonynt, gan gynnwys pobl fel Cassie Davies ac Eluned Bebb—eu bod wedi cyflawni rhywbeth newydd trwy ddod at ei gilydd fel hyn.

Tua'r amser hwn hefyd, fe wnaeth Mr F. Blaise Gillie, Is-Ysgrifennydd y Weinyddiaeth Dai, ddatganiad yng Nghaerdydd ar ran y Llywodraeth y byddai trigolion Tryweryn yn cael cyfle rywbryd i wrthwynebu cynllun Corfforaeth Lerpwl. A gwrthwynebu yr oedd pobl Capel Celyn am ei wneud. Yn Ffestiniog ar y llaw arall, cynhaliwyd cyfarfod cyhoeddus i brotestio yn erbyn y penderfyniad i beidio â bwrw ymlaen gyda chynllun i foddi tir i gynhyrchu trydan; ond boddi tir cwbl wahanol fyddai yno. Nid rhyfedd felly, i Major Gwilym Lloyd George—a oedd mor brysur yn y Swyddfa Gartref a heb ysgrifennydd na swyddogion a allai amgyffred y teimlad yn Nhryweryn—beidio â gwerthfawrogi'r gwrthwynebiad a oedd yn darllaw yng Nghymru.

Beirniadwyd y Gweinidog Cartref yn llym gan y papur *Welsh Republican* ym Mawrth 1956. Nodwyd bod y Major wedi siarad yn erbyn mesur S. O. Davies ynglŷn â chael senedd i Gymru; yr oedd wedi troi clustfyddar hyd yn hyn i argymhelliad pwyllgor ymchwil y dylai'r Llywodraeth roi cymorth i gyhoeddiadau yn yr iaith Gymraeg, ac yr oedd wedi methu hawlio diwrnod ar gyfer trafod Papur Gwyn y Llywodraeth am y flwyddyn flaenorol. Yn waeth na dim, yr oedd wedi deddfu fod y Ddraig Goch i gael ei lleoli o dan yr Union Jack lle bynnag yr oedd y ddwy faner yn chwifio!

Ond yr oedd problemau boddi Cwm Tryweryn wedi cael eu symud o'r Swyddfa Gartref i'r Weinyddiaeth Dai a Llywodraeth Leol erbyn gwanwyn 1956, a gallai Mr Gillie ddweud:

> Mae fy Ngweinyddiaeth newydd ysgrifennu at Gadeirydd Cyngor Cymru i ofyn i'r Cyngor ystyried a yw'r trefniadau ar gyfer archwilio cynlluniau cyflenwad dŵr o'r math hwn yn ddigonol ym marn y bobl yr effeithir arnynt, a gofyn hefyd a ddymuna'r Cyngor dynnu sylw fy Ngweinyddiaeth at ryw agweddau arbennig.

Hefyd, dywedodd Capten H. Leighton Davies, Cadeirydd Cymreig ar gyfer diwydiant, fod peth trafodaeth wedi bod yng ngogledd Cymru o ganlyniad i ddymuniad Lerpwl i gymryd dŵr, ac yr oedd ef wedi awgrymu y dylai'r Bwrdd ymchwilio i'r sefyllfa gyda golwg ar gael cyflenwad digonol. Roedd yn ofynnol i'r Bwrdd benderfynu nawr a oeddent am wneud awgrymiadau i unrhyw adran o'r Llywodraeth.

Teimladau amhleidiol oedd gan y bobl hyn, yn allanol o leiaf. Beirniadwyd pobl fel Cadeirydd Cyngor Cymru am beidio â dangos eu hochr, ond efallai fod hyn yn annheg, a bod y bobl hynny'n gweithredu y tu ôl i'r llen. O leiaf, argymhellodd y Cyngor yn Hydref 1956 y dylai Cymru gael ei Hysgrifennydd ei hun. Ond ni fyddai'r pethau hyn yn dwyn ffrwyth am beth amser eto. Yr oedd Corfforaeth Lerpwl yn bwriadu cyflwyno'u mesur preifat cyn diwedd y flwyddyn.

Yr oedd yn rhaid i Bwyllgor Amddiffyn Capel Celyn weithredu'n gyflym. Yr oedd Gwynfor Evans hefyd yn darparu llyfryn. Nid oedd diwrnod i'w golli.

PENNOD 15

Dechrau'r Ymrafael

Gyda ffurfio Pwyllgor Amddiffyn Capel Celyn daeth yn bosibl i'r Ysgrifenyddes ddechrau ymgyrchu a chasglu enwau pobl a oedd â diddordeb yn y perygl i'r ardal. Yr oedd yn bwysig hefyd cael gafael ar unigolion a oedd yn barod i ddangos eu hochr a gweithio.

Yr oedd hawl gan unrhyw berson yr effeithid arno i ymuno â'r Pwyllgor Amddiffyn, a phenderfynwyd rhoi gwahoddiad i bobl adnabyddus yng Nghymru i fod yn Llywyddion Anrhydeddus.

Dyma'r enwau a ymddangosodd, maes o law, ar bapur swyddogol Pwyllgor Amddiffyn Capel Celyn:

y Fonesig Haf Hughes; Syr Ifan ab Owen Edwards, C.B.E., M.A.; y Fonesig Megan Lloyd George; y Parch. William Morris; Dr. Gwenan Jones; yr Henadur Gwynfor Evans, M.A., LL.B.; yr Arglwydd Ogwr; T. I. Ellis, M.A.; T. W. Jones, A.S. Meirionnydd; Y Parch. J. Dyfnallt Owen, M.A.

Yn Ionawr 1957, ar ôl marwolaeth yr annwyl Barchedig J. Dyfnallt Owen, cafwyd dau ŵr dawnus o Lanuwchllyn i ymuno â'r Pwyllgor. Y rhain oedd Mr Ifor Owen, prifathro ac arlunydd, a'r Parch. Gerallt Jones, tad Dafydd Iwan.

Dyma'r swyddogion:

Cadeirydd—yr Henadur E. P. Roberts, Llanfor; Is-Gadeirydd—David Roberts, Cae Fadog, Capel Celyn; Trysorydd—John Abel Jones, Hafod Wen, Capel Celyn; Ysgrifenyddes—Miss E. M. Watkin Jones o'r Bala, gynt o Gapel Celyn.

Y Parch. H. M. Hughes oedd y Cadeirydd gwreiddiol o ganlyniad i'r cyfarfod agoriadol, ond ar nos Lun, 4 Mehefin 1956, derbyniwyd ei ymddiswyddiad am ei fod yn newid ei ofalaeth ac yn gadael yr ardal. Gosodwyd can punt fel nod ariannol cychwynnol y Pwyllgor, a chyrhaeddwyd y swm hwnnw ymhen ychydig wythnosau, gyda chyfaill o Sais a'i wraig y cyntaf i gyfrannu.

Yr unig lythyrau o gefnogaeth a gafwyd gan y Llywyddion Anrhydeddus oedd rhai Mr T. W. Jones, yr Henadur Gwynfor Evans a'r Arglwydd Ogwr. Nid yw hyn yn golygu nad ysgwyddodd y gweddill eu cyfrifoldeb a gwneud eu rhan. Rhoddodd yr Arglwydd Ogwr y cefndir ynglŷn â Thŷ'r Arglwyddi gan gynnig cynghorion ynglŷn ag i bwy y dylid ysgrifennu i apelio am gefnogaeth i'r Pwyllgor Amddiffyn.

Bu cyfraniad yr Henadur Gwynfor Evans yn anfesuradwy yn ôl aelodau'r Pwyllgor. Er pelled ei gartref yn Llangadog, mynychodd eu holl gyfarfodydd a theithiodd gannoedd o filltiroedd yn pledio achos y trigolion gan gynghori yn fanwl ynglŷn â chyfeiriad a ffurf y gwrthwynebu. Ymddengys iddo roi ei holl ddawn a'i fryd ar ymladd y cynllun.

Yn ogystal â siarad yn gyhoeddus, ateb datganiadau Lerpwl a llythyra yn y wasg, aeth ati i ddarparu llyfryn yn rhoi'r cefndir a'r dadleuon yn drefnus a rhesymegol yn erbyn boddi'r Cwm. Nid oedd y llun o Bob Tai'r Felin ar y clawr yn golygu dim i aelodau Pwyllgor Dŵr Corfforaeth Lerpwl ond yr oedd y dadleuon oddi mewn ar ffurf y gallent ei deall yn iawn.

Hyd yn oed ar ôl colli'r frwydr, a'r argae bron wedi ei gwblhau, cafwyd ganddo'r gyfrol ddiddorol *Rhagom i Ryddid* yn cyfeirio at yr ymryson a'r gwersi y gellid eu dysgu o ganlyniad i foddi Cwm Tryweryn.

Brodor o Rosllannerchrugog oedd T. W. Jones, Aelod Seneddol y sir yn 1955, ac awgrymai ei gefndir y gallai ymladd yn ddewr dros ei ddaliadau. Er enghraifft, wynebodd garchar yn ystod y Rhyfel Byd Cyntaf oherwydd ei ddaliadau, ac yr oedd ganddo ddiddordeb yn niwylliant ei wlad. Yr oedd wedi pwyso am orsafoedd trydan yn y sir, ac wedi siarad o blaid i'r Llywodraeth ganiatáu i Gyngor Sir Meirionnydd brynu Llyn Tegid. Argoeliai'r ffeithiau, neu'r honiadau, hyn yn dda i'r Pwyllgor Amddiffyn. Yr oedd yn ddyn clên a diddorol ei sgwrs hefyd.

Cyfarfod pwysig oedd yr un a drefnwyd gan y Pwyllgor ar gyfer 4 Mehefin 1956, ac yn rhinwedd ei swydd fel Aelod Seneddol daeth Mr Jones yno. Ond yna, er siom i drigolion Cwm Tryweryn, rhoddodd gyfarfod nesaf y Pwyllgor Amddiffyn yn is ar ei restr o flaenoriaethau—ysgrifennodd i ddweud na allai fod yn bresennol am ei fod yn arwain Noson Lawen yn y Rhyl.

Ond wedi i Gyngor Sir Meirionnydd benderfynu gwrthwynebu cynlluniau Corfforaeth Lerpwl rhoddodd Mr. T. W. Jones lawer o sylw i dynged Tryweryn, ac arweiniodd drafodaeth yn y Tŷ yn San Steffan. O bryd i'w gilydd derbyniodd gryn ganmoliaeth gan ei gyd-aelodau o'r Blaid Lafur am ei ymdrechion a gwelwyd un llythyr oddi wrtho at Ysgrifenyddes y Pwyllgor Amddiffyn yn nodi gwaith mor dda yr oedd ef yn ei wneud yn y frwydr.

Un arall, annisgwyliadwy efallai, a frwydrodd yn wironeddol galed yn y Senedd o blaid Pwyllgor Amddiffyn Capel Celyn oedd y Ceidwadwr Raymond Gower, Aelod Seneddol y Barri a'r cylch.

Yr oedd Elizabeth M. Watkin Jones a'i thad wedi symud o'r Llythyrdy yng Nghelyn ac wedi cartrefu dros dro yn Fron-goch. Pan ddaeth tŷ ar werth yn y Bala, yn gyfleus i'r ysgol lle'r oedd hi'n athrawes, symudwyd i lawr i'r dref.

Yn ogystal â chadw tŷ a choginio, cadw mewn cysylltiad â'i phedwar brawd a'i dwy chwaer (hi oedd ein bòs yn y pencadlys!), gofalu am ei thad a oedd yn tynnu tua'r wyth deg, deuai o hyd i amser i anfon llythyrau i'w Hewyrth Jac a oedd wedi bod yn glaf am flynyddoedd mewn ysbyty ger Bryste yn dioddef oddi wrth sglerosis amryfal.

Golygai ei swydd fel Ysgrifenyddes y Pwyllgor Amddiffyn lafur digon caled. Yr oedd creu diddordeb yn ddigon anodd ar y dechrau ac yr oedd yn rhaid ceisio cael pobl nid yn unig i wrando, ond hefyd i weithredu.

Yn ôl ei thystiolaeth bryd hynny, fe'i cynorthwywyd i raddau helaeth gan welediad a chadernid yr Henadur Gwynfor Evans; yr oedd ef bob amser wrth law gyda'i gyngor. Felly hefyd Mr J. E. Jones, Mr Elwyn Roberts, y Parch. Tudur Jones, Ifor Owen ac eraill o'r pleidwyr Cymreig. Erbyn hyn ni wyddys enwau nifer a roddodd eu hysgwydd y tu ôl i'r ymdrech yn y dyddiau digalon dechreuol.

Flynyddoedd yn ddiweddarach gofynnwyd i Dr. Gwynfor Evans am ei farn ynglŷn â gwasanaeth swyddogion Pwyllgor Amddiffyn Capel Celyn.

'Yr oedd David Roberts, Cae Fadog, yn Gadeirydd pwyllog, peniog a gwrol,' meddai.

A'r Ysgrifenyddes?

'Ni welais well ysgrifennydd i unrhyw bwyllgor na mudiad. Gwnâi ei gwaith yn gwbl lwyr, gydag effeithiolrwydd gwych, heb fethu mewn dim oll, a'r cwbl yn eneiniedig—yn wir, yn ysbrydoledig,' ychwanegodd.

Cafodd yr Ysgrifenyddes gymeradwyaeth tebyg gan y nofelydd Islwyn Ffowc Elis yn ei golofn ddyddiadurol ym Mai 1957. Meddai: 'Ond hwyrach mai braint fwya'r noson i mi oedd cael cwrdd ag Ysgrifenyddes Pwyllgor Amddiffyn Tryweryn. Sut byth y try'r frwydr, y mae Cymru dan ddyled dros byth iddi.'

Canlyniad yr holl weithgarwch, yr holl lythyra, y datganiadau i'r wasg a'r apelio am gefnogaeth i'r gwrthwynebiad i gynlluniau Corfforaeth Lerpwl oedd i lythyrau ddechrau dylifo'n ôl. Aeth copïau o lawer o'r llythyrau hyn yn uniongyrchol i Lerpwl.

Derbyniwyd cannoedd o lythyrau o bob congl o'r deyrnas a thu hwnt. Derbyniwyd rhai o America, o leoedd fel San Diego ac Utica; cafwyd rhai eraill oddi wrth unigolion a chymdeithasau fel Cymdeithas Gymraeg Canberra, Awstralia. Derbyniwyd dau lythyr o'r Almaen, oddi wrth ddau filwr a fu'n garcharorion yn yr ardal yn ystod rhyfel 1939-45, sef Kurt Heinz o Cologne a Karl Wiedenhammer o Hemsbach. Datganai'r ddau eu cydymdeimlad â phobl y cwm a chyfeirio at y caredigrwydd mawr a ddangoswyd iddynt yn ystod eu hamser fel carcharorion.

Geiriwyd y rhan fwyaf o'r llythyrau mewn iaith gymedrol a chwrtais, ond cafwyd rhai a fynegai chwerwder diamheuol. Er enghraifft, derbyniodd yr Ysgrifenyddes lythyr hir oddi wrth un Mr Dick Williams o Vacluse, New South Wales, gynt o Flaenau Ffestiniog. Aeth ef mor bell â phardduo pob Sais yn ddychrynllyd.

Cafwyd rhai llythyrau llym o Loegr hefyd, fel un a dderbyniwyd oddi wrth A. M. Kissack o'r Wirral:

I addressed a letter to the Lord Mayor, Council and Water Committee on this subject and I did not pull my punches. I asked who the hell they were to attempt a thing like this: they had no moral right to do so. I also asked them to place themselves in your position and would they like a dirty, lousy, despicable trick like this to be played on them . . . and you dirty swine call yourselves Socialists.

Aeth y llythyrwr ymlaen i awgrymu y dylid casglu baw moch a'i ddodi yn y man lle byddai'r cynghorwyr yn troedio.

Fel Llywydd Anrhydeddus cymerodd yr Arglwydd Ogwr (Llafur) ei gyfrifoldeb o ddifrif ac ymdrechodd yn galed, yn y dirgel yn ogystal ag yn Nhŷ'r Arglwyddi, i ddenu pobl i gefnogi achos Cwm Tryweryn. Er enghraifft, rhoddodd i'r Ysgrifenyddes enwau dros chwe deg o Arglwyddi y gallai anfon llythyr atynt oddi wrthi hi fod o fudd yn y frwydr pan gyrhaeddai'r Tŷ.

Ymatebodd dau neu dri o'r rhain gan ddangos eu cefnogaeth, pobl fel yr Arglwydd Macdonald o Waenysgor a'r Arglwydd Albermarle a oedd yn wrthwynebus iawn i golli unrhyw dir amaethyddol.

Roedd enwau diddorol ar restr yr Arglwydd Ogwr, megis yr Arglwyddi Lloyd, Merthyr, Dinefwr, Silkin, Alexander (y milwr), Reith (y BBC), Howard de Walden, Milford, Caernarfon, Bute (o'r Alban), Raglan, Harlech, Abertawe, Cilcennin, Kemsley, Penfro a Maldwyn, Penrhyn, Powys, Mostyn a Môn. Rhoddwyd enw'r Arglwydd Lucan hefyd.

Yr oedd yn rhaid talu sylw arbennig i lythyrau at ac oddi wrth bobl mewn safle mor dyngedfennol i achos Cwm Tryweryn, a golygai derbyn ateb i'r llythyr cyntaf ysgrifennu ail lythyr i ateb pwyntiau arbennig yn aml iawn. Synnodd weld pa mor bell o Gymru yr oedd nifer o'r Arglwyddi â chysylltiadau Cymreig wedi mynd, yn eu plith yr Arglwydd Lloyd yn Offley, Swydd Herts, a'r Arglwydd Penrhyn yn Towcaster.

Cafwyd llythyrau o ddwylo cymeriadau diddorol fel Mr H. W. J. Edwards, y Tori rhonc a'r cenedlatholwr o Drealaw yn y Rhondda, a'i gyfaill Mr John Briggs-Davidson, A.S., y Ceidwadwr o Chigwell, 'a true English patriot' yn ôl Mr Edwards. Un garw am anfon llythyrau i'r wasg oedd y gŵr o'r Rhondda, a mawr oedd ei ddiddordeb yn achos Cwm Tryweryn.

Daeth llythyrau hefyd oddi wrth bobl na ddeallent y sefyllfa'n iawn ond a gythruddwyd o feddwl am Gorfforaeth dinas fawr fel Lerpwl yn erlid trigolion tlawd na wyddent ble i droi. Yr oedd rhai sylwadau am y gŵr a'i wraig a oedd yn holl nerthol yn Lerpwl, y Braddocks, a'u cynffonwyr, yn dra chryf!

Derbyniwyd copi o lythyr hir a meddylgar a ysgrifennwyd at Arglwydd Faer Lerpwl gan y Parch. James B. Noble, Ph.D., Ll.D., o Gilcain, Sir Fflint. Bu'n aelod o bwyllgorau Corfforaeth Lerpwl cyn ymddeol, a phwysleisiodd wrth yr aelodau yr oedd wedi cydweithio â hwy bwysigrwydd sicrhau iawnderau lleiafrifoedd. Ychwanegodd, 'National traditions should be used and not abused: they should be respected and not despised. Those people who understand Wales and its people want to preserve these traditions'.

Ymysg yr ugeiniau o lythyrau a dderbyniwyd, daeth llawer oddi wrth Gymry a drigai yn Lloegr. Mae'n amlwg i'r bobl hyn, a hefyd nifer fawr o Saeson, deimlo i'r byw ynglŷn â'r hyn a ddarllenwyd am gynlluniau Lerpwl yn y papurau dyddiol, o'r *Times* i'r *Daily Mirror*. Rhoddodd Gwilym Roberts sylw mawr i achos Tryweryn yn y *Daily Post* ond cyfyngwyd y mwyafrif o'i golofnau i argraffiadau a gylchredai yng ngogledd Cymru. Yng ngolwg y cwmni nid oedd Tryweryn yn fater digon pwysig i bobl Lerpwl!

Eraill a ysgrifennodd erthyglau effeithiol oedd Goronwy Powell yn y *Western Mail* a George Tansey yn y *News Chronicle* a *Daily Despatch*. Cafwyd stori a darluniau hefyd yn *Picture Post*. Bu gohebyddion y wasg Seisnig yn hynod o gydymdeimladol ag achos trigolion Tryweryn, a dyna'r rheswm pennaf dros i gymaint o unigolion ymateb ac ysgrifennu at yr Ysgrifenyddes a gofyn yn ddi-baid am iddynt gael eu hysbysu o bob datblygiad. Gwnaeth hyn safle'r Ysgrifenyddes bron yn amhosibl.

Derbyniwyd ugeiniau o lythyrau oddi wrth Gymry yn y wlad hon hefyd fel y gellid disgwyl. Yr oedd delio â'r rhain yn haws ar y cyfan gan y gwyddent beth oedd y sefyllfa a sylweddolent y pwysau. Yr oedd rhai llythyrau yn llawn dwyster oherwydd rhyw gysylltiad arbennig â bro Tryweryn. Cafwyd yr un angerdd mewn llythyrau oddi wrth Gymry Cymraeg a orfodwyd i adael eu henwlad ond a oedd yn pryderu am ei chyflwr.

Derbyniwyd un llythyr hir oddi wrth Mr V. Harris o Hanwell, Llundain, sy'n rhoi enghraifft o'r teimlad cryf a fodolai. Meddai ef:

I wish I could do something to help in the struggle for survival, but as an individual, I can't do as much as the people of the village. I wish I, or someone in Wales, had the gift and ability of Llewelyn Fawr, Prince

*of Gwynedd and Wales to instil the fire and arouse the Nation to resist
the further invasion of the English into Wales. If you have any suggest-
ions as to what I can do in the struggle as an individual, please
command me . . . I am boiling with rage.*

Gorffenna gyda 'Anticipating your reply' a oedd yr nodweddiadol o'r
math hwn o lythyr. Ond beth a allai'r Ysgrifenyddes ei wneud? Golygai
ateb y fath lythyrau lawer o amser ac amynedd. Ysgrifennai
swyddogion cymdeithasau ac undebau lythyrau o gefnogaeth at y
Pwyllgor hefyd.

Er bod y mwyafrif ar Gyngor Dinas Lerpwl yn Llafur eu lliw
gwleidyddol ac o dan bawen y Braddocks, condemniodd llawer o
undebau y Gorfforaeth. Er enghraifft, cafwyd Undeb Glowyr y De,
Undeb Gweithwyr y Rheilffyrdd ac undebau llai, fel yr Association of
Engineering and Shipping Draughtsmen ym Mhorth Talbot, yn
gefnogol iawn i achos y gwrthwynebwyr. Yn rhyfedd iawn, ni roddodd
Undeb y Glowyr yng ngogledd Cymru eu cefnogaeth—ni wyddys y
rheswm.

Un o'r undebau mwyaf brwdfrydig yng Nghymru o blaid y Pwyllgor
Amddiffyn oedd U.C.A.C., ac nid oedd hynny'n rhyfedd; yn un peth yr
oedd yr Ysgrifenyddes ei hun wedi bod yn aelod selog o'r Undeb o'r
cychwyn.

Fel y disgwylid, yr oedd Undeb y Ffermwyr, a'r baban newydd,
Undeb Ffermwyr Cymru, yn gefnogol iawn i'r frwydr yn erbyn y boddi,
ond ni welwyd tystiolaeth i swyddogion yr N.F.U. yn Llundain wneud
dim o bwys trwy ddefnyddio eu dynion yn Nhŷ'r Cyffredin. Gwyddys
fod gan lawer iawn o undebau, mudiadau ac achosion arbennig gyn-
rychiolwyr answyddogol yn San Steffan i hybu eu hachosion. Yn ôl
gwybodusion y dydd, canfasiodd Lerpwl yn galed iawn gan annog
swyddogion cynghorau o bell ac agos i geisio dylanwadu ar eu
Haelodau Seneddol. Dyma sut y gweithia democratiaeth mewn byd
amherffaith!

Yn eu tro derbyniodd cynghorau a mudiadau yng Nghymru lythyrau
gan y Pwyllgor Amddiffyn, ac ymhlith y bwrdeistrefi a anfonodd yn ôl
lythyrau o gefnogaeth—a chopi i Lerpwl—yr oedd Wrecsam, y

Rhondda, Aberteifi, Llanymddyfri, Caernarfon, Dinbych, Pontypridd a Fflint.

Clywyd oddi wrth tua dau ddwsin o gynghorau trefol, nifer ohonynt o bell, yn Saesneg eu hiaith, ond yn frwd yn eu cefnogaeth, ac yn eu plith gynghorau Aber-carn, Glyn Ebwy, Mynydd Islwyn a Bryn Mawr yn y de-ddwyrain, a Phrestatyn yn y gogledd-ddwyrain.

Cafwyd cefnogaeth gan rai dwsinau o gynghorau gwledig hefyd, o'r Fali ym Môn i Gasgwent ger y ffin â Lloegr yn y de. Ymysg y cynghorau hyn yr oedd nifer o rai digon Seisnig, megis Brycheiniog a De Penfro.

Credir i ddwy fwrdeistref, naw cyngor trefol a phedwar cyngor gwledig ddweud na fyddent yn cefnogi'r ymgyrch.

Ambell waith clywyd am unigolion yn frwdfrydig o blaid Lerpwl ac yn dylanwadu ar eu cyd-gynghorwyr. Un o'r rhain oedd y cynghorydd o Gorris ar Gyngor Plwyf Tal-y-llyn, a gwrthod rhoi cefnogaeth i'r Pwyllgor Amddiffyn oedd penderfyniad y Cyngor hwnnw.

Roedd hi'n annisgwyl ac yn siomedig bod cynghorau yn yr un sir â Chwm Tryweryn yn penderfynu fel hyn, ond mwy anarferol fyth oedd gweld Cymry Cymraeg o Wynedd yn cefnogi Lerpwl. Un o'r rhain oedd y Parch. Owen Jones o Roshirwaun a ddywedodd yng nghyfarfod blynyddol Undeb Bedyddwyr Llŷn ac Eifionydd mai'r cenedlaetholwyr, nid Lerpwl, oedd y troseddwyr yn ei farn ef, gan iddynt greu teimladau cas rhwng gwlad a gwlad. Er iddo gael aelod o'i eglwys i'w gefnogi, colli'r bleidlais a wnaeth. Penderfynwyd anfon llythyr o gefnogaeth i'r Pwyllgor Amddiffyn.

Bu rhai llythyrau yn fwy buddiol na'i gilydd wrth gwrs. Yn Ebrill 1956 derbyniwyd llythyr hir oddi wrth Mr D. Teifigar Davies o Ddolanog yn rhoi amlinelliad o hanes cynllunio Lerpwl yn ei fro ef. Dywedodd iddo weld gŵr wedi ei wisgo fel heiciwr yn cerdded o gwmpas yr ardal yn edrych ac yn mesur, heb ofyn caniatâd gan neb. Soniodd wedyn am y tir fesuryddion yn dod i archwilio'n fwy manwl eto, hyd y gwyddai ef, heb ganiatâd. Ymddengys mai dyna ffordd y Gorfforaeth o weithredu; cwblhau cynlluniau heb unrhyw gyhoeddusrwydd ac yna dangos eu cynlluniau gorffenedig gan roi'r argraff i'r tyner a'r naïf ei bod yn rhy hwyr i wrthwynebu.

Pan sylweddolodd Mr Davies beth oedd ar gerdded, ymghynghorodd yn syth â'i Aelod Seneddol, ond cyngor hwnnw oedd mai 'anfuddiol fyddai symud dim nes gweld a benderfynai Lerpwl gyflwyno mesur Seneddol'.

Ni wrandawodd Mr Davies (dyn craff a diwylliedig yn ôl ffurf a chynnwys ei lythyr) ar ei Aelod Seneddol, ac aeth ati gyda thrigolion yr ardal i gael gafael ar bobl y cyfryngau i wyntyllu'r perygl i ardal Ann Griffiths. Fel y gwyddys, bu'r dacteg yn llwyddiannus; ildiodd y Gorfforaeth.

Awgrymodd Mr Davies un neu ddau o gamau y gallai Pwyllgor Amddiffyn Capel Celyn eu cymryd, a dywedodd mor anodd ydoedd i gael gwleidyddion o wahanol bleidiau i gydweithio, yn enwedig gyda Phlaid Cymru. Tueddai rhai i roi lles eu plaid o flaen amddiffyn y gwerthoedd a'r traddodiadau a berthynai i fywyd y genedl.

Eisoes sylweddolai aelodau'r Pwyllgor Amddiffyn fod perygl mewn closio gormod at un blaid wleidyddol, ond y ffaith syml oedd mai arweinwyr Plaid Cymru oedd y mwyaf parod eu hymateb. Ni allai'r Pwyllgor fforddio gwrthod cymorth o unrhyw gyfeiriad. Trafodwyd y mater yn y wasg hefyd. Yn ôl gohebydd arbennig yn y *Guardian*, 30 Hydref 1956, 'The Welsh Nationalist are seometimes their own worst advocates. Their own fervency, rightly or wrongly, can be self defeating; it makes them suspect in the quarters that matter'. Er i'r gohebydd hwn ailadrodd honiad Lerpwl mai dim ond 5% o'r trigolion oedd yn erbyn cynllun y boddi, cyfaddefai iddo ef ddarganfod stori bur wahanol.

Fel yr awgrymwyd eisoes, cafwyd ymateb eithriadol o gyfeiriad henaduriaethau ac eglwysi. Gellid disgwyl i eglwysi M.C. Dwyrain Meirionnydd ddatgan cefnogaeth i un o'u heglwysi bach yn yr Henaduriaeth, ond daeth y cefnogaeth o bob cyfeiriad, de a gogledd. Clywyd, er enghraifft, oddi wrth eglwys Ebeneser, Casnewydd, eglwys Saesneg Llangwm (Glasbury) ger y ffin yn Sir Frycheiniog, eglwys Wheeler Street yn Birmingham a llawer o rai eraill yn fawr a bach eu haelodaeth. Cynrychiolai'r llythyrau hyn farn a theimlad rhai miloedd o bobl, ond ni roddai llywodraethwyr Prydain Fawr lawer o sylw i bwysau o gyfeiriad mudiadau crefyddol yn ystod y ganrif hon.

Daeth cefnogaeth i'r Pwyllgor Amddiffyn o bob math o fudiadau eglwysig, yn synodau, cyrddau chwarter a chynghorau undebol, Saesneg a Chymraeg eu hiaith, a rhoddodd *Y Llan, Y Tyst, Y Goleuad, Y*

Gwyliedydd ac eraill le teilwng i frwydr Tryweryn ar eu tudalennau. Bryd hynny, ni ellid agor na chylchgrawn na phapur newydd heb weld adroddiad neu lythyr ynglŷn â'r frwydr yn erbyn boddi Cwm Tryweryn. Trwy gydol yr amser bu cyhoeddiadau Plaid Cymru, yn ogystal â'r *Faner* a'r *Cymro* yn gymorth mawr i hysbysu'r cyhoedd o'r datblygiadau.

Un enwad bychan a siomodd yr Ysgrifenyddes ar ôl ei hymdrechion dygn i gysylltu â phob math o gymdeithasau a chlybiau oedd y Crynwyr. Clywyd oddi wrth Grynwyr Lerpwl a ddywedodd nad oeddent am roi eu cefnogaeth i'r Pwyllgor Amddiffyn er bod mynwent teuluoedd yr arwyr o Gymdeithas y Cyfeillion a aeth i Bennsylvania i gael ei boddi gan y dŵr.

Derbyniwyd llythyr hefyd oddi wrth Ysgrifennydd Cymdeithas Cristnogol y Tymbl, Mr E. P. Jones, yn dweud iddo roi mater Tryweryn o flaen cyfarfod misol de Cymru ac i'r aelodau a oedd yn bresennol, 'Saeson bron i gyd, wrthod yn bendant anfon unrhyw brotest'. 'Enwad Seisnigaidd ydyw'r Crynwyr,' meddai, 'a Saeson yn gyntaf.' Ymddengys mai'r unig Grynwr a'i cefnogodd oedd y bardd annwyl Waldo Williams.

Cynhaliwyd amryw o gyfarfodydd cyhoeddus heb sail wleidyddol iddynt yn ôl dymuniad y Pwyllgor Amddiffyn, mewn lleoedd fel Blaenau Ffestiniog, Birmingham ac ati, ond yr oedd yn anodd datgysylltu'r elfen wleidyddol gan mai seiliau gwladgarol oedd i'r anghydfod a llywodraeth y dydd fyddai'n penderfynu yn y pen draw. Aeth nifer o bobl oddi amgylch yn wirfoddol i egluro'r sefyllfa a cheisio ennyn diddordeb, pobl fel E. P. Roberts, Tom Jones a Moses Griffith, tra aeth Gwynfor Evans i Birmingham a Lerpwl. Bûm innau'n annerch cymdeithasau Cymraeg yng nghanoldir Lloegr a lleoedd fel Derby, ac yr oedd y Cymry yn deffro. Beth bynnag am eu daliadau gwleidyddol personol yr oedd llawer o bobl amlwg ym myd llên, dysg a diwylliant yn dechrau dod yn bobl gyhoeddus ac yn datgan eu gwrthwynebiad i gynllun Corfforaeth Lerpwl.

Gwelwyd effaith yr ymgyrch hwn mewn rali fawr a drefnwyd gan swyddogion Plaid Cymru ar 29 Medi 1956 mewn maes gerllaw afon Tryweryn islaw hen Goleg Diwinyddol y Bala. Daeth tua phedair mil i'r rali hon dan gadeiryddiaeth R. E. Jones o Lanberis, a chrewyd naws arbennig gan Seindorf Arian Tref y Bala.

Wedi'r agoriad, darllenodd y Cadeirydd neges oddi wrth De Valera o Iwerddon: 'Material economic advantages,' meddai, 'are far too dearly bought when secured at the loss of an inspiring inheritance.' Yna pwysleisiodd y Cadeirydd mai cynhadledd genedlaethol ac nid un i leisio barn unrhyw blaid oedd hon. Gobeithiai y byddai'r amgylchiad yn rhoi arweiniad i'r Aelodau Seneddol Cymreig pan welent faint y gwrthwynebiad.

Yn ogystal â George Thomas a David Llewellyn, yr oedd Iorwerth Thomas hefyd yn hollol ddi-gydymdeimlad tuag at achos pobl ardal Tryweryn. Yn ddigon annisgwyl yr oedd Ness Edwards, Caerffili, a 'Thad Tŷ'r Cyffredin', sef D. R. Grenfell, Llafur, yn ochri gyda Lerpwl yr adeg yma. Yr un Aelod Seneddol, dylanwadol ac uchel ei gloch a gwych ei areithiau nad agorodd ei geg yn gyhoeddus ar y mater oedd Aneurin Bevan. Hyd y gwyddys, ni ddangosodd unrhyw ddiddordeb yn y frwydr.

Y cyntaf o siaradwyr swyddogol y rali oedd Dr. Iorwerth Peate, Pennaeth yr Amgueddfa Werin. Cymharodd ef sefyllfa pobl Tryweryn â phobl Bannau Brycheiniog a chwalwyd yn 1940. 'Pe bai i bentref Seisnig fynd dan y dŵr,' meddai, 'parhâi'r iaith Saesneg, iaith y byd, yr un mor gryf . . . Pan ddigwydd y fath beth yng Nghymru, golyga dranc yr iaith, y diwylliant Cymreig a'r ffordd o fyw. Rhaid rhwystro Corfforaeth Lerpwl rhag lladd enaid y genedl trwy foddi Tryweryn.'

Myfyriwr ifanc o Gaer-grawnt, sef Mr Alwyn Roberts, oedd y siaradwr nesaf, a'i brif bwynt ef oedd mai awdurdod estron nad oedd dan unrhyw reolaeth leol, ac nid y trigolion neu eu cynrychiolwyr, oedd yn trefnu'r holl gynlluniau. Gormes, nid democratiaeth, oedd hynny. Yr oedd anghyfiawnder ynghlwm wrth ddull Lerpwl o weith- redu.

Nid oedd Syr Thomas Parry, Pennaeth y Llyfrgell Genedlaethol ar y pryd, yn gallu bod yn bresennol, ond darllenwyd ei araith gan Mr Elwyn Evans. Datganodd ei bryder am y darnio cymdeithas a oedd yn digwydd yng Nghymru a phwysleisiodd fod y math o gymdeithas a oedd yng Nghapel Celyn, sef ardal heb bobl ddi-Gymraeg, yn un arbennig iawn.

Tanlinellodd Dr. Gwenan Jones, Llandre, gynt o gylch y Bala, yr un pwynt, gan bwysleisio na ddylid byth ladd cymdeithas a diwylliant fel yr oedd Corfforaeth Lerpwl yn bwriadu ei wneud.

Ymdrin â'r ochr economaidd wnaeth Mr Tom Jones, Llanuwchllyn. Dywedodd fod cyfanswm busnes o ugain mil o bunnau'r flwyddyn yn deillio o ffermio yn yr ardal, ac y byddai colli ffermydd yn golled drom i economi'r fro. Yr oedd ef yn hyderus na fyddai'r ffermwyr yn barod i werthu. Yr oedd Lerpwl yn bwriadu prynu tir o boptu'r afon i lawr o'r gronfa i gyfeiriad y Bala hefyd, a byddai hynny'n rhoi nerth ychwanegol iddynt.

Pan gododd Mr Gwynfor Evans, Llywydd Plaid Cymru, i siarad, cafodd gymeradwyaeth hir a byddarol er mai cynulleidfa gymysg iawn oedd yno. Oherwydd bod cymaint o bobl ddi-Gymraeg yn bresennol a chan ei bod hi'n bwysig bod gohebyddion o bapurau Saesneg yn gallu codi pwyntiau a rhoi cyhoeddusrwydd i'r rali, yn Saesneg y bu'r rhan fwyaf o araith y Llywydd.

Rhybuddiodd fod cynllun Corfforaeth Lerpwl yn hollol gyfreithiol yn ôl sefyllfa gyfansoddiadol y dydd. Yr hyn oedd yn warthus oedd bod dinas mewn un wlad yn gallu troi at ardal mewn gwlad arall a'i difrodi heb unrhyw gywilydd. Pe bai gan Gymru fodolaeth wleidyddol a'i had-eiladwaith gweinyddol ei hun, ni allai'r fath beth ddigwydd. Nid oedd gan Gymru yr hawl i reoli penderfyniadau gwladwriaeth Lloegr ond gallai, a dylai, reoli ei gwladwriaeth ei hun. Adlewyrchai cyfyngder Tryweryn gywilydd y sefyllfa yng Nghymru.

Diwrnod da i achos Tryweryn oedd hwnnw. Bu darllen am y nifer o bobl a ddaeth i'r rali yn agoriad llygad i lawer o Gymry nad oeddent wedi cymryd llawer o ddiddordeb hyd hynny. Wedi i Ioan Bowen Rees ac Annie Roberts, Ffestiniog, gloi'r cyfarfod, aeth pawb i ffwrdd yn llawn gobaith a hyder.

Bu nifer o gyfarfodydd yng Nghymru a Lloegr yn dilyn y diddordeb cynyddol hwn. Er enghraifft, cafodd Gwynfor Evans wahoddiad i siarad yn yr International Centre yn Birmingham, ac aeth J. E. Jones, Ysgrifennydd y Blaid, i annerch cangen Glannau Merswy o Blaid Cymru.

Ymatebodd Cymry Lerpwl hefyd yn frwdfrydig i gais am gefnogaeth gan y Pwyllgor Amddiffyn. Ffurfiasant hwy eu pwyllgor amddiffyn eu hunain ac fe roddodd aelodau'r pwyllgor hwn, dan gadeiryddiaeth y Parch. D. Hughson Jones, amser caled iawn i John Braddock a'i ddilynwyr ar Gyngor y Ddinas mewn un cyfarfod arbennig.

Un o'r pwysicaf o'r cyfarfodydd a drefnwyd gan Gymry Lerpwl oedd yr un a gynhaliwyd ar 26 Medi 1956. Yn y cyfarfod hwn y clywyd am y tro cyntaf am gynllun Mr J. F. Pownall, Peiriannydd Dŵr o Birmingham, sef y Contour Canal System o ddosbarthu dŵr.

Cysylltwyd â llawer o gylchgronau Saesneg hefyd, megis y *Peace News* yn Llundain a'r *Scot Independent* yn Stirling, yn ogystal â thua dau ddwsin ohonynt o'r wasg wythnosol Saesneg yng Nghymru.

Am i Gorfforaeth Lerpwl beidio â chysylltu'n uniongyrchol â phobl Cwm Tryweryn trwy gyfrwng eu Pwyllgor Amddiffyn, penderfynodd aelodau'r Pwyllgor hwnnw anfon at y Gorfforaeth yn gofyn i Gyngor y Ddinas dderbyn dirprwyaeth oddi wrth y gwrthwynebwyr, ond gwrthod a wnaethant. Y rheswm a roddwyd yn gyhoeddus oedd nad oedd yn arferiad gan y Cyngor Dinesig i dderbyn dirprwyaeth. Yr oedd pwysau mawr ar waith arferol y Cyngor, meddid, ond gellid derbyn dirprwyaeth ym Mhwyllgor Dŵr y Ddinas.

Yn wyneb difrifoldeb anarferol y mater, dywedodd y Pwyllgor Amddiffyn y dylai Cyngor y Ddinas ymadael â'u dull arferol o weithredu a rhoi gwrandawiad teilwng o flaen y Cyngor llawn. Wedi'r cyfan, ni threfnwyd unrhyw ymchwiliad cyhoeddus i ystyried teilyngdod achos Lerpwl. Pe rhoddid gwrandawiad, yna byddai'r Cyngor yn dangos i'r byd fod eu bwriadau'n ddilychwin a'u bod yn parchu'r egwyddorion democrataidd a goleddid yn y wlad.

Gwnaed y cais cyntaf ar 25 Mai 1956, a'r ail bythefnos yn ddiweddarach, ond negyddol fu'r ateb. Haerid y byddai cynrychiolwyr o Gapel Celyn yn cael gwell sylw gan ugain o aelodau yn y Pwyllgor Dŵr nag a gaent gan 160 yn y Cyngor mawr ei hun.

Y canlyniad oedd dim symud. Ar un llaw mynnai Pwyllgor Amddiffyn Capel Celyn fod maint y broblem y tu hwnt i ffiniau pwyllgor israddol a oedd wedi penderfynu ar y cynllun beth bynnag, ac ar y llaw arall, dywedai'r Gorfforaeth nad oedd yn bosibl i'r Cyngor Dinesig roi'r gorau i'w patrwm o weithredu a newid trefn eu busnes.

Yr oedd agwedd Lerpwl tuag at dderbyn y ddirprwyaeth yn un haer-

llug iawn o ystyried yr aelodau a oedd wedi addo cynrychioli'r
Pwyllgor Amddiffyn. Dyma'r rhestr:

T. W. Jones, A.S., arweinydd, Gwynfor Evans, Syr Ifan ab Owen
Edwards, Syr David Hughes Parry, T. I. Ellis, E. J. Jones (Cadeirydd
Cyngor Sir Meirionnydd), Cyril O. Jones, Thomas Jones, Gwilym T.
Jones (Clerc Cyngor Sir Caernarfon), David Roberts (Cyngor Gwledig
Penllyn), O. Roberts, David Roberts ac Elizabeth Watkin Jones—y tri
olaf yn aelodau o Bwyllgor Amddiffyn Capel Celyn.

Ailadroddodd Lerpwl y stori bod pobl Capel Celyn yn gwrthod
cyfarfod â hwy mor aml nes i lawer o Aelodau Seneddol a phobl na
chawsant gyfle i glywed y gwir, eu credu. Trigain o bobl, a oedd i
dderbyn iawndal teilwng, o ardal ddiarffordd a llwm, yn ceisio am-
ddifadu miliwn a mwy o bobl Lerpwl a'r cylch o ddŵr glân. Dyna'r
darlun a gyflwynwyd gan y Gorfforaeth. Mynnent fod agwedd gyfeill-
gar tuag at Lerpwl yn parhau yng Nghymru. Onid oedd Llys yr
Eisteddfod wedi dangos diddordeb mawr yn yr wybodaeth fod Cyngor
Dinesig Lerpwl yn ystyried gwahodd yr Eisteddfod Genedlaethol i'r
Ddinas?

Beirniadwyd y fath ragrith yn llym gan D. Alun Lloyd mewn llythyr i'r
Daily Post. Ni ddatgelwyd beth oedd yr iawndal i fod. Onid tenantiaid
oedd y mwyafrif o'r trigolion? Ni ddatgelwyd ychwaith faint o'r dŵr a
oedd i'w werthu ar gyfer diwydiant awdurdodau cyfagos. Ni allai gwŷr
y Gorfforaeth ddirnad y golled o ran iaith a diwylliant.

Mynd ymlaen â chynllun Tryweryn oedd penderfyniad pendant y
Pwyllgor Dŵr. Byddid yn rhoi'r mesur o flaen Cyngor y Ddinas ar 7
Tachwedd 1956.

PENNOD 16

Ymateb ac Ymgyrch

Oherwydd bod y ddwy ochr yn yr ymrafael yn dal at eu safbwynt, nid oedd llawer o obaith am drafod a chyfaddawdu yn Hydref 1956, ond wedi hir feddwl ar ran y Pwyllgor Amddiffyn, penderfynwyd y byddai tri chynrychiolydd yn mynd i Lerpwl yn ddiwahoddiad, ac yn mynd i mewn i Neuadd Sant Siôr pan oedd y Cyngor llawn yn eistedd er mwyn cael annerch yr aelodau. Byddai hynny'n tynnu sylw dinasyddion y Ddinas i argyfwng trigolion bro Tryweryn.

Y cynllun oedd i'r Henadur Gwynfor Evans godi yn eisteddle'r cyhoedd o fewn y neuadd a gofyn yn gwrtais am ganiatâd yr Arglwydd Faer i annerch y Cyngor. Pe rhoddid caniatâd byddai'r ail gynrychiolydd, sef Mr David Roberts o Gapel Celyn, yn cyfarch yr aelodau yn Gymraeg ac yn apelio at y Gorfforaeth ar ran trigolion Cwm Tryweryn. Byddai'r Henadur Gwynfor Evans yn annerch wedyn, a byddai'r trydydd cynrychiolydd, sef Dr Tudur Jones, golygydd swyddogol y Blaid, yn cofnodi'r digwyddiad a'r holl bethau a ddywedwyd.

Cymerodd y tri dyn eu seddau yn Neuadd y Cyngor tua hanner awr cyn agor y cyfarfod, a buan y gwelsant fod eisteddiad y Cyngor y diwrnod hwnnw yn mynd i fod yn un cecrus a swnllyd.

Yr ail eitem ar y rhestr o faterion i'w trafod oedd cyflwyno penderfyniad fod y Cyngor yn condemnio gweithredoedd Llywodraeth Dorïaidd Prydain a'r Prif Weinidog Syr Anthony Eden yn Suez.

Yr oedd cyflwyno'r fath benderfyniad, â milwyr y Goron yn ymladd ar dir estron pell, yn ysgelerder gwarthus i'r Ceidwadwyr ar y Cyngor, ond rhoddwyd y mater i bleidlais, ac oherwydd mwyafrif arferol y Blaid Lafur ar y Cyngor, pasiwyd y penderfyniad gyda mwyafrif o ddeg ar hugain. O ganlyniad, cododd y Ceidwadwyr oll o'u seddau, ac i dôn 'Land of Hope and Glory', diflanasant o'r neuadd, ac ni ddychwelasant y prynhawn hwnnw.

Gyda hynny, cododd arweinydd y Sosialwyr, yr Henadur John Braddock, ar ei draed i dynnu sylw'r Arglwydd Faer, yr Henadur John Sheeham, at y ffaith fod dirprwyaeth o fewn yr adeilad a oedd am gael sylw'r Cyngor. Edrychodd y tri Chymro ar ei gilydd. Yr oedd Cyngor Dinas Lerpwl yn derbyn dirprwyaeth wedi'r cyfan!

Ataliwyd gwaith y Cyngor dros dro tra bu'r Arglwydd Faer, Mrs Bessie Braddock, A.S., a rhai uchel swyddogion yn derbyn y ddirprwyaeth. Pan ddychwelasant, dechreuwyd condemnio'r Torïaid am eu habsenoldeb. Yr oeddynt yn amharu ar y broses ddemocrataidd ac yn dangos diffyg parch i achos yr Arabiaid yn Suez.

Oherwydd absenoldeb y Torïaid, aeth gwaith y Cyngor yn ei flaen yn rhwydd a chyflym nes cyrraedd eitem ynglŷn â chaniatáu £30,000 i'r Pwyllgor Dŵr i'w gwario ar archwiliadau yn gysylltiedig â chronni dŵr yn Sir Feirionnydd. Dyma gyfle i'r tri Chymro.

Dywedodd Dr. Gwynfor Evans rai blynyddoedd wedyn, 'Efallai mai'r munud mwyaf cyffrous i mi yn yr ymgyrch oedd pan gefais annerch Cyngor Lerpwl: rhywbeth na wnaeth dieithryn erioed o'r blaen am wn i'.

Cododd yr Henadur Cain i gyflwyno argymhellion y Pwyllgor Dŵr, ond er syndod i bawb, cododd yr Henadur Gwynfor Evans gyda'r cyfarchiad, 'My Lord Mayor, will you accept a deputation from Wales?'

Distawrwydd llwyr.

'The plan to drown Tryweryn has aroused deep opposition throughout Wales,' ychwanegodd yr ymwelydd.

Gyda hyn ffrwydrodd y neuadd dan weiddi'r cynghorwyr.

'Order, order!' gwaeddodd rhai.

'Throw them out!' bloeddiodd eu cymrodyr.

'Go back to Wales!' gwaeddodd eraill.

Trawai'r Arglwydd Faer ei ford yn barhaus gyda'i forthwyl bach gan geisio galw ar yr heddlu, ond ni chlywai neb yr alwad.

Er gwaethaf y twrw, clywyd gwaedd yr Henadur o Langadog yn atsain. 'You condemn the Tories for not putting their case. Why not let Wales put her case? If aggression is wrong in Egypt, can it be right in Wales?'

Yna, o'r diwedd, daeth y Rhingyll a'i lyfryn gan dywys y 'drwgweithredwyr' o'r neuadd i fanllefau democratiaid Cyngor y Ddinas. Y fath hyfdra; yr oedd y 'Welsh extremists' yna wedi andwyo'r prynhawn.

Cafodd y digwyddiad lawer o gyhoeddusrwydd yn y wasg, a gellid gweld y papurau dyddiol o'r *Times* i lawr yn ochri gyda'r Cymry i raddau helaeth. Yn y cyfeiriad hwn nid anwylodd yr Henadur Braddock ei hun i neb ar wahân i'w ddilynwyr oherwydd ei iaith flagardus a'i ddywediadau eithafol am Gymru a'i phobl.

Yn aml iawn yn y wasg, cymherid sefyllfa Capel Celyn â thynged y pentref dychmygol a bortrewyd yn ffilm boblogaidd Emlyn Williams, *The Last Days of Dolwyn*, a chyflwynodd rhai gohebyddion olwg teimladwy, os nad sentimental, ar y sefyllfa. Yr oedd papurau fel y *Sunday Pictorial* a'r *Mirror* wrth eu bodd. Ni wyddys ai tynged Tryweryn ynteu gwerthiant eu papurau oedd eu cymhelliad.

Cysylltodd pob math o bobl o'r byd newyddiadurol â'r Ysgrifenyddes, megis Leslie Perrin o gwmni Record Exploitation and Press Relations ar ran y rhaglen *This Week* ar y teledu, ac anfonwyd uned ffilmio i Gwm Tryweryn. Er mai rhan o'i waith oedd casglu cynnyrch ar gyfer y teledu, yr oedd yn amlwg bod gan y gŵr hwn gydymdeimlad dwfn â phobl Capel Celyn. Un peth a wnaeth yn wirfoddol ar ran y Pwyllgor Amddiffyn oedd trefnu i stori Tryweryn gael ei lledaenu ar y cyfryngau

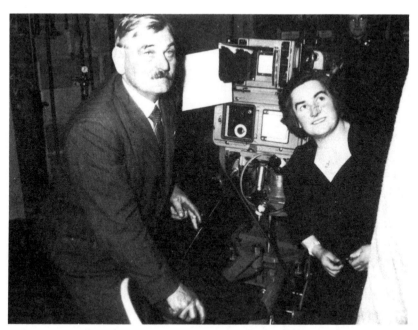

Yr Ysgrifenyddes a'i thad yn stiwdio Granada.

ar hyd a lled Unol Daleithiau America. Rhoddodd cwmni teledu Gran-
ada hefyd, trwy H. K. Lawenhak, gymorth i ennill cyhoeddusrwydd i
achos pobl Capel Celyn. Trefnwyd cerbydau i gludo pobl yr ardal i'r
stiwdio ym Manceinion a rhoi cyfle iddynt, gyda chymorth Gwynfor
Evans, wynebu'r Henadur Cain o Lerpwl o flaen y camerâu. Mewn
rhaglen gyffelyb o'r enw *Under Fire*, cafodd yr Henadur Cain a
Kenneth Thomson, Aelod Seneddol Walton, amser digon annym-
unol oherwydd gwendid eu dadl. Dangosodd y B.B.C. ddiddordeb
hefyd, gyda Miss Nan Davies, Trefnydd Sgyrsiau Rhanbarthol Cymru,
yn bwydo rhaglenni radio, ac eitemau fel 'The Dragon's Teeth' yn
dadlennu'r ffeithiau ar y teledu.

Yn y rhaglen honno cynrychiolwyd Tryweryn gan y Fonesig Megan
Lloyd George a D. W. Jones-Williams o Gyngor Sir Meirionnydd, gyda
Syr Geoffrey Summers, Cadeirydd Bwrdd Dŵr Dyfrdwy a Chlwyd a
phennaeth y gwaith dŵr, ac A. E. Fordham, Ysgrifennydd Adran Ddŵr
Penbedw, yn rhoi'r ddadl dros gael cronfa newydd. Dangoswyd ffilm
yn cyfleu'r cam a wnaed a chafwyd araith fer gan Ivor Morgan o Gwm
Elan. Wedyn siaradodd Ysgrifenyddes y Pwyllgor Amddiffyn gan
gyfeirio at yr ymateb eithriadol a'r gefnogaeth a ddeuai o bob cyfeiriad.
'Ein polisi ni yw gwrthwynebu'n llwyr a chwbl ddigyfaddawd,' meddai.
Ond ym marn H. R. Davies, cynrychiolydd Cyngor Tref y Bala, yr oedd
agwedd y Pwyllgor Amddiffyn yn un gwbl afresymol. Mynnai fod ei
Gyngor ef yn bendant o blaid Lerpwl.

Yn ystod y misoedd pryderus pan oedd yr ymryson yn datblygu, bu
llawer o gyfeillion y Cwm yn weithgar iawn, gan gynnwys Dr. Dafydd
Jones a ddaeth yn feddyg ymgynghorol yn Ysbyty Dinbych yn ddiwedd-
arach. Ar y pryd yr oedd 'Dafydd Als' ar fin sefyll ei arholiadau. Eto,
rhoddodd oriau lawer o'i amser i wneud ymchwiliadau ar ran y
Pwyllgor Amddiffyn. Pobl weithgar eraill oedd Arwyn Charles o
Brifysgol Leeds, a Dr. Gareth Rees. Casglasant enwau a darparu dogfen
i brotestio yn erbyn bwriad Corfforaeth Lerpwl i gyflwyno mesur
preifat yn Nhŷ'r Arglwyddi. Pan ddatgelwyd y ffaith nad oedd gan
Aelodau Seneddol yr hawl i drafod y mesur nes i'r Arglwyddi orffen
gydag ef, sylweddolwyd gyda siom fawr fod Cymru yn ddiymadferth
mewn sefyllfaoedd o'r fath—yr union beth yr oedd y cenedlaetholwyr
wedi bod yn ei bregethu.

Tynnodd yr ysgolhaig Arwyn Charles sylw at yr anghyfiawnder hwn gan nodi bod cyflwyno'r mesur ar rybudd mor fyr, trwy'r drws cefn megis, yn gwadu'r cyfle i unrhyw gymdeithas, heb drefniadau a chyfleusterau gweinyddol parod, i gasglu cefnogaeth i'w hachos. Nid oedd mesurau preifat fel hyn yn gymwys ar gyfer materion gyda chymaint o ganlyniadau cymdeithasol pa mor fychan bynnag oedd rhif y trigolion a oedd i ddioddef eu dadwreiddio.

Olrheiniodd y protestiwr hanes Corfforaeth Warrington yn 1923 pan hawliodd Captain Reid ar eu rhan fod angen 23 miliwn galwyn y dydd i foddhau gofynion y Gorfforaeth am 10-15 mlynedd. Eto, ar ôl 33 mlynedd, nid oedd Warrington yn defnyddio 20% o'r hyn y gofynnwyd amdano! Yr oedd Warrington wedi gor-ddweud eu hanghenion, ac yr oedd Lerpwl yn gwneud yn union yr un peth.

Aeth y ddogfen yn fanwl, fanwl, i ystadegau Pwyllgor Dŵr Lerpwl, a chynigiwyd eglurhad am y fath ofynion:

'The most important reason, clearly, seems to be the need to establish the City's right to so favourable a site and to such excellent sources before the rights become more difficult to obtain'.

'There is also the advantage of being able to sell bulk water supplies to other authorities. This enables the Corporation not so much to show a cash profit,—for that would cause an unwelcome increase in the rateable value of the waterworks, as to subsidize its own water supplies'.

Ychwanegodd fod yr awdurdodau Seisnig eisoes yn berchen bron ddwywaith nifer y cronfeydd a oedd yn eiddo i'r awdurdodau yng Nghymru, ac yr oedd Lerpwl yn ceisio sicrhau digonedd o ddŵr ar gyfer diwydiant yn ystod yr hanner canrif nesaf.

Yr oedd y cynllun hwn i sicrhau cyflenwad enfawr o ddŵr ar gyfer diwydiant ychwanegol yn rhywbeth na allai mannau fel Môn ac Arfon, gyda'u canran uchel o ddiweithdra, ei ystyried gydag unrhyw gydymdeimlad.

Dylid cyfyngu, meddid, ar yr ehangu mawr a fu ym mhoblogaeth dinasoedd fel Llundain a Lerpwl. Pe gwnaed hynny a chodi lefel y dŵr ychydig yn eu cronfeydd eraill, fel Llyn Efyrnwy, gallai Lerpwl gael 3 miliwn galwyn ychwanegol o ddŵr heb fawr o drafferth.

Dyma ddogfen a ddadansoddodd y pwnc mewn ffordd hynod eff-
eithiol. Atgyfnerthwyd pwyntiau drwy gyfeirio at Adroddiadau
Comisiwn fel un Paley a Barlow. Cyfeiriwyd hefyd at arolygon a wnaed
gan Drefnyddiaeth y Gwledydd Unedig. Gwawdiwyd y syniad poblog-
aidd y byddai Sir Feirionnydd yn derbyn arian mawr mewn trethi. Yn
un peth, nid oedd y Gorfforaeth yn mynd i adeiladu pibell hir o Dry-
weryn fel y disgwylid, ond yn hytrach gymryd y dŵr o afon Dyfrdwy ger
Caer.

Y wers a ddysgwyd o Sir Drefaldwyn oedd, pan ddeuai arian i mewn i
un llaw o'r newydd, collid yr un swm o'r llaw arall.

Yr oedd dadleuon Arwyn Charles o blaid y Cymry yn ymddangos yn
rhai cryf iawn, wedi eu hystyried yn drwyadl, ac wedi eu cyflwyno yn
fanwl a gofalus.

Cyfeiriodd Arwyn Charles hefyd at gynllun a eglurwyd yn y *Western
Mail* a mannau eraill gan J. F. Pownall, peiriannydd dŵr Birmingham.
Yr oedd ef wedi cyhoeddi papur ym Mai 1952 dan y teitl *Water Supplies
and the Grand Contour Canal*. Wedi i gynnwrf Tryweryn godi, cysyll-
todd Mr Pownall ag Ysgrifenyddes Pwyllgor Amddiffyn Capel Celyn a
chynnig ei lafur iddynt am ei dreuliau yn unig.

Sylfaen ei gynllun oedd defnyddio camlasau fel y Grand Canal ar
amlinell o 310 troedfedd uwch lefel y môr i wneud un gamlas fawr gys-
ylltiedig ar ffurf grid a fyddai'n gweithredu fel llwybr i fadau (fel yn yr
hen amser), a llinellau canghennog i ddosbarthu dŵr.

Byddai'r brif linell yn rhedeg i'r de o Newcastle-upon-Tyne, heibio i
Skipton ac ymylon Manceinion, sef dwyrain Sir Gaerhirfryn, ac i lawr i
gyfeiriad Birmingham lle y byddai'n gwahanu, gydag un fraich yn mynd
i gyfeiriad Llundain a'r llall i'r de-orllewin i gyfeiriad Bryste. Wedyn
byddai canghennau pellach yn ymestyn i leoedd fel Southampton.

Byddai Lerpwl a'r cylch yn gallu torri i mewn i'r grid hwn o ddau gyf-
eiriad, a Chaer fyddai'r man deheuol pellaf.

Bwydid y grid gan ddŵr o Gymru, o afon Dyfrdwy, er enghraifft, ac
o'r Pennines, ac amcangyfrifid y byddai'r cynllun yn costio £30 miliwn.
Yn ôl y peiriannydd, 'The water grid would mean new deal for Wales
. . . by crediting reasonable payments to source areas'.

Yr oedd y syniad yn un cyffrous a beiddgar, ond, er gwyched y
dadleuon o'i blaid (a phwy a ŵyr na ddaw y cynllun i rym ryw ddydd),

cynllun tymor hir ydoedd, gan y gofynnai am gydweithrediad rhwng nifer o awdurdodau a fyddai'n talu'r gôst—ac yn ôl pob tebyg byddai dadlau di-ben-draw ynglŷn â hynny.

Yr oedd gan Lerpwl, ar y llaw arall, wobr euraid o fewn eu golygon, ac fe fyddai'n ffôl iddynt adael iddi lithro o'u dwylo. Felly, trwy ddatganiadau aml i'r wasg, gwthiwyd y syniad fod y sefyllfa yn un beryglus i drigolion Lerpwl a bod cael gafael ar gyflenwad newydd, digonol yn fater o bwys mawr. Yr oedd brys dychrynllyd.

Ymysg aelodau Cyngor Dinesig Lerpwl yr oedd un Cymro go iawn, sef yr Henadur David J. Lewis, pensaer wrth ei alwedigaeth. Er mai ymatal a wnaeth yn y pleidleisio tyngedfennol yn y Cyngor, bu'n uchel ei lais ac effeithiol ei ymosodiadau yn erbyn cynlluniau'r Gorfforaeth yn Nhryweryn. Prin y gellid disgrifio John Braddock fel un o'i anwyliaid.

Ar wahân i'w gyfraniad yng nghyfarfodydd y Cyngor ysgrifennodd lythyrau i'r papurau hefyd. Cofir yn arbennig am un llythyr hir o'i eiddo a ymddangosodd yn y *Daily Post* ac a gyfeiriai at y difrodi oedd ar ddigwydd gan nodi atgasedd Cymry Lerpwl tuag at y cynlluniau.

Nododd fod angen Dinas Lerpwl a'r cylch am ddŵr ar gyfer cartrefi wedi codi o 22.59 miliwn galwyn y dydd i 26.97 miliwn galwyn y dydd mewn 35 mlynedd, sef codiad o 4 miliwn galwyn y dydd dros gyfnod maith. Hyd yn oed gyda rhaglen i godi 62,000 mwy o dai, ni chodai'r galw am ddŵr ychwanegol ond rhyw 10% yn unig. Yr oedd y Gorfforaeth yn gwerthu dŵr i eraill, gan gynnwys diwydianwyr lleol, ac yr oedd hynny'n dod ag elw o £1,078,743 y flwyddyn, o ddŵr a ddeuai'n bennaf o Efyrnwy lle y telid £33,000 y flwyddyn mewn trethi.

Fel y nodwyd eisoes, yn ôl rheolau'r Llywodraeth, collai'r cyngor lleol yr union swm hwn o gronfa'r trefniadau cydraddoli. Yr oedd Lerpwl yn derbyn dŵr am fymryn o arian ac yn gwneud elw enfawr. Gorelwa oedd peth fel 'iyn, gyda chymdeithas dlotach bro Tryweryn yn ennill dim, yn hytrach yn colli, er mwyn cyfoethogi dinas gefnog iawn. Dylai Corfforaeth Lerpwl gysylltu ag Awdurdodau Sirol Cymru yn ogystal â'r Gweinidog dros Faterion Cymreig yn lle gweithredu yn unochrog fel gormeswr. Ceisiodd yr Henadur Lewis siarad yn erbyn cynlluniau'r Bwrdd Dŵr Dinesig ond rhwystrwyd ef dro ar ôl tro gan y Cadeirydd.

Ymhlith y dogfennau a gafodd gylchrediad eang yn ystod brwydr y boddi yr oedd llyfryn *Save Cwm Tryweryn for Wales* gan Gwynfor Evans. Aeth y llyfryn hwnnw i leoedd pell iawn a chafodd sylw mawr. Llyfryn o dair ar hugain o ddudalennau ydoedd, gyda map gwych a ffotograffau oddi mewn. Cynnyrch llaw Ifor Owen, Llanuwchllyn oedd y rhain, a llun o waith Jac Jones oedd ar y clawr cefn. J. E. Jones, Ysgrifennydd Plaid Cymru, dyn a wyddai am yr ardal yn dda, a gyhoeddodd y llyfryn gyda Gwasg John Penry yn argraffu.

Yn y llyfryn rhoddwyd cefndir cymdeithasol yr ardal Gymraeg ei hiaith, a chyfeiriwyd at y Seisnigo a ddigwyddodd ar ôl boddi ardal Llanwddyn ddiwedd y ganrif ddiwethaf, gyda'r swyddi gorau yn mynd i Saeson.

Nodwyd bod y Gorfforaeth yn gwerthu tua deuddeng miliwn galwyn y dydd a'u bod yn ceisio cael 75 miliwn galwyn y dydd yn ychwanegol—rhag ofn y ceid hafau sych. Byddai'r 75 miliwn galwyn y dydd yn ychwanegu at y 55 miliwn galwyn y dydd o Efyrnwy ac felly yn rhoi cyflenwad o 100 galwyn y dydd ar gyfer pob unigolyn yn Lerpwl, cyflenwad hollol afresymol. Yr oedd Penbedw eisoes yn derbyn dŵr o Lyn Alwen tra oedd Sir Ddinbych ei hun yn gorfod troi i Sir Gaernarfon am gyflenwad o ddŵr. Yr oedd y peth yn hollol ddisynnwyr.

Ffeithiau ffug oedd y rhai a roddwyd ynglŷn â'r manteision yr honnai Lerpwl a ddeuai i ran y trigolion. Yr oedd anfanteision llawer mwy. Pe tynnid cledrau'r rheilffordd i ffwrdd prin y byddai'r Comisiwn Trafnidiaeth yn barod i ailadeiladu'r lein a byddai hynny'n peryglu chwarel ithfaen Arenig. Cyflogid deg ar hugain o ddynion yn y chwarel.

Yr oedd Corfforaeth Lerpwl yn ceisio cael penderfyniad unochrog o blaid eu cynllun, a chydag achosion cyffelyb yng Nghymru yn y gorffennol, yr oedd y pwerau mawr wedi cael eu dymuniad bob tro. Dyna ddigwyddodd yn Nhrawsfynydd gyda'r gwersyll milwrol. 'The task of welding, without financial resources, scattered and disparate elements into an organized defence is an unenviable one,' meddai'r awdur.

Eto, yr oedd arwyddion bod y Cymry yn dod i sylweddoli natur y sefyllfa ac yn dechrau ymateb. Un nodwedd o agwedd Corfforaeth Lerpwl tuag at Gymru oedd diffyg didwylledd. Bu peirianwyr ar ran y Gorfforaeth yn archwilio tir Cwm Tryweryn yn gyfundrefnol yng ngwanwyn 1955, ond ni chysylltwyd â'r trigolion ac ni chlywyd dim

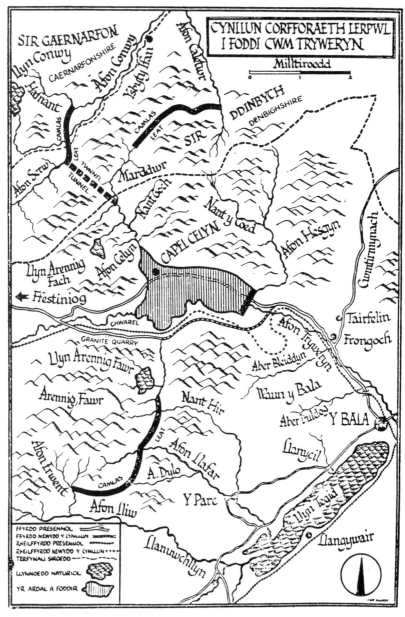

Map gan Ifor Owen i ddangos maint y cynllun gwreiddiol.

swyddogol tan y Rhagfyr dilynol pryd y datgelwyd y cynllun yn ei grynswth heb unrhyw ymgynghori.

Yr oedd digon o ffynonellau dŵr eraill ar gael, lleoedd fel Ardal y Llynnoedd yn y gogledd. Y cwestiwn mewn gwirionedd oedd nid a allai Dinas Lerpwl gael gafael ar fwy o ddŵr, ond pa mor rhad y gallai ei gronni a'i ddosbarthu. Yr oedd Tryweryn yn fan delfrydol ar gyfer llyn ac roedd yr afon yn ddelfrydol i gludo'r dŵr. Yr ateb i'r anarchiaeth hon, meddai'r awdur, oedd cael Bwrdd Dŵr i Gymru gyda'r awdurdod i sicrhau fod unrhyw ddŵr a gronnid yn cael ei ddefnyddio er lles y Cymry eu hunain.

Yn y cyfamser yr oedd yn rhaid arbed Cwm Tryweryn.

Dyddiau Tyngedfennol

Fel y soniwyd eisoes, y Weinyddiaeth Dai a Llywodraeth Leol oedd yn gyfrifol am Faterion Cymreig o wanwyn 1956 ymlaen, gydag Albanwr, Mr F. Blaise Gillie, yn Is-Ysgrifennydd yn yr adran. Darllenwyd mewn un papur newydd iddo ddysgu'r iaith Gymraeg tra'n ymwneud â Materion Cymreig. Dyma ddyn â diddordeb yn ei waith a chydymdeimlad tuag at y bobl yr oedd ganddo gyfrifoldeb tuag atynt.

Roedd hi'n amlwg bod ganddo gydymdeimlad oherwydd ef oedd yr un a ofynnodd i Gyngor Cymru ystyried a oedd y trefniadau ar gyfer archwilio cynlluniau cyflenwad dŵr o'r math a oedd wedi ei ddatgelu, yn ddigonol o safbwynt y bobl yr effeithid arnynt. Hefyd, gofynnodd i'r Cyngor dynnu sylw'r Weinyddiaeth at unrhyw bwyntiau arbennig a ddarganfuwyd.

Yn Nhŷ'r Cyffredin, pan leisiwyd protestiadau yn erbyn bwriad Lerpwl i foddi tir yng Nghymru, gofynnodd Mr Raymond Gower, Aelod Torïaidd y Barri a'r cylch, i Mr R. A. Butler, y Prif Weinidog dros dro, a oedd yna beirianwaith ar gyfer cyfeirio'r mater i'r Welsh Grand Committee? Nid oedd Mr Butler a'r arweinyddion o'i gwmpas yn gwybod, ond addawodd holi.

Gyda hynny, torrodd T. W. Jones, A.S. Meirion, ar draws y ddadl. Yr oedd ef a'i gyd-aelodau o ogledd Cymru wedi gwneud ymchwiliad ac wedi darganfod nad oedd rheolau parhaol Tŷ'r Cyffredin yn caniatáu i fesurau preifat gael eu cyfeirio fel y dymunid. Dim ond gyda mesurau cyhoeddus y gellid dilyn y fath lwybr. Fodd bynnag, gellid trafod y cynlluniau o flaen y pwyllgor seneddol a fyddai'n ystyried y mesur. Wedyn, byddai cyfle i ddadlau a gwrthwynebu ar adeg yr ail ddarlleniad yn y Tŷ ac ar gais adroddiadol y mesur.

Dro arall yn Nhŷ'r Cyffredin gofynnodd Mr Gower i'r Gweinidog â gofal am Faterion Cymreig a ystyriai ef mai cyflwyno mesur preifat oedd y dull priodol gyda mater a oedd yn effeithio ar ran o Brydain yr oedd llywodraeth ar ôl llywodraeth wedi ei hystyried yn uned ar wahân i Loegr.

Yn Nhŷ'r Arglwyddi, er mwyn cychwyn y gwrthwynebu, gofynnodd yr Arglwydd Ogwr a oedd y Llywodraeth wedi ystyried cynllun Cyngor Dinas Lerpwl i foddi Cwm Tryweryn ym Meirionnydd, cynllun a olygai foddi pentref Capel Celyn ynghyd â thir rhyw ugain o ffermwyr?

Atebodd yr Iarll Munster, y Gweinidog heb Bortffolio, ar ran y Llywodraeth na wyddai'r Llywodraeth y manylion am y cynllun boddi, ond gwyddent fod Corfforaeth Lerpwl yn bwriadu cyflwyno mesur preifat i'r perwyl hwn ar 27 Tachwedd 1956. Ychwanegodd fod y Llywodraeth yn ymwybodol bod teimlad lleol cryf yn erbyn y boddi.

Ar y llaw arall, yr oedd Mrs Bessie Braddock, A.S., ar ran Lerpwl, yn ceisio gwarantu i bawb, gan gynnwys y Tŷ, y byddai'r Ddinas wedi symud pob rhwystr cyn hir er gwaethaf amharodrwydd y trigolion i gyfarfod â'r Pwyllgor Dŵr a oedd yn gweithredu ar ran y Gorfforaeth.

Yr oedd Cyngor Sir Meirionnydd, o ganlyniad i gynnig y Cynghorwyr Tom Jones, Llanuwchllyn, a'r Parch. Evan Lynch o Garrog, wedi pasio i wrthwynebu mesur Lerpwl ac wedi nodi bargyfreithiwr i'w cynrychioli, ond byddai'n rhaid i Bwyllgor Amddiffyn Capel Celyn wneud cymaint ag y gallent eu hunain.

Yr oedd rhai datganiadau a digwyddiadau yn argoeli'n dda, ond yr oedd hi'n hwyr yn y dydd i weithredu unrhyw newidiadau gweinyddol a fyddai'n dylanwadu ar y frwydr yn erbyn Corfforaeth Lerpwl.

Ar 25 Hydref, clywyd bod Cyngor Cymru wedi argymell penodi Ysgrifennydd i Gymru a bod y Gweinidog dros Faterion Cymreig yn ymddangos yn ffafriol i'r syniad er mai mater i'r Prif Weinidog a'i gabinet oedd y penderfyniad.

Yn y Papur Gwyn ar weithredu'r Llywodraeth yng Nghymru am y flwyddyn yn diweddu 30 Mehefin 1956, yr oedd y Gweinidog Tai, Mr Duncan Sandys, wedi cadarnhau ar bapur ei fod wedi gofyn i Gyngor Cymru archwilio'r pynciau llosg a godwyd trwy ymgais Lerpwl i gael gafael ar ddŵr o darddiadau Cymreig, ac i ystyried iawnderau cymunedau mewn unrhyw gynlluniau yn y dyfodol.

Yr oedd yr argymhellion hyn yn ddigon addawol, ond ar gyfer y dyfodol yr oeddynt, ac yr oedd angen dylanwad ac awdurdod ar frys. Hefyd, dyma'r hen stori o Sais yn dyfarnu ar les Cymru; hynny yw, barn unigolyn o'r tu allan yn gallu llywio gweinyddiaeth Cymru, er gwell neu er gwaeth, heb fod yn wir atebol i'w thrigolion.

Trigolion Capel Celyn yn ymgynnull cyn gorymdeithio yn Lerpwl. (Llun: *Y Cymro*)

'Gorymdaith gwŷr Tryweryn' yn Lerpwl. (Llun: Casgliad Geoff Charles, Ll.G.C.)

Teimlai trigolion Capel Celyn fod angen rhyw weithred i dynnu sylw pobl Lerpwl at y sefyllfa cyn i Gyngor y Ddinas alw'r cyfarfod cyhoeddus yr oedd yn rhaid iddynt ei gynnal er mwyn i'w dinasyddion gadarnhau'r hawl i wario miliynau o bunnoedd a rhoi cefnogaeth i hynt y mesur.

Mewn cyfarfod cyhoeddus yng Nghapel Celyn ar 13 Tachwedd 1956, penderfynwyd yn unfrydol trefnu gorymdaith drwy strydoedd y ddinas a mynd ymlaen i Neuadd y Cyngor ar y diwrnod y byddai'r Cyngor yn eistedd.

21 Tachwedd oedd dyddiad y daith gyda phawb yn barod i adael Capel Celyn am hanner awr wedi wyth y bore. Yn wahanol i bentrefwyr Dolwyn yn y stori, yr oedd pobl bro Tryweryn am ymladd, a daeth yr Henadur Gwynfor Evans yr holl ffordd i weithredu fel llefarwr ar eu rhan. Dyna ddymuniad y bobl.

Aeth tua 70 o bobl Celyn i Lerpwl y diwrnod hwnnw. Yn eu mysg yr oedd pymtheg o blant ac Eurgain fach dair oed oedd yr ieuengaf. Yr hynaf yn y fintai oedd Mrs Margaret Parry, Glan Celyn, a oedd dros ei saith deg.

Yn aros am y gynrychiolaeth anarferol hon yr oedd rhai o Gymry Lerpwl, nifer ohonynt yn fyfyrwyr. I'w croesawu hefyd yr oedd digon o blismyn i reoli terfysg gêm bêl-droed. Yr oedd rhai o bapurau newydd poblogaidd Lloegr wedi rhoi cyhoeddusrwydd i'r sibrydion y gallai terfysg ddeillio o'r teimladau cryf yng Nghymru o ganlyniad i'r cynllun boddi.

Pan welodd yr Arolygwr Smithson mai mintai heddychol hollol oedd wedi cyrraedd, ymunodd â'r arweinydd yn yr orymdaith. Fe roddodd yr heddlu yn gyffredinol bob cymorth i'r ymwelwyr gan arwain y gatrawd wledig gydag un o'u ceir i faes parcio Paradise Street. Yr oedd ymddygiad pawb yn ddilychwin. Yn ogystal â'r dwsinau o blismyn, yr oedd nifer mawr o wŷr y wasg yn bresennol hefyd, ac yr oedd camerâu ym mhob man.

O'r maes parcio gorymdeithiwyd y tu ôl i fodur ac iddo gorn siarad, a phan dorrodd yr offer yn ystod y daith, fe'i trwsiwyd gan un o'r plismyn. Yr oedd tuag ugain o faneri neu bosteri yn cael eu cario, gyda sloganau fel, 'Your Homes are Safe; Save Ours', yn tynnu sylw'r cyhoedd.

Pan gyrhaeddwyd Neuadd y Ddinas yr oedd nifer o gefnogwyr yn eu haros. Y tu mewn yr oedd Cyngor y Ddinas yn cyfarfod, a buan y clywyd 'Hen Wlad Fy Nhadau', 'Cofia'n Gwlad' a phenillion a ysgrifennwyd gan Watcyn o Feirion ar y dôn 'Moscow' ar gyfer yr achlysur yn cael eu canu.

I foddhau chwilfrydedd gwŷr y wasg ac eraill, dewiswyd y Parch. Gerallt Jones a Mrs Martha Roberts, yr ysgolfeistres yn Ysgol Capel Celyn, i egluro i'r gwylwyr pwy oedd pwy a beth oedd sail y ddirprwyaeth.

Fel rheol, byddai argymhelliad i'r Cyngor llawn gan Bwyllgor Seneddol y Cyngor, ar ôl i'r Pwyllgor hwnnw archwilio'r mesur yn fanwl, yn golygu y gellid symud ymlaen gyda phenderfyniad swyddogol yn fuan a didrafferth yn y Cyngor mawr. Rhywbeth ffurfiol oedd gwneud y cynigiad. Y diwrnod hwnnw, fodd bynnag, yn hollol annisgwyl, caniatawyd i ddieithryn annerch y Cyngor o lwyfan yr Arglwydd Faer.

O ganlyniad i gais ffurfiol (a thybir mai'r Henadur D. J. Lewis o'r Cyngor a bwysodd am hyn), caniatawyd i'r Henadur Gwynfor Evans ddod i mewn i annerch yr aelodau am chwarter awr. Tybir mai drwy haelioni'r Henadur Braddock y cafwyd y chwarter awr honno, gyda llaw.

Yn ôl y *Guardian*, Dydd Iau, 22 Tachwedd 1956, 'Mr Evans made such a brilliant plea for the preservation of the valley's economic and cultural life that the Council broke into a spontaneous applause at the close'.

Beth bynnag am ymateb parod ac annisgwyl y cynghorwyr, daethpwyd â nhw yn ôl i'w lle gan Arweinydd y Blaid Lafur, sef y blaid a reolai'r Cyngor. Cydymdeimlad neu beidio, yr oedd yn rhaid i'r cynllun fynd ymlaen, doed a ddelo. 'Opposition to the Tryweryn and other large schemes in Wales have been inspired and fanned by the Welsh Party for political and propaganda purposes,' ychwanegodd.

Ond erbyn hynny, yr oedd gelynion gwleidyddol y gŵr o Langadog yn ei chael hi'n anodd iawn i gael neb i goelio mai er mwyn cael bod yn Aelod Seneddol dros Sir Feirionnydd yr oedd yn gwneud y fath ymdrech. I bobl Celyn a wyddai ei deimladau ac a brofasai ei ymroddiad, yr oedd y syniad yn wrthun.

Mynnodd yr Henadur Braddock eto, 'By authorizing the Bill the Council will not be harming Wales'. Cymerwyd y bleidlais. Datgelwyd bod 94 wedi pleidleisio i gymeradwyo'r mesur; un, sef y Cynghorwr L. Murphy (Sosialydd), yn erbyn, a thri arall yn ymatal, sef yr Henadur D. J. Lewis (Ceidwadwr), Yr Henadur H. D. Longbottom (arweinydd y Blaid Brotestannaidd) a'r Cynghorwr J. Bamber (Ceidwadwr).

'Gwyddel wyf fi,' meddai'r unig wrthwynebwr, 'a gwn yn iawn sut y mae'r Cymry yn teimlo.'

Teimlai'r pentrefwyr yn ddigon trist wrth gychwyn am adref, ond ceisiodd Gwynfor Evans eu harwr godi eu calonnau. 'Nid yw'r frwydr wedi ei cholli eto,' meddai.

Ymateb yr Henadur D. J. Lewis oedd dweud bod cwestiwn Tryweryn wedi uno de a gogledd Cymru fel dim arall ers oesoedd a bod y mater yn un cenedlaethol erbyn hyn.

Er i'r mesur gael sêl Cyngor y Ddinas ym mis Tachwedd, yr oedd yn ofynnol, yn ôl deddf a basiwyd yn 1933, i gynnal cyfarfod cyhoeddus er mwyn rhoi'r mater o wario'r miliynau gerbron trethdalwyr y ddinas. Trefnwyd y cyfarfod swyddogol hwn yn Neuadd Gyngerdd Sant Siôr ar 17 Rhagfyr 1956 am dri o'r gloch y prynhawn.

Erbyn hynny, oherwydd y cyhoeddusrwydd a gafodd yr orymdaith, yr oedd Cymry Lerpwl a llawer o drethdalwyr a oedd yn ochri gyda'r Pwyllgor Amddiffyn, wedi deffro i wanc y Gorfforaeth a gynlluniai i gael 75 miliwn galwyn y dydd trwy foddi cwm yng Nghymru tra oedd eu diffyg dŵr ar dywydd sych yn ddim ond rhyw 2 filiwn galwyn y dydd ar y pryd, ac afon Merswy gerllaw yn llawn o ddŵr y gellid ei ddefnyddio, o'i drin, ar gyfer diwydiant.

O blith tua hanner cant o Gymry Lerpwl a gyfarfu â'i gilydd a phenderfynu ffurfio pwyllgor i wrthwynebu oddi mewn, fel petai, dewiswyd y swyddogion canlynol:

Y Parch. D. Hughson Jones, gweinidog eglwys Annibynnol Park Road (Cadeirydd); yr Henadur D. J. Lewis; Mr H. Humphreys Jones, cyn-Brifathro Ysgol Fferylliaeth Lerpwl; Mr Owen Owen, cyn-brif-athro ysgol (Trysorydd); ynghyd â Miss Anita Rowlands a Mr Dewi Prys Thomas (Ysgrifenyddion).

Ar y diwrnod penodedig trodd i mewn i Neuadd Sant Siôr tua phedwar cant o drethdalwyr, ac er mai dan lywyddiaeth yr Arglwydd Faer yr oedd y cyfarfod i fod, ymddengys mai'r Henadur John Braddock oedd yn rheoli'r drafodaeth.

Ymhen ychydig yr oedd wrthi yn ei ffordd nodweddiadol ei hun. 'We have seen those Welsh people,' meddai, 'who, because of the failure of their own country to provide a livelihood for them, have left their own land almost depopulated.' Aeth ymlaen i ddweud bod Lerpwl, fel cymydog, wedi cymryd y cyfrifoldeb am gyflenwad dŵr y cynghorau oddi amgylch ers dros gan mlynedd. (Ni soniodd am yr elw mawr a wnaed.) Yr awdurdodau a gâi gyflenwad ganddynt oedd Bootle, Crosby, Chorley, Hayton, Litherland, Prescott a rhannau o Whiston a gorllewin Sir Gaerhirfryn. Yr oedd hefyd 22 o awdurdodau a dderbyniai ddŵr mewn cyflenwad mawr gan y Ddinas, ac yr oedd amryw o siroedd gogledd Cymru, hyd yn oed, yn prynu dŵr o gyflenwad y Gorfforaeth. Mynnodd yr Henadur fod arbenigwyr yn rhag-weld gofynion yr awdurdodau yn cynyddu o 11 miliwn galwyn y dydd yn 1956 i 30 miliwn galwyn y dydd erbyn 1985. Yr oedd yn rhaid bodloni'r gofynion hyn.

Ar ôl cyfeirio at wahanol gymalau yn y ddogfen, cynigiodd yr Henadur fod y mesur yn cael ei dderbyn, ac eiliwyd ei gynigiad gan yr Henadur Cain. Pan wahoddwyd cwestiynau o blith y trethdalwyr gan Glerc Cyngor y Ddinas, siglwyd y gynulleidfa gan haeriad o eiddo Mr H. Hughes o Hill Road fod swyddogion a gweithwyr y Gorfforaeth wedi cael caniatâd i adael eu gwaith cyn tri o'r gloch heb golli cyflog er mwyn sicrhau llwyddiant i'r mesur yn y bleidlais. Ffrwydrodd rhan sylweddol o'r gynulleidfa gan weiddi 'Hear, hear!' a churo dwylo.

Parhaodd yr anhrefn am rai munudau, a phan godod yr Henadur Braddock ar ei draed eto, bu'n rhaid iddo wrando ar gyhuddiad pellach i'r un cyfeiriad gan Dewi Prys Thomas. Cyhuddodd y Cymro Glerc y Ddinas o wahodd penaethiaid gwahanol adrannau i drefnu bod aelodau o'u staff yn gadael eu gwaith er mwyn pleidleisio yn y cyfarfod.

Yn ei ateb, mynnodd yr Henadur John Braddock na wyddai ef ddim am y peth ac y gwnâi ymholiadau maes o law. 'The integrity of the Liverpool Town Clerk is beyond any suspicion,' meddai.

Wedi tua dwy awr o drafod mewn awyrgylch gecrus, rhoddwyd y mater i bleidlais a derbyniwyd mesur y Gorfforaeth o 262 o bleidleisiau i 161.

Hyd yn oed ar ôl hynny roedd hi'n ofynnol i Gyngor y Ddinas gyfarfod eto a phasio yn ffurfiol i gymeradwyo hyrwyddo'r mesur.

Braidd yn ddiflas fu profiad yr arweinyddion y tro hwn eto. Gyda dim ond 74 yn bresennol yr oedd yr Arglwydd Faer, yr Henadur John Sheehan, yn dechrau colli ei bwyll. Yr oedd prinder cynghorwyr y tro hwn! 'If the resolution is not carried by 80 votes, the Bill is dead!' llefodd.

O'r diwedd, wedi chwilio a holi, ymddangosodd deg cynghorwr arall, a chafwyd pleidlais. Y canlyniad oedd 84 o blaid a 2 yn erbyn, sef Longbottom a Murphy, gydag un, Lewis, yn ymatal eto.

Pam nad oedd yr Henadur John Braddock yn bresennol yn y cyfarfod hwn? A gollodd ef ei nerfau ar ôl y cyhuddiadau ynglŷn â rhyddhau gweithwyr o'u gwaith yn swyddfeydd y Cyngor er mwyn iddynt gael mynd i Neuadd Sant Siôr? Na, yn ôl y *Daily Post*, yr oedd yr Henadur Cain ac yntau wedi mynd i Dŷ'r Cyffredin gyda'u harbenigwr, Mr Stilgoe, 'to discuss the passage of the Bill through Parliament with the Welsh Socialist members'. Sylwer nad cyfarfod i drafod egwyddor y boddi ydoedd.

Cyfarfu dirprwyaeth o Gyngor Sir Meirionnydd ag Aelodau Sosialaidd Cymru yn Nhŷ'r Cyffredin hefyd, ar 19 Rhagfyr 1956 yn Llundain. Credir mai Walter Padley, Arweinydd Grŵp Cymreig yr Aelodau Seneddol Llafur a ddechreuodd y symudiad hwn a arweiniodd at deimladau drwg a chynnen wleidyddol. Gwnaeth hynny niwed i undod achos Tryweryn. Efallai na sylweddolai Mr Padley yn llawn y teimladau cryf a fodolai yng ngogledd Cymru. Yr oedd cyfaddawdu yn syniad da yn ei olwg ef. Wedi'r cyfan, onid oedd y mwyafrif o aelodau Cyngor Dinesig Lerpwl yn sosialwyr fel ei bartneriaid ef? Ei awgrym ef, yn ôl y papurau newydd, ond y dylai Cyngor Sir Meirionnydd a Chorfforaeth Lerpwl gyfarfod. 'This would be of great benefit and meet the needs of everyone concerned,' meddai. Yr oedd dirprwyaeth o Gyngor Sir Meirionnydd eisoes wedi cyfarfod â chynrychiolwyr Lerpwl yng Nghaer ac wedi gwrthod atal eu gwrthwynebiad i'r mesur.

Credai rhai y byddai'r Aelodau Seneddol Llafur o Gymru yn gallu trin pobl o'r un daliadau gwleidyddol a darganfod rhyw ffordd fendithiol o'r picil, ond yr oedd llawer yng Nghymru yn ofnus dros ben. Clywyd straeon eu bod wedi dod i ddealltwriaeth, ond gwadodd D. W. Jones-Williams fod y Cyngor Sir wedi cytuno â'r cynllun, a mynnodd nad oedd y Cyngor wedi newid ei safiad. Er hynny, yr oedd y sibrydion yn creu amheuaeth ac yn awgrymu bod ildio yn y gwynt. Yr oedd T. W. Jones, A.S., yn gysylltiedig â'r symudiadau, a dywedodd ei fod yn dymuno gwneud ei safle ei hun yn hollol glir eto, sef mai 'cario allan ewyllys pobl Meirionnydd' oedd ei ddymuniad, ac os oedd pobl y sir am iddo barhau i wrthwynebu byddai'n falch o wneud hynny.

Credai rhai o'r Pwyllgor Amddiffyn nad oedd safle'r Blaid Lafur yn un pendant. Er i'r Aelod Seneddol lleol addo helpu aeth misoedd heibio cyn cael ateb swyddogol gan y Blaid Lafur, a'r penderfyniad oedd i beidio â rhoi cymorth i'r Pwyllgor Amddiffyn.

Galwyd cyfarfod cyhoeddus pwysig ar 4 Mehefin 1956, yn cynnwys aelodau o wahanol bleidiau, ond ni ddaeth T. W. Jones iddo. Wedi hynny anfonodd yr Ysgrifenyddes ato i ofyn iddo fynychu pwyllgorau a siarad mewn cyfarfodydd, ond ni dderbyniodd y gwahoddiadau. Felly hefyd gyda'r Fonesig Megan Lloyd George. Ni roddwyd rhesymau. Efallai fod y si wedi ei ledaenu fod Plaid Cymru wedi cymryd yr awenau.

Yr oedd cyhuddiadau rhai o aelodau Plaid Cymru fod aelodau o'r Blaid Lafur yng Nghymru ac yn Lerpwl yn cydweithio yn y cefndir, yn poeni Mr Idwal Jones, Aelod Seneddol Wrecsam a brawd yr Aelod dros Sir Feirionnydd. Mynnai ef fod ofnau arweinwyr Plaid Cymru wedi codi 'from their own perverted and suspicious imagination. Labour are working hard on this question, and the fruits of their labours may be nearer than many expect'.

Disgwyl yn ofer wnaeth y trigolion fodd bynnag.

Mewn cyfarfod o'r Cyngor Sir yn Nolgellau ar 4 Ionawr 1957 a gofnodwyd yn *Y Seren* yr wythnos honno, cafwyd yr adroddiad y bu aros amdano ynglŷn â thaith y cynrychiolwyr o'r sir i Lundain, sef y digwyddiad a oedd wedi codi'r straeon am y cymrodeddu.

Yn y cyfarfod dilynol talodd yr Henadur David Tudor deyrnged i D. W. Jones-Williams a C. J. Tuck, y Swyddog Cynllunio, am y modd y cyflwynwyd achos y sir ganddynt. Mynnwyd na fu nag ildio na gwanychu.

Os oedd hi, bryd hynny, yn anodd gwybod yn iawn beth oedd yn dig-wydd—a oedd anghydfod neu laesu dwylo—mae yn llawer mwy anodd erbyn hyn ddarganfod pam a phryd y cymerodd aelodau'r Blaid Lafur yng Nghymru lwybr annibynnol, a pham yr oeddynt yn rhoi eu pwysau yn unfrydol y tu ôl i safiad y Pwyllgor Amddiffyn erbyn haf 1957. Trueni na ddigwyddodd hynny ar ddechrau'r frwydr pan oedd y Pwyllgor yn ceisio cael cefnogaeth pob plaid wleidyddol.

Er mwyn bod yn deg â'r Blaid Lafur, gofynnwyd ym Mai 1986 i un o'i harweinwyr a fyddai'n barod i wneud sylw neu ddau am gefndir y cyfnod. Yr ateb cwrtais a gafwyd o Dŷ'r Arglwyddi oedd ei fod dan bwysau seneddol trwm ac nad oedd amser ganddo i wneud yr ymchwil angenrheidiol.

Eto, mewn ymdrech i gadw cydbwysedd, gofynnwyd am atgofion neu argraffiadau o gyfeiriad y Blaid Dorïaidd, ond ni fu llwyddiant yma ychwaith.

Un stori a ledaenwyd yn y papurau newydd Saesneg yn gynnar yn 1957 oedd bod dau ffermwr, sef Mr David Roberts, Cadeirydd y Pwyllgor Amddiffyn, a Mr C. O. Jones, Gwerngenau, wedi datgan eu parodrwydd i werthu eu ffermydd a bod ffermwyr bro Tryweryn i gyd i dderbyn arian mawr fel iawndal. Yr oedd hynny'n anghywir, oherwydd i gychwyn, tenant oedd Mr Roberts yng Nghae Fadog. Clywyd cyhuddiadau yn bur aml gan y rhai a ochrai gyda Lerpwl fod y trigolion yn awyddus i gipio'r arian a mynd.

Yn Llundain, cyn i'r pwyllgor a ddewiswyd gan Dŷ'r Arglwyddi ddechrau gwrando ar y cynrychiolwyr a oedd yn gysylltiedig â'r mesur preifat, bu'r Arglwydd Ogwr yn brysur iawn. Mewn datganiad cyhoeddus, rhybuddiodd y dylai'r pwyllgor a fyddai'n eistedd tua chanol mis Chwefror sicrhau eu bod yn sylweddoli:

(1) beth oedd cryfder y teimlad yng Nghymru yn erbyn y mesur;
(2) effaith y mesur ar amaethyddiaeth yn, ac o amgylch, Cwm Tryweryn;
(3) effaith y cynllun ar gyflenwad dŵr yng Nghymru yn gyffredinol.

Yr oedd yn amlwg bod yr Arglwydd Ogwr yn cydymdeimlo â Mr J. F. Pownall a'i gynllun a gymerai ond tair blynedd yn unig i'w weithredu ar ôl cael cytundeb.

Ymysg eraill a gefnogai'r syniad o grid dŵr oedd Dr. Idris Jones, Cyfarwyddwr Ymchwil y Bwrdd Glo, gŵr o brofiad a sylwedd. 'Fel dewis,' meddai, 'gellid digoni gofynion Lerpwl trwy godi lefel y llynnoedd a ddefnyddid eisoes.'

Yr un pryd ag y derbyniodd Clerc y Cyngor Sir lythyr oddi wrth Mr Padley yn sôn am gyfaddawdu, derbyniodd Mr Alker, Clerc Cyngor Dinesig Lerpwl, un hefyd. Yr oedd Mr Alker wrth ei fodd. Beth bynnag oedd y sefyllfa mewn gwirionedd, tybiai fod bwlch wedi ei agor. Yr oedd Sir Feirionnydd yn barod i siarad, yn ôl Mr Padley.

'May I say,' meddai Mr Alker, 'that members of the Liverpool deputation would have very great pleasure in meeting members of your deputation in connection with the Tryweryn Valley water project . . . a way of working out points of difficulty and clearing away any misunderstandings.'

Sylwer mai ymdrin â phwyntiau anodd ac nid ag egwyddor y boddi y byddent.

Yn y *Daily Post* ddechrau'r flwyddyn newydd, sef 1957, gofynnodd Gwilym Roberts yn ei golofn, 'Are some of the Welsh Socialist M.P.s trying to "sell the pass" over the Tryweryn issue?' Ychwanegodd y newyddiadurwr fod yna deimlad o amheuaeth yn bodoli yn dilyn y cyfarfod yn Llundain rhwng yr Aelodau Seneddol Llafur o Gymru a chynrychiolwyr Cyngor Dinas Lerpwl, gan fod yna si fod yna bosibilrwydd o gymrodedd a allai olygu taith ddirwystr i'r mesur.

Yr oedd yn amlwg nad oedd pobl wedi darllen—neu heb dderbyn fel gwirionedd—y datganiad a wnaed gan yr Henadur David Tudor. Ymddangosodd nifer o lythyrau yn y wasg yn Gymraeg a Saesneg yn datgan pryder ac yn dangos dirmyg tuag at yr Aelodau a fu'n gyfrifol am yr ymyrraeth. Meddai gohebydd y *Western Mail*, 'Bitter disappointment is felt in many quarters over the attitude of the Welsh Socialist M.P.s towards the Tryweryn Water Scheme, especially their efforts to bring about a compromise based on the acceptance of Liverpool Corporation's plan for flooding the Welsh valley.

'Welsh Socialist M.P.s were accused by Alderman Gwynfor Evans, President of Plaid Cymru, of having betrayed Wales. The Welsh case would certainly have prevailed and the struggle won, for Liverpool had been put in a completely indefensible position. Now they bid fair to ruin the defence.'

Yn *Y Seren*, 19 Ionawr 1957, ymddangosodd llythyr agored at Aelod Seneddol Meirionnydd oddi wrth y Parch. Gerallt Jones, Llanuwchllyn. Dau bwynt arbennig y gofynnodd y llythyrwr i Mr T. W.

Jones eu hegluro oedd: (1) yr adroddiad a briodolwyd iddo fod newyddion da wedi dod oddi wrth swyddog yn perthyn i'r Gorfforaeth ac y byddai yna fantais ariannol o gael cronfa ddŵr yng Nghelyn, sef rhent of £35,000 y flwyddyn; (2) y datganiad y byddai Lerpwl yn caniatáu unrhyw ddefnydd o'r dŵr yn y dyfodol i Sir Feirionnydd pe bai ei angen ar gyfer diwydiant.

Mynegwyd anfodlonrwydd 'llu o bobl' â'r ffaith nad oedd yr Aelod Seneddol wedi ymdeimlo â difrifoldeb pobl Meirion ynglŷn â bwriadau Lerpwl. Yr oedd yn ormod o 'ufudd was' ac yn rhy ychydig o arweinydd. Aeth ymlaen i feirniadu agwedd yr Aelod Seneddol oherwydd iddo gyfleu'r syniad mai cymodi, yn hytrach na chondemnio'r treisiwr, oedd ei uchel swydd.

Mae'n hollol bosibl bod yr Aelod Seneddol wedi gwneud gwaith clodwiw yn y dirgel, ond yr oedd amheuon cryf yn codi yn ei gylch yr adeg honno. Ei frawd, yr Aelod Seneddol dros Wrecsam a'r cylch, a gymerodd drosodd y frwydr yn y wasg.

Ynglŷn â'r cyfarfod dadleuol a fu yn Llundain, meddai Mr Idwal Jones yn y *Daily Post*, 'We owe Plaid Cymru no obligation to affirm or deny anything. They do not represent Wales, neither in numbers nor, I am pleased to think, in outlook. Wales should beware of this anti-gwerin movement steeped so deeply in the cult of the leader. We know that it is anti-Labour to the core: it is anti-England, and in the final resort anti-Welsh for it has opposed every scheme introduced or projected from time to time to raise the standard of living of the people'.

Yr oedd y sefyllfa ynglŷn â chwestiwn Tryweryn yn un gynhyrfus yr adeg honno gyda'r wasg yn darogan diweddglo'r frwydr yn aml.

Yn y *Daily Post* datgelodd un o'r gohebyddion fod Aelodau Seneddol gogledd Cymru yn awyddus i gyfarfod ag Aelodau Seneddol Glannau Merswy. Mr Goronwy Roberts oedd y llefarydd a ddyfynnwyd gan y gohebydd. Gobaith yr Aelod dros Sir Gaernarfon oedd cael cyfarfod 'mewn ysbryd da a chael gan bobl dderbyn a deall sefyllfa'r Cymry'.

Cyfeiriodd Mr Roberts at y diweithdra mawr yng ngogledd Cymru ac am y pwysigrwydd o gael digon o ddŵr ar gyfer diwydiant yn y broydd hyn yn y dyfodol. Pan sylweddolai Lerpwl y niwed cymdeithasol, diwylliadol ac economaidd yr oeddynt yn ei fygwth, yna byddent yn sicr o ailystyried eu cynlluniau. Yr oedd ef o blaid cael grid dŵr i ddatrys y broblem unwaith ac am byth. Doedd dim sôn am gyfaddawdu yma sylwer.

Eto, bu beirniadu ar yr awgrym hwn hefyd. Yr oedd disgwyl ymateb ffafriol o gyfeiriad Glannau Merswy mor hwyr â hyn yn naïf dros ben, mynnai'r beirniaid.

Lledodd y drwgdeimlad a ddatblygasai rhwng Plaid Cymru a'r Blaid Lafur i rengoedd y Blaid Lafur ei hun, yn ôl adroddiadau yn y wasg. Er enghraifft, cwynodd yr Aelodau Cymreig fod yr Arglwydd Ogwr a Raymond Gower (Ceidwadwr) wedi trefnu cyfarfod yn Nhŷ'r Cyffredin ar 19 Chwefror 1957 i geisio trefnu gwrthwynebiad pellach i fesur Corfforaeth Lerpwl.

Ar 17 Ionawr 1957 bu newid yn rhengoedd y Llywodraeth Geidwadol a daeth Henry Brooke yn Weinidog dros Faterion Cymreig. Dywedodd ei fod yn falch anghyffredin o gael ei ddewis. 'Yr wyf yn adnabod Cymru a'i phobl,' meddai, 'ac mae arnaf eisiau adnabod mwy arnynt. Ni fûm yn briod â Chymraes am bedair blynedd ar hugain heb ddysgu rhywbeth am Gymru.' Yn ôl y papurau newydd, merch i'r diweddar Ganon A. A. Matthews, Eglwys Sant Thomas, Abertawe, oedd hi, yntau wedi chwarae rygbi dros Gymru.

Yr oedd yr argoelion yn ymddangos yn dda i bobl Celyn, ond yr oedd y gŵr newydd, fel Duncan Sandys o'i flaen, yn gwisgo dau gap, sef un fel Gweinidog dros Faterion Cymreig, ac un arall fel Gweinidog Tai a Llywodraeth Leol. Golygai hynny y byddai'n gofalu am fuddiannau tai pobl Lerpwl yn ogystal â thai trigolion Cwm Tryweryn.

Wedi ail ddarlleniad mesur Lerpwl yn Nhŷ'r Arglwyddi (y cyfeirir ato eto) a chyn iddo gael ei archwilio mewn pwyllgor cyn dod i Dŷ'r Cyffredin, ymwelodd Mr Henry Brooke â gogledd Cymru. Taith dridiau oedd ei ymweliad i gael golwg ar fannau gwaethaf y diweithdra. Penderfynodd y Gweinidog y byddai'n cymryd saib yng Nghapel Celyn ar ei ffordd o Borthmadog i'r Bala i weld drosto'i hun y Cwm Tryweryn. hwn a oedd yn achosi'r fath gynnwrf.

Trefnodd Ysgrifenyddes y Pwyllgor Amddiffyn fod posteri â sloganau fel 'We plead for our homes, land and way of life', wrth law, ac aeth nifer o'r trigolion i'w groesawu a rhoi eu hochr hwy o'r ddadl iddo.

Trwy gyd-ddigwyddiad, yr oedd llond dwy goets o wragedd o Fangor yno hefyd.

'I hope you will do your best to save us,' meddai'r Ysgrifenyddes wrtho.

Gwenodd y Gweinidog a dweud na allai, yn rhinwedd ei swydd, wneud unrhyw ddatganiad cyhoeddus yr adeg honno, ond dywedodd ei fod yn sylweddoli bod yna deimlad cryf trwy Gymru gyfan ynglŷn â'r mater.

Cyflwynwyd tusw o friallu iddo gan Eurgain fach dair oed, a derbyniodd ef yn gwrtais a gwresog. Yr oedd gwên lydan ar ei wyneb. Ymddangosai yn ddyn clên i'w ryfeddu. Prin y breuddwydiodd neb y diwrnod hwnnw y byddai'r dyn hwn yn helpu i fwrw hoelen yn arch pentref Capel Celyn yn Nhŷ'r Cyffredin y Gorffennaf dilynol.

PENNOD 18

Democratiaeth Seneddol

27 Tachwedd 1956 oedd y diwrnod y byddai Corfforaeth Lerpwl yn cyflwyno i bwyllgor seneddol fesur preifat ynglŷn â boddi Cwm Tryweryn.

Yr oedd yr Henadur John Braddock wedi gwneud datganiad i'r wasg mai i ddinasyddion Lerpwl yn unig yr oedd ei Gyngor yn gyfrifol. Adwaith oedd hynny, mae'n debyg, i'r beirniadu aml a fu ar y ffordd y cawsai trigolion Capel Celyn eu trin.

Yr oedd y papurau dyddiol yn cyfeirio'n aml at foddi Cwm Tryweryn; felly hefyd y B.B.C. Yn wir aeth Mr David Llewellyn, Aelod Seneddol Gogledd Caerdydd, mor bell â chyhuddo'r B.B.C. yng Nghymru o 'ddangos rhagfarn a thueddiad trwy lygru a gwyrdroi'n fwriadol, cadw'n ôl a dethol newyddion'. I'r gwleidyddwr hwn yr oedd cenedlaetholdeb Cymreig yn gyfatebol i wladgarwch a oedd wedi suro. Yn ychwanegol, yr oedd yn dangos gelyniaeth annerbyniol tuag at y Saeson.

Ni wyddai neb yn iawn faint o ganfasio yr oedd Lerpwl yn mynd i'w wneud na beth fyddai tynged y mesur. Gwyddid y byddai'r Aelodau Seneddol a gynrychiolai'r awdurdodau a oedd yn gysylltiedig â Lerpwl, lleoedd fel Huyton, gyda Harold Wilson, yn debyg o ochri'n gryf gyda'r Gorfforaeth, ond teimlai Ysgrifenyddes y Pwyllgor Amddiffyn yn obeithiol iawn.

Er mwyn cael syniad o agwedd y Llywodraeth tuag at y mesur, gosododd yr Arglwydd Ogwr gwestiwn swyddogol, sef cwestiwn a fyddai'n cael ei ateb ar lafar, ar 22 Tachwedd 1956. Mewn datganiad i'r wasg, dywedodd iddo ofyn a oedd y Llywodraeth wedi ystyried mesur Corfforaeth Lerpwl. Ychwanegodd ei fod yn teimlo mai cynllun haerllug oedd hwn er lles diwydiant yn Lloegr. 'Ymddengys i mi,' meddai, 'fod y Saeson yn ceisio cael, trwy ddefnyddio'r gyfraith, yr hyn y maent wedi methu â'i gael trwy ryfel ar hyd y blynyddoedd.' Credai y dylai Cymry wrthsefyll ym mhob ffordd bosibl yr ymelwa cywilyddus hwn. Yn y dyfodol ni fyddai'r Cymry yn gallu canu am eu mynyddoedd a'u dyffrynnoedd gan na fyddai dyffrynnoedd ar ôl. Ers amser Harri

VIII bu Cymru yn hynod o deyrngar i'r Saeson; nid dyma'r ffordd i wobrwyo'r fath deyrngarwch.

Cyflwynwyd mesur preifat Lerpwl i Dŷ'r Arglwyddi yn ôl y drefn arferol.

Cafwyd hefyd ar 11 Chwefror 1957 ddadl ar faterion Cymreig yn Nhŷ'r Cyffredin. Ceisiodd Mr Llywelyn Williams godi'r mater o gynllun Corfforaeth Lerpwl, ond gwaharddodd y Llefarydd unrhyw drafodaeth am fod y mesur yn Nhŷ'r Arglwyddi a byddai cyfle yn nes ymlaen i gael trafodaeth lawn yn y Tŷ, ond pan adawodd y Llefarydd ei gadair i gael egwyl, cododd Mr T. W. Jones, Aelod Seneddol Meirion-nydd, y mater eto, a chafodd ryddid annisgwyl i wyntyllu'r teimlad cryf a oedd yng Nghymru ynglŷn â'r pwnc. Mae'n amlwg bod y dirprwy-Lefarydd yn fwy goddefgar, neu'n llai gwybodus am reolau'r Tŷ.

Ychwanegodd Henry Brooke ychydig eiriau hefyd a hynny braidd yn annisgwyl. Yr oedd wedi cadarnhau cynllun i gynnal arolwg o faint o ddŵr a oedd ar gael yng Nghymru a faint o alwyni oedd yn bod mewn cronfeydd. Yr oedd hyn wedi cael ei gymeradwyo gan Gyngor Datblygu Economaidd Cymru. I'r Pwyllgor Amddiffyn yr oedd hyn yn newydd da, ond yr oedd yn hwyr iawn yn y dydd. Yr oedd mesur y Gorfforaeth ar ei ffordd.

Diwrnod mawr yn nhaith y mesur oedd dydd Mercher, 1 Mai 1957. Dyma'r diwrnod yr oedd pwyllgor dethol o Dŷ'r Arglwyddi i ddechrau clywed tystiolaeth o blaid ac yn erbyn y mesur. Cadeirydd y pwyllgor hwn oedd Ardalydd Reading, gyda'r Arglwyddi Baden-Powell, Ashton of Hyde, Milverton a Greenhill yn eistedd wrth ei ochr. Dyma gasgliad o arglwyddi dilychwin, mae'n siŵr; ond faint wyddai'r gwŷr da hyn am Gymru a'i diwylliant?

O'r 22 o ddeisyfwyr a restrwyd yn wreiddiol, yr oedd y cyfan ond tri wedi tynnu'u gwrthwynebiad yn ôl neu wedi cadw'u cyfarwyddyd yn ôl. Yr oedd Bootle hefyd yn gwrthwynebu cymal neu ddau, a'r sicrwydd eu bod am gael cadw'u gafael ar y dŵr a ddeuai o Lyn Arenig Fawr a benderfynodd agwedd Cyngor Tre'r Bala. Y rhai a ddewisodd gadw'n ôl a gwylio'r datblygiadau oedd Comisiwn Trafnidiaeth Prydain, Cyngor Sir Fflint, Bwrdd Dŵr Gwynedd, yr Ymddiriedolaeth Genedlaethol a'r Cyngor dros Gadwraeth Cymru Wledig, gyda'r ddau olaf yn cydweithio. Dau brif ddeisyfwr oedd ar ôl felly, sef Cyngor Sir

Meirionnydd a pherchenogion, tenantiaid a deiliaid plwyfi Llanfor a Llanycil.

Yn ei golofn arferol, 'Welsh Review', yn y *Daily Post*, a fu'n gymaint o gymorth i hysbysebu digwyddiadau a datblygu barn ymysg y darllenwyr, pwysleisiodd 'Arfon' fod yr awdurdodau Cymreig wedi gwanychu achos Capel Celyn trwy dynnu'u gwrthwynebiad yn ôl a llaesu dwylo. Cyfeiriodd at Gynghorau Sir Arfon, Meirion a Dinbych yn cyfarfod ym Mae Colwyn gyda disgwyliadau mawr. Er siom i'r Pwyllgor Amddiffyn, ni wireddwyd y gobeithion. Cyfeiriwyd hefyd at y cwmnïoedd dŵr a reolai afonydd Dyfrdwy a Chlwyd; pawb yn gofalu am eu rhan fach hwy o'r maes a neb ohonynt yn gweld y sefyllfa o safbwynt lles cenedlaethol.

Y bargyfreithwyr a gafwyd i weithredu ar ran y gwrthwynebwyr i fesur Corfforaeth Lerpwl oedd Mr Gerald Thesiger, Q.C., gyda Mr G. R. Roughier fel ei eilydd, yn cynrychioli Sir Feirionnydd, a Mr D. Watkin Powell, Cymro Cymraeg, yn cynrychioli pobl yr ardal. Roedd Cynghorau Llanfor a Llanycil yn ffodus gan fod Mr Powell yn deall cefndir a gobeithion y bobl, ond prin y gellid disgwyl i'r ddau arall allu amgyffred ystyr colli'r 'pethe'. Mr Geoffrey Lawrence, gyda Mr W. J. Glover, oedd bargyfreithwyr Lerpwl, gyda Mr Raymond Bell yn ymddangos ar ran Cyngor Tref y Bala.

Agorwyd y dystiolaeth ar ran y Gorfforaeth ac ailadroddwyd yr hen stori adnabyddus am anghenion Dinas Lerpwl a'r cylch, a phwy yn union oedd yn dibynnu ar y Gorfforaeth am gyflenwad o ddŵr. Cyflwynwyd y ffigurau arferol gan sôn am y prinder dychrynllyd a allai godi pe ceid haf sych.

Fel pob cynllun o'r fath, yr oedd codi cronfa ddŵr yn Nhryweryn yn mynd i achosi caledi i rai unigolion. Sylweddolai'r Gorfforaeth hynny ac yr oeddynt yn 'filled with the utmost good will to do their utmost to remove the hardship entailed'.

Amlinellodd y bargyfreithiwr hanes y cronni a'r dosbarthu dŵr a wnaed gan Ddinas Lerpwl er 1847. Yr oedd y sefyllfa yn hollol wahanol yn 1957. Yn awr dibynnai deugain o awdurdodau i wahanol raddau ar adnoddau'r Gorfforaeth.

Yr oedd y Gorfforaeth wedi ystyried y posibilrwydd o gael cronfa fechan a fyddai'n ddigonol ar gyfer anghenion y dyfodol agos, ond yr oedd Tryweryn yn ddelfrydol fel ffynhonnell am dri rheswm. Yn gyntaf, yr oedd y cynnyrch yn uchel. Yn ail, o'r holl gynlluniau a mannau a ystyriwyd, dyma'r un a olygai'r niwed lleiaf i amaethyddiaeth a chartrefi pobl. Yn drydydd, cynigiai'r cynllun gyfle i waith peirian-yddol anarferol iawn. Gyda'r gronfa yng Nghwm Tryweryn, gollyngid y dŵr i'r afon a thynnid dŵr o afon Dyfrdwy ger Caer yn ôl yr angen, a golygai hynny arbed £13 miliwn. Dyna ardderchowgrwydd y cynllun.

Yr oedd Bwrdd Dŵr Dyfrdwy a Chlwyd wedi cael caniatâd seneddol yn 1951 i'w galluogi i gadw mwy o ddŵr yn Llyn Tegid a rheoli lefel y dŵr yn afon Dyfrdwy. Gellid ystyried cynllun y Gorfforaeth yn ymestyniad o'r cynllun hwnnw.

Ynglŷn â'r cynnig i dynnu dŵr o afon Conwy, dywedodd Mr Lawrence na fyddai'r rhan honno o'r cynllun yn cael ei hystyried am ddeugain mlynedd efallai. Fodd bynnag, yn wyneb y gwrthwynebiad gan Gynghorau Sir Caernarfon, Dinbych a'r Ymddiriedolaeth Gened-laethol gyda'r Cyngor er Diogelu Harddwch Cymru Wledig, penderfynodd y Gorfforaeth mai'r peth doethaf fyddai tynnu'r bwriad hwnnw o'r mesur presennol.

Cyfeiriodd y bargyfreithiwr at y rheilffordd a redai ar dir y bwriedid ei foddi. Mynnai na ddefnyddid y lein ar gyfer y bwriad gwreiddiol, sef cludo llechi, ond ei bod yn cael ei defnyddio ar raddfa eithaf cyfyng i wasanaethu'r bobl leol, y twristiaid yn yr haf a chwarel ithfaen Arenig. Yr oedd Comisiwn y Rheilffyrdd yn bendant y dylai gau, ond nid oedd y Gorfforaeth yn cymryd ochr, er y byddai cau'r rheilffordd yn arbed miliwn o bunnau iddynt.

Yr oedd y Gorfforaeth yn awyddus iawn i sicrhau bod pob cyfleustra yn cael ei roi i'r ardal, a chyflogid pensaer cynllunio'r amgylchedd i sicrhau hynny. Nid cynllun hunanol o eiddo Corfforaeth Lerpwl oedd hwn. Dinas oedd hi a oedd yn meddwl am anghenion dros ddeugain o awdurdodau.

Yn neiseb Cyngor Sir Meirionnydd, nid oedd yn ddigon i ddweud wrth y Gorfforaeth am fynd i chwilio yn rhywle arall. Yr oedd gwir angen am y dŵr hwn ar gyfer cartrefi a diwydiant. Ni ellid ystyried dŵr fel eiddo, megis mwyn, ac nid oedd iddo werth trethol heb i gyfalaf gael ei wario ar ei gasglu. Heb ei gronni âi'r dŵr o Dryweryn i lawr i Fôr Iwerddon heb fod o werth i neb. Yr oedd y Gorfforaeth yn barod i addo cyflenwad sylweddol o ddŵr i'r awdurdodau lleol yn y cyffiniau. Dangosai hynny eu haelioni.

Er bod rhai ffermydd go dda yn y cwm, tir gwael oedd yn yr ardal, gyda mawn mewn llawer lle oherwydd diffyg draenio. Byddai'r gôst o ddraenio gyda ffosydd yn fwy na gwerth y canlyniadau. Mae'n debyg ei bod yn wir bod y trigolion yn Gymry Cymraeg ac nid amheuai Mr Lawrence nad oedd gwerth i'r dreftadaeth, ond lle prin ei drigolion ydoedd, ac ni fyddid yn effeithio ar ond rhyw drigain o bobl yn unig.

Nid oedd symud pobl yn golygu dim ond eu symud i lawr y cwm i Fron-goch ac adeiladu tai iddynt yno. Yr oedd y Gorfforaeth, yn eu hawydd i gael cydweithrediad, eisoes wedi trefnu i gael gafael ar safle i'r pwrpas hwnnw.

Gyda'r Gorfforaeth yn barod i wneud ei gorau i leihau unrhyw anghyfleustra, yr oedd boddhau anghenion dros filiwn o bobl yn ymddangos yn llawer pwysicach nag aflonyddu ar yr ychydig. Byddai'r ffermwyr a gollai eu tir gorau, ac a fethai fyw ar y tir uchel a adewid iddynt, yn cael cyfnod o ryw bum mlynedd, tra adeiledid y gronfa, i chwilio am ffermydd eraill. Yr oedd digon o ewyllys da tuag at y ffermwyr o gyfeiriad y Gorfforaeth, a gallent gadw golwg ar anghenion y ffermwyr er na ellid delio â phob achos unigol fel hyn. Sylweddolid bod bywyd pob unigolyn yn bwysig ond roedd gormod o sylw wedi ei roi i unigolion ar draul y llaweroedd yn yr achos hwn.

'It is impossible,' gorffennodd y bargyfreithiwr, 'to compare the amount of dislocation which would take place in this valley with the deprivation of water supplies of more than a million people in one of the most vital areas in the whole country.'

Drannoeth rhoddodd y bargyfreithiwr Mr Gerald Thesiger, Q.C., y dystiolaeth o blaid deiseb Cyngor Sir Meirionnydd. Yr oedd 23 o eitemau yn erbyn y mesur wedi'u rhestru yn y ddeiseb argraffedig.

Cyfeiriwyd at y dinistr a'r difrod a olygai'r boddi. Colli 800 erw o dir, darnio ffermydd, colli cymuned o Gymry Cymraeg diwylliedig, cau'r rheilffordd, a cholli adnoddau na allai'r ardal fforddio eu colli. Yr unig angen am ddŵr o Dryweryn oedd er mwyn atgyfnerthu'r cyflenwad dŵr yn ystod sychder. Yr oedd ar afon Dyfrdwy a'i rhagafonydd nifer o safleoedd a oedd yn addas i gronni dŵr heb ymyrryd â chartrefi pobl, a byddai mân gronfeydd o'r fath yn llawer mwy economaidd nag un gronfa anferth.

Dylai'r Gorfforaeth fod wedi gweithredu yn ôl Deddf Dŵr 1945. Byddai hynny wedi arbed amser seneddol ac wedi rhoi cyfle priodol i wrthwynebwyr fynegi eu safbwynt a rhoi chwarae teg i farn y bobl yr effeithid arnynt. Yr oedd y Gweinidog dros Dai a Llywodraeth Leol eisoes wedi ymgymryd ag astudiaeth o'r posibilrwydd o dynnu dŵr o afon Dyfrdwy, a dylid gohirio unrhyw fesur nes i'r canlyniadau hynny ymddangos, ynghyd â chasgliadau brys Cyngor Cymru a Mynwy ynglŷn â chyflenwad dŵr Cymru gyfan.

Dylai Pwyllgor Dŵr Ymgynghorol dros Gymru gael ei ffurfio i roi ar-gymhellion i'r Gweinidog, ac ni ddylai unrhyw awdurdod dŵr allu defnyddio'r dacteg o fesur preifat. Pe byddai mesur preifat yn cael ei gyflwyno, dylai'r gwrthwynebwyr gael cyfle i leisio barn yn lleol gerbron tribiwnlys. Yr oedd cyfeiriad rhaglith y mesur at y sefyllfa yn ardal Tryweryn yn anwir ac yn amhosibl ei brofi. Cyflwynid y ddeiseb felly gan bledio na fyddai'r mesur yn cael ei dderbyn yn rhan o gyfraith gwlad.

O dan y ddeiseb cafwyd enwau Thomas E. Jenkins, Cadeirydd Cyngor Sir Meirionnydd; D. W. Jones-Williams, Clerc y Cyngor, gyda Sharpe, Pritchard & Co., Westminster yn gweithredu fel Asiantau Seneddol.

Yr oedd y Cyngor Sir wedi cyflogi arbenigwr fel ymgynghorwr, sef Mr R. D. Robinson, partner mewn cwmni o Fanceinion a arbenigai mewn cynllunio busnesi dŵr. Dywedwyd mai ei brif faes ef oedd trafod a dadansoddi ystadegau.

Cynigiodd Mr Robinson dri safle mwy addas i'w boddi na Chwm Tryweryn. Yr oedd dau le ar afon Celyn ac un ar afon Hirnant. Ar afon Celyn gellid boddi 350 erw o dir uchel a chreu cronfa o 5,600,000,000 o alwyni. Ni fyddid yn dinistrio ond dau gartref yn unig.

Ar afon Hirnant gellid dewis un o dri chynllun. Byddai cynllun yr argae uchel yn cronni naw biliwn a hanner o alwyni; cronfa'r argae is yn cronni chwe biliwn a hanner, a'r trydydd yn cronni pum biliwn o alwyni. Byddai'r olaf yn gronfa debyg ei maint i'r un ar afon Celyn.

Tybiai ef mai angen Lerpwl yn ystod y 30 mlynedd dilynol fyddai rhywle oddeutu 30 miliwn galwyn y dydd, a mynnai fod y profiad a gafwyd gydag afon Dyfrdwy yn dangos yn eglur y câi Lerpwl ei 65 miliwn galwyn y dydd a mwy.

Byddai'r miliwn a hanner o bunnoedd a arbedid trwy beidio â gorfod dargyfeirio'r ffordd fawr a'r rheilffordd yn mynd ymhell i dalu am yr argae llai ei faint.

Argae ar draws afon Celyn fyddai ei ddewis ef, a byddai'r argae ei hun yn costio tua'r un maint ag argae ar waelod Cwm Tryweryn, ond arbedid arian am na fyddai'r costau ychwanegol a nodwyd uchod. Byddai'r cyflenwad yn fwy na digon.

Cyfeiriodd Mr C. J. Tuck, swyddog cynllunio Sir Feirionnydd, at y gostyngiad ym mhoblogaeth y sir. Yn 1880 yr oedd y boblogaeth yn 52,000 o'i gymharu â 40,000 yn 1956, ffaith a oedd yn achosi pryder. Yr oedd yn rhaid i'r awdurdodau geisio hybu diwydiannau cynhenid fel coedwigaeth ac amaethyddiaeth, ac edrych ar Gorwen, ar afon Dyfrdwy, fel man i dyfu.

Mynnodd Mr Thesiger nad oedd Lerpwl wedi profi dilysrwydd eu hangen am ddŵr, a'i fod yn annog na ddylai'r Gorfforaeth gael ei mesur drwodd. Cyfeiriodd at dystiolaeth Mr Hetherington o blaid y Gorfforaeth. Dywedodd mai'r rheswm dros beidio â throi at Ardal y Llynnoedd am ddŵr oedd y ffaith fod Manceinion eisoes yn defnyddio'r lle ac na fyddai'n hawdd i ail awdurdod fynnu hawl yno. Yn ôl Mr Thesiger, yr oedd yn hanfodol i wrthod yr hawl i Lerpwl reoli'r fath gyflenwad o ddŵr o Gymru a chael cadw'r hawl i'r dyfodol pell.

Cododd yr hen ddadl ynglŷn â gwerth tir Cwm Tryweryn o safbwynt amaethyddiaeth, a haerodd Mr Moses Griffith nad oedd barn y Gweinidog Amaethyddiaeth mai tir digon gwael oedd yno yn gywir. Dan ddylanwad Deddf Ffermio Tir Uchel, yr oedd y ffermwyr wedi gwella eu ffermydd a rhestrid y tir yn awr fel tir pori da. Yn wahanol i'r Weinyddiaeth, credai ef y byddai'r boddi yn achosi colled amaethyddol sylweddol.

Defnyddiodd Lerpwl Mr S. W. Hill fel arbenigwr cyllidol i roi tystiolaeth y byddai cynllun y Gorfforaeth yn werth £74,000 mewn trethi i sir dlawd fel Meirionnydd, ond, dan bwysau cwestiynau Mr Thesiger, cyfaddefodd y byddai'r sir yn colli swm cyffelyb o'r Trysorlys. £343,000 oedd gwerth trethol Sir Feirionnydd, gyda'r treth yn

17 swllt (hen arian) yn y bunt. Golygai hynny y byddai Lerpwl yn cyfrannu £62,900 i goffrau'r sir am gyfnod amhenodol.

Yr oedd yr anghydfod rhwng Lerpwl a Bootle wedi ei ddatrys, meddai Mr Lawrence wrth orffen y rhan hon o dystiolaeth y Gorfforaeth. Roedd Meirionnydd a'r cynghorau plwyf yn dal i wrthwynebu.

Darparwyd deiseb perchenogion tir y plwyfi gan Mr D. Watkin Powell, ac fel deiseb y sir, dechreuodd hon trwy ymdrin â rhagair a chynnwys mesur y Gorfforaeth.

Daethpwyd at y gwrthwynebiad yn eitem saith lle nodwyd y byddid yn colli 800 erw o dir, 236 o wartheg a 7,704 o ddefaid, a hynny oddi ar ffermydd a oedd wedi derbyn grantiau dan Ddeddfau Dŵr 1946 a 1954. Collid y tir gorau, a byddai'n amhosibl cadw da dros y gaeaf, na gwneud bywoliaeth, heb y tir hwnnw. Yn yr ardal hon yr oedd yn arferiad i'r ffermwyr helpu ei gilydd adeg golchi a chneifio defaid, ac amherid ar y trefniant hwnnw. Byddai'n anodd dod o hyd i ffermydd eraill, a byddai colli'r pentref a'r gymuned yn cael effaith drychinebus ar ddiwylliant Cymraeg yr ardal. Teimlai'r trigolion mor gryf nes iddynt ffurfio Pwyllgor Amddiffyn, a theimlai'r deisyfwyr ei bod yn hollol annheg iddynt orfod dioddef cymaint er lles cymuned fawr bell i ffwrdd nad oedd ganddi unrhyw ddiddordeb yn niwylliant a buddiannau'r bobl a drigai yng Nghwm Tryweryn.

Petai Lerpwl yn llwyddo i ddarbwyllo'r Arglwyddi ei bod yn hanfodol cael dŵr ychwanegol, yna, drwy godi cronfeydd bach mewn mannau cyfleus ar afon Dyfrdwy y dylid gwneud hynny.

Cyfeiriodd y ddeiseb wedyn, fel un Sir Feirionnydd, at y Deddfau Dŵr, ac argymhellid y dylid aros am yr adroddiad llawn ar y sefyllfa ynglŷn â dŵr yng Nghymru a ddisgwylid oddi wrth Gyngor Cymru a Mynwy maes o law. Yr oedd perchenogion a deiliaid y cartrefi ym mhlwyfi Llanfor a Llanycil yn ymbil ar aelodau'r Tŷ i wrthod y mesur.

Dan y ddeiseb rhoddwyd yr enwau isod:

W. H. Pugh, Boch y rhaeadr—Perchennog
John Rowlands, Gwerndelwau—Perchennog
David Jones, Tŷ Uchaf a Thyddyn Bychan—Deiliad
Griffith Evans, Gelli Uchaf—Deiliad
David Jones, Hafod Fadog—Deiliad

David Roberts, Cae Fadog a Choed-y-mynach—Deiliad
John A. Jones, Hafodwen—Perchennog
Robert E. Jones, Tŷ Nant—Perchennog (rhannol)
Morris Roberts, Craig-yr-Onwy—Deiliad; Weirglodd Ddu,
Moelfryn, Cae-gwernog—Perchennog
C. O. Jones, Gwerngenau—Perchennog
J. J. Edwards, Penbryn Fawr a Thŷ'n-y-bont—Perchennog

Sylwer na welir enw perchennog neu berchenogion (oherwydd credir bod y Morlys yn gysylltiedig â'r ystad tan o leiaf 1942) y Rhiwlas ar y rhestr, ond credir i'r ystad dderbyn symiau sylweddol iawn am dir ar lannau afon Tryweryn. Er enghraifft, prynwyd Rhyd-y-fen yn ardal Arenig am tua £34,000 a thalwyd pris tebyg am Graig-yr-Onwy. Nid oedd y ddau le hwn i golli tir. Yna, daeth y ffigurau hyn i'r amlwg, sef £5,000 am yr hawliau pysgota a £7,500 fel iawndal arbennig. Ar wahân i berchenogion Penbryn Fawr a Gwerngenau, ni chafodd y perchenogion lleol symiau cystal, ond mae'n rhaid bod Tom Jones, Llanuwchllyn, y prisiwr proffesiynol, wedi rhoi ei farn ar y ffigurau. Dyma enghreifftiau o'r symiau a gafwyd, ond cofier mai ffigurau brasgywir ydynt: Y Llythyrdy £5,150; Glan Celyn £1,050; Ty'n-y-bont £2,500; Penbryn Bach £1,550; Gwerndelwau £2,600; Moelfryn £1,890; Ciltalgarth (darn o dir) £2,000; Boch y rhaeadr (darn) £2,800; Tŷ Nant (darn) £425. Fel y gwelir, prisiau pitw iawn oeddynt o'u cymharu â phris yr holl gynllun.

Yr oedd safbwynt y ddwy ochr yn yr ymryson yn eithaf hysbys ac er i'r bargyfreithwyr a gynrychiolai Sir Feirionnydd haeddu a derbyn tâl sylweddol, y ffeithiau a gasglwyd gan Gwynfor Evans oedd sylfaen llawer o'r dadlau. Gyda Mr Watkin Powell yr oedd y sefyllfa'n dra gwahanol yn ôl Ysgrifenyddes y Pwyllgor Amddiffyn. Nid gwas cyflog oedd hwn ond un â'i galon yn ei waith a gwres yn ei waed ynglŷn ag achos trigolion Tryweryn. Rhoddodd Mr Powell amser pur anghysurus i'r Henadur Cain o Lerpwl wrth ei groesholi ynglŷn â'r hyn a oedd yn mynd i ddigwydd i drigolion Capel Celyn. Yn ei atebion cyfaddefai'r Henadur ei fod yn gwybod bod yna wrthwynebiad cryf i'r cynllun yng Nghymru, ond mynnai mai'r cenedlaetholwyr oedd y tu ôl i hynny, a'u bod wedi cludo plant yr holl ffordd i Lerpwl i ganu 'nationalist songs outside the City Hall.' Fe gofir mai'r Anthem Genedlaethol ac emyn Elfed a ganwyd ar ddydd yr orymdaith.

Cododd Mr Powell fater cyfarfod trethdalwyr Lerpwl pan gynghorwyd gweithwyr o swyddfeydd y Gorfforaeth i fynychu'r cyfarfod er mwyn pleidleisio rhag ofn y collid y mesur trwy ddiffyg brwdfrydedd ar ran y trethdalwyr. Yr oedd yr Henadur mewn anwybodaeth llwyr ynglŷn â hynny; eto, yr oedd y *Daily Post* wedi cofnodi i'r pwynt gael ei godi o'r blaen yn Lerpwl.

Cododd erthygl yn y *Daily Post*—a argreffir yn Lerpwl, ond sy'n bapur dyddiol cyffredin iawn yng ngogledd Cymru—bwyntiau eraill hefyd a oedd yn rhai sensitif i'r Henadur Cain.

Dywedodd Mr Powell fod yr erthygl wedi gofyn, 'Do Liverpool intend to make a grab before they can be stopped? If Liverpool proceed with the scheme now, it will be tantamount to saying that the needs of Liverpool come before the needs of Wales in the matter of using purely Welsh resources'.

Awgrymodd Mr Powell mai dyna farn nifer sylweddol o bobl Lerpwl. Ni wyddai'r Henadur ddim am hynny, ond cafwyd tri gŵr cyflogedig arall i roi eu barn o blaid y Gorfforaeth.

Sicrhaodd un, yr Athro R. M. Shakleton o Lerpwl, na fyddai cynllun y Gorfforaeth yn lleihau dim ar gyflenwad tref y Bala o Lyn Arenig Fawr. Cafwyd tystiolaeth gan arolygwyr tir o Lundain wedyn fod ardal Celyn yn un wyllt a phrin ei phoblogaeth ac nad oedd o ddim gwerth o safbwynt cynhyrchu bwyd. Yna manylodd Mr S. W. Hill ymhellach ar agwedd gyllidol y cynllun boddi.

Yr oedd y lle yn llawn o arbenigwyr!

Ni wyddys ar ba sail y dewiswyd y pum Arglwydd i benderfynu tynged Capel Celyn a'r cylch. Efallai mai eu tro hwy oedd hi; ar y llaw arall, mae'n bosibl iddynt gael eu henwebu gan eu plaid. Ni chlywyd unrhyw eglurhad, ac ni ddeallwyd i un ohonynt ddod i weld yr ardal drosto'i hun. Er eu disgleirdeb a'u dilysrwydd, prin bod gan un ohonynt brofiad o fywyd a dyheadau pobl cefn gwlad. Nid yw'n rhyfedd felly iddynt edrych ar y ddadl o safbwynt gofynion y miloedd, yn hytrach nag ystyried tynged y brodorion.

Yr oedd aelodau'r Pwyllgor Amddiffyn yn ddigllon iawn ynglŷn â'r modd yr oedd y mesur yn cael ei gyflwyno. Teimlent hwy, o fanylu ar y ffeithiau, mai gwneud elw o werthu'r dŵr oedd y prif reswm dros ddewis Tryweryn, ond ni welai'r pum Arglwydd doeth y peth yn y golau hwnnw. Wedi naw diwrnod o wrando a phwyso a mesur, datganodd y Cadeirydd, Ardalydd Reading, 'The Committee are of the opinion that the Bill should be allowed to proceed.'

Yr oedd rhwystr mawr cyntaf y Gorfforaeth wedi ei orchfygu.

PENNOD 19

Yn Nhŷ'r Cyffredin

Yn dilyn gwrandawiad Pwyllgor Dethol Tŷ'r Arglwyddi ym mis Mai 1957, rhestrwyd y pwyntiau hyn gan wrthwynebwyr cynlluniau Lerpwl:

1. Mae'r mesur wedi dangos gwrthdrawiad eglur rhwng buddiannau cenedlaethol Cymreig a lles yr hyn a alwodd Mr Geoffrey Lawrence, Q.C., yn 'large and important region of England'.

2. Nid edrychodd Lerpwl y tu allan i Gymru am ddŵr yn oes y genhedlaeth hon. Yn ôl adroddiad eu peirianwyr ymgynghorol, yr oedd pob un o'r 11 lle a archwiliwyd yng Nghymru.

3. Gan fod Lerpwl eisoes yn derbyn tua 50 miliwn galwyn y dydd o ddŵr o Gymru, sy'n ddwywaith gymaint ag angen y ddinas i foddhau anghenion cartrefi, mae sôn am amddifadu miliwn o bobl yn lol anonest.

4. Gobeithia Lerpwl werthu'r 65 miliwn galwyn y dydd ychwanegol o Dryweryn i ddiwydiant neu i awdurdodau eraill. Nid oedd anghenion dŵr ar gyfer cartrefi'r ddinas wedi cynyddu mwy na rhyw 4 miliwn galwyn y dydd mewn 35 mlynedd.

5. Mynn Corfforaeth Lerpwl ehangu'n gyflym er i bobl flaengar yn y maes cynllunio argymell cyfyngu ar ddatblygu'r ardaloedd trwm eu poblogaeth.

6. Nid oes fawr o gefnogaeth i gynllun Tryweryn yn Lerpwl ei hun. Oherwydd i gymaint eu habsenoli eu hunain o gyfarfod y Cyngor, cafodd y Gorfforaeth gryn drafferth i gael digon o bleidleisiau i hybu'r mesur.

7. Twyllwyd pobl Cymru gan gynllun Dolanog. Fe'i lluniwyd i dynnu sylw oddi ar fro Tryweryn, yr ardal yr oedd y peirianwyr eisoes wedi ei dewis.

8. Nid ystyriodd Lerpwl o gwbl yr effaith andwyol ar fywyd ac iaith Penllyn, ac o ganlyniad ar Gymru gyfan.

9. Ni chynigiodd Lerpwl waith na swyddi i'r rhai a oedd i'w troi o'u cartrefi. Nid oedd cynnig tai yn Fron-goch fawr o werth heb fywol-iaeth.

10. Mae'r ymchwiliad i adnoddau dŵr Cymru a drefnwyd bedwar mis yn ôl yn ffolineb os yw'r penderfyniad ynglŷn â dyfodol Cwm Tryweryn i'w wneud cyn derbyn argymhellion yr adroddiad.

11. Pan ddaw cronfa ddŵr Tryweryn dan reolaeth Lerpwl ni fydd hawl gan unrhyw ddiwydiant Cymreig ar y dŵr yn ôl y mesur gwreiddiol.

12. Mae'r pwysau gwleidyddol y gall Corfforaeth Lerpwl alw arno wedi gorfodi'r Gweinidog dros Faterion Cymreig i newid ei safbwynt, er gwaradwydd iddo ef ei hun ac i Gymru gyfan.

13. Mae'r un Gweinidog, dan ei het arall, sef Gweinidog Tai a Llywodraeth Leol, yn awr yn datgan yn agored mai buddiannau Lerpwl fydd yn penderfynu tynged Cwm Tryweryn.

14. Mae'r gweithredu hwn yn bosibl am nad oes, fel y dywedodd bargyfreithiwr y Gorfforaeth, naill ai llywodraeth ar wahân gan Gymru na ffiniau cenedlaethol i ffynonellau dŵr.

Wrth gwrs, ni fyddai Corfforaeth Lerpwl byth yn cyd-weld â'r gosodiadau uchod. Beth bynnag, yr oedd y mesur ar ei ffordd yn awr. Mater o ffurfioldeb fyddai'r darlleniad cyntaf yn Nhŷ'r Cyffredin. Yr ail ddarlleniad a'r manylu yn y cam pwyllgorol oedd y rhwystr nesaf. Pwy fyddai'r Aelodau Seneddol ar y Pwyllgor hwn tybed? Pwy bynnag fyddai arno, yr oedd gan Lerpwl bobl nerthol iawn y tu ôl i'r llen; pobl fel yr Arglwydd Woolton a fu'n ffigur mor nerthol yn ystod Rhyfel 1939-45. Nodweddiadol o agwedd y gŵr dylanwadol hwn oedd ei sylw wrth gloi'r ddadl yn Nhŷ'r Arglwyddi, sef y byddai'r trigolion wrth eu bodd gyda thai cyngor gwych fel cartrefi.

Ar wahân i'r Aelodau Seneddol o bell y pwyswyd arnynt i gefnogi'r mesur, yr oedd Aelodau o Lannau Merswy yn amlwg yn y Llywodraeth ei hun hefyd. Yn ddirprwy i'r Gweinidog Tai yr oedd J. R. Bevins, Aelod Seneddol Toxteth. Wedyn, yr oedd y bywiog Ernest Marples yn Brif Bostfeistr (Wallasey), a'i ddiprwy Kenneth Thompson (Walton). Yr oedd rhai dylanwadol eraill, fel Harold Wilson (Huyton) a Barbara Castle (Blackburn) ar ochr Lerpwl hefyd.

Agorodd Henry Brooke y ddadl ar yr ail ddarlleniad yn Nhŷ'r Cyffredin gyda'r gosodiad fod gan Gorfforaeth Lerpwl achos a oedd yn haeddu'r ystyriaeth ddyfnaf. Pe bai'r Tŷ'n gwrthod y mesur heb iddo gael ei gyfle mewn pwyllgor, yna fe fyddai cyfrifoldeb difrifol ar ysgwyddau'r Aelodau Seneddol pe digwyddai Lerpwl a'r cyffiniau fod yn brin o ddŵr yn y dyfodol. Er mor ddilys a chryf oedd y gwrthwynebiad yng Nghymru, ni allai ef yn ei fyw gredu fod cadw'r ffordd Gymreig o fyw yn rheswm digonol dros wrthod y mesur.

Daeth y gosodiad hwnnw â bloedd o brotest o seddau'r Aelodau Cymreig yn y Tŷ.

Wedi i Sir Gordon Touche gynnig derbyn yr ail ddarlleniad, cododd Mr T. W. Jones, Aelod Seneddol dros Sir Feirionnydd, i gynnig yn swyddogol fod y mesur yn cael ei wrthod. Yr oedd Mr Jones wedi casglu 45 o Aelodau o bob ochr i'r Tŷ i arwyddo'r gwrthwynebiad, a dechreuodd fwrw i'r ddadl yn llawn egni.

Yr oedd y mesur, meddai, yn golygu diwreiddio cymuned gyfan ac yr oedd gwrthwynebiad eang iawn iddo yng Nghymru. Teimlai'r Cymry yn arbennig o flin oherwydd bod cynllun o'r fath faint wedi ei ddwyn o flaen y Tŷ cyn i adroddiad ar gronni a dosbarthu dŵr yng Nghymru gan y Gweinidog Tai a Llywodraeth Leol gael ei gwblhau.

Mynnai Mr Jones ei fod yn siarad ar ran Cymru gyfan. 'The people of Wales have never felt so intense on any subject this century,' ychwanegodd. Yr oedd ganddo gefnogaeth y rhan fwyaf o'r Aelodau Cymreig o bob plaid ac yr oedd wedi derbyn protestiadau di-rif oddi wrth bob math o bobl a chymdeithasau gwleidyddol, diwylliadol a chrefyddol.

Nododd fod Cymru newydd golli ei Harchesgob a fu mor bryderus ynglŷn â Thryweryn yn 1955 nes iddo anfon at Gorfforaeth Lerpwl, ar ran Mainc ei Esgobion, 'yn enw pobl Cymru', yn gofyn am eglurhad ynglŷn â'u cynlluniau yng Nghymru. Cafwyd gwrthwynebiad cryf iawn gan undebau crefyddol o bob math. Teimlid bod Cymru eisoes wedi bod yn hael dros ben o ran caniatáu i bobl eraill gael ei dŵr. Meddiannai awdurdodau lleol y tu allan i Gymru ddwywaith gymaint o wynebedd dŵr ag a feddai'r Cymry eu hunain.

Dylai mesur preifat fel hwn gyflawni tri gofyniad sylfaenol:

1. Dylai fod yna brawf di-ddadl o'r angen am ddŵr.

2. Dylai'r pwerau y gofynnid amdanynt gyfateb i'r angen.

3. Dylai'r mesur ddangos nad oedd yn bosibl cyfarfod â'r angen mewn unrhyw ffordd lai dinistriol, a dylid sicrhau bod hawliau sifil y bobl leol yn cael eu hystyried i'r eithaf.

Mynnai Aelod Seneddol y trigolion ym Meirionnydd nad oedd un o'r amodau uchod wedi eu cyflawni. Newidiwyd mesur Lerpwl yn sylfaenol yn ystod yr amser yr oedd yn cael ei ystyried. Dangosai hynny wendid y mesur.

Yr oedd y Gorfforaeth wedi newid ffigurau eu gofynion. Dechreuwyd gyda'r ffigur o 65 miliwn galwyn y dydd yn ychwanegol. Oddi ar amser y darlleniad yn Nhŷ'r Arglwyddi yr oedd Bwrdd Dŵr Afon Dyfrdwy a'r Gorfforaeth wedi dweud y byddai angen 57 miliwn galwyn y dydd yn ychwanegol eto, sef cyfanswm o 122 miliwn galwyn y dydd; ond yr oedd llawer o'r dŵr hwn yn mynd i lifo i'r môr heb ei gyffwrdd. Byddai 57 miliwn galwyn y dydd yn ddigon i ddinas Birmingham a'r cylch, sef dinas fwy ei maint, a gallai cronfa un rhan o dair maint cronfa Tryweryn roi cyflenwad o 65 miliwn galwyn y dydd yn hawdd. Hyd yn oed pe bai angen 122 miliwn galwyn y dydd ar Lerpwl, gallai cronfa hanner maint cronfa Tryweryn ddiwallu'r gofyn. Yr oedd Lerpwl wedi gofyn am fwy na phedair gwaith ei hangen.

Yr oedd digon o leoedd eraill ar gael ac yr oedd Lerpwl wedi sôn am ddefnyddio mwy ar Rivington a dŵr afon Merswy, ond y bwriad oedd cadw'r rheini wrth law. Yr oedd digonedd o ddŵr ar gael yn afon Dyfrdwy yn unig hyd yn oed. Er y dywedwyd mai lleiafswm llif Dyfrdwy oedd 55 miliwn galwyn y dydd yr oedd cyfartaledd ei llif yn 600 miliwn galwyn y dydd. Pam na allai'r Ddinas ddefnyddio mwy ar yr afon a chadw dŵr Efyrnwy er mwyn sicrhau digonedd mewn cyfnod o sychder?

Na, yr oedd Lerpwl wedi rhoi ei bryd ar gael Tryweryn. Yr oedd peiriannydd dŵr, sef Mr J. F. Pownall, wedi dyfeisio cynllun tymor hir, ac yr oedd digon o bosibiliadau eraill, ond yr oedd Lerpwl allan i wneud elw. (Curo dwylo o'r llawr.) Gwerthai Lerpwl ddŵr i ddiwydiant a gwneid elw o £1,078,000 y flwyddyn i'r Gorfforaeth er i'r dŵr ddod o Efyrnwy.

Yr oedd Meirionnydd eisoes wedi rhoi tir i gronfa ddŵr yr Awdurdod Trydan Canolog ac yr oedd cynllun arall gyda dwy gronfa ar y gweill yn Ffestiniog. Roedd hi'n hawdd i'r Henadur Braddock yn Lerpwl wawdio'r Cymry a oedd wedi gadael eu bro, ond Cymry oedd yn dyheu am ddod yn ôl oedd y rhain, meddai Mr Jones. Pe collai Cymru ei hadnoddau, fel dŵr, ni fyddai fawr o obaith i'r bobl hynny ddychwelyd.

Dylai'r Tŷ roi braich amddiffynnol dros bobl Capel Celyn. Yr oedd Lerpwl wedi methu profi dilysrwydd yr angen, a dylai Cymru gadw ei hadnoddau naturiol. Canmolwyd araith T. W. Jones yn fawr.

Y siaradwr nesaf ar ran y gwrthwynebwyr oedd Goronwy Roberts, Aelod Seneddol Llafur dros Sir Gaernarfon. Dywedodd ef fod gwrthwynebiad eithriadol yn erbyn cynlluniau Lerpwl nid yn unig o gyfeiriad trigolion Cwm Tryweryn ond o Gymru gyfan. Gofalu am Lerpwl oedd bwriad y Gorfforaeth; gofalu am fuddiannau'r holl wlad oedd dyletswydd y Llywodraeth. Byddai sefyllfa cronni dŵr a'i ddosbarthu ym Mhrydain mewn cyflwr o anarchiaeth pe câi Lerpwl ei chrafangau ar un o'r ardaloedd mwyaf cynhyrchiol o ran dŵr yng Nghymru, os nad ym Mhrydain. Yr oedd Cymru yn mynd i golli'r adnoddau am byth. Dim ond methiant i gael cyflenwad o ffynonellau eraill a gyfiawnhâi gynllun o'r fath faint, ond nid oedd na phrinder adnoddau eraill na brys i gynyddu cyflenwad y Gorfforaeth.

Gweithredu yn y gobaith y byddai angen dŵr at anghenion diwydiant yn y dyfodol pell oedd y Ddinas. Yr oedd angen archwiliad cenedlaethol, nid ymostwng i alwad Lerpwl. Pwy fyddai'r nesaf i fynnu'r un ffafr a hwylustod ag a gafodd Lerpwl?

Y peth tecaf y gallai'r Tŷ ei wneud fyddai galw ar Lerpwl i dynnu eu mesur yn ôl a chyflwyno cynllun arall a fyddai'n addas ar gyfer anghenion y dyfodol agos, a chael pob dinas yn y tir i ddod i gytundeb ynglŷn â'u gofynion am ddŵr. Yr oedd gan y peiriannydd Mr Pownall gynllun a ymddangosai yn un rhesymol ac effeithiol. Gyda grid o'r fath byddai Cymru yn cyfrannu llawer mwy oherwydd byddai ewyllys da yn cydymdeithio â'r dŵr.

Dyma ddwy araith effeithiol dros ben, ond a allent ddylanwadu ar yr Aelodau er lles Cwm Tryweryn?

Syr Victor Raikes, yr Aelod Seneddol Torïaidd dros Garston a agorodd y ddadl ar ran Lerpwl, a gwnaeth ei waith yn effeithiol dros ben. Ailadroddodd yr hen ffigurau adnabyddus gan bwysleisio'r perygl pe ceid dwy neu dair blynedd o sychder. Cyfaddefodd nad oedd yr angen am ddŵr i'r Ddinas yn mynd i gynyddu mwy na rhyw 1 miliwn galwyn y dydd yn ystod y blynyddoedd dilynol, ac roedd angen dŵr ar leoedd eraill, ond ffolineb llwyr fyddai i Lerpwl beidio â chynllunio ar gyfer y dyfodol. Yr oedd y Ddinas wedi ystyried tynnu dŵr o afon

Merswy, ond yr oedd y cynllun hwn, fel cynlluniau eraill, yn uchel ei gôst o ystyried y cyflenwad a geid. Nid oedd cynllunio 'bob yn damaid' yn dda i ddim; yr oedd yn mynd yn erbyn egwyddorion diwydiannol.

Pan dorrodd Mr Raymond Gower, Aelod Seneddol y Barri, ar ei draws wrth iddo sôn am yr angen i gynllunio, mynnodd Syr Victor y gallai hi fod yn 1959 cyn i adroddiad y pwyllgor a drefnwyd dan nawdd y Weinyddiaeth Dai a Llywodraeth Leol gael ei gwblhau. Ac wedi'r holl drafod, gallai'r canlyniadau olygu y byddai Lerpwl yn gorfod ail-ddechrau yn yr un man, wedi colli dwy neu dair blynedd, a gallai hynny fod yn niweidiol i ddiwydiant Sir Gaerhirfryn. Hyd yn oed gyda'r mesur hwn byddai saith neu wyth mlynedd yn mynd heibio cyn y byddai'r gronfa yn barod.

Yr oedd yn rhaid gofalu am y trigolion a oedd yn mynd i golli eu cartrefi, nid oherwydd y byddai'r ffermwyr yn colli tir amaethyddol, ond oherwydd bod gan y bobl hynny hawliau, ac yr oedd yn rhan o gyf-rifoldeb y Senedd i'w diogelu.

Yr oedd Corfforaeth Lerpwl wedi dweud mewn datganiad i'r wasg eu bod yn barod i adeiladu tai dair milltir i lawr y cwm i gartrefu'r bobl a symudid o'u cynefin, ond yr oedd angen mwy na hynny. Yr oedd angen haelioni, a dylai'r bobl dderbyn mwy na gwerth y tai a'r tir y byddent yn eu colli. Pe deuai'r mesur trwy'r ail ddarlleniad, yna dylid ychwanegu, yng ngham pwyllgorol y trafod, fod y trigolion i gael eu trin yn anrhyd-eddus gyda golwg ar iawndal am eu colledion a'r aflonyddwch. Yn ei olwg ef yr oedd angen cyflenwad ychwanegol o ddŵr ar Gorfforaeth Lerpwl, a hynny yn fuan. Pa feirniadaeth bynnag a fu ar y cynllun hwn, dyma'r unig un a oedd yn wirioneddol ymarferol. Yr oedd llawer o fanylion i'w trafod, meddai, ond gyda haelioni a dealltwriaeth, gellid cwblhau'r cynlluniau heb fawr o galedi i neb. Gallai'r Pwyllgor Dethol ofalu am y manylion hynny, a chynigiai ef, ar ran Lerpwl, fod y mesur yn cael ail ddarlleniad.

Ai perfformiad gwych gan siaradwr da oedd hwn, ynteu a oedd yma ŵr diffuant? Ymddengys iddo argyhoeddi llawer oherwydd, er i'r ddau wrthdaro, talodd Mr Raymond Gower deyrnged iddo. Ond os oedd Syr Victor mor ddiffuant ag yr awgrymai ei araith, yna pam na allai weld fod Corfforaeth Lerpwl yn gofyn am lawer iawn mwy o ddŵr nag oedd arnynt ei eisiau—mwy, hyd yn oed, nag y gallent ei werthu? Ni ellir llai na chytuno â thybiaeth aelodau'r Pwyllgor Amddiffyn mai anghenion y dyfodol pell a'r elw o werthu i eraill dros y blynyddoedd oedd wrth wraidd y dewis.

Yr oedd siarad am haelioni yn rhywbeth digon hawdd ac effeithiol i'w wneud mewn areithiau fel hyn. Cyflwynid y Gorfforaeth fel awdurdod haelionus a llawn gofal. Hyd yn oed pe bai'r Gorfforaeth yn gorfod talu hanner miliwn o bunnoedd i bob teulu yn yr ardal, byddai'n dal yn fargen o ystyried yr elw a ddeuai yn ôl i goffrau'r ddinas dros y blynyddoedd.

Fel y gellid disgwyl, ni wireddwyd geiriau'r siaradwr hwn er i swyddogion a chynghorwyr o Lerpwl wneud datganiadau haelionus iawn i'r wasg eu bod yn awyddus i roi cymorth i Gymru.

Clywyd tipyn am iawndal yn ystod y cyfnod hwn, a chrybwyllwyd y gallai ystad y Rhiwlas dderbyn dros gan mil o bunnoedd. Y peth a anghofiwyd oedd mai unedau bach oedd y mwyafrif o'r ffermydd yr oedd eu perchenogion yn byw ynddynt. Ar wahân i Gae Fadog, lle'r oedd David Roberts yn byw, y ddwy fferm orau yng Nghwm Tryweryn oedd Penbryn Fawr a Gwerngenau a oedd wedi gwario tipyn o arian ar wella'r adeiladau a'r tir. Gellid disgwyl ugain mil yr un am y rheini efallai, a theg fyddai hynny. Ni chyfeiriodd Syr Victor at dalu iawndal i'r tenantiaid, sylwer.

Cyfrannodd eraill i'r ddadl, wrth gwrs, ac mewn araith fer rhwng cyfraniadau dau Aelod Seneddol o Lerpwl, dywedodd y Parch. Llywelyn Williams, Abertyleri, fod unfrydedd eithriadol wedi codi yng Nghymru yn erbyn cynlluniau Lerpwl, a bod y ffordd y collasai gogledd-orllewin Cymru ei phobl trwy fudo i ddinasoedd Lloegr yn un o drychinebau mwyaf ein dyddiau ni. Ond yr oedd gan yr ardal honno rywbeth gwerthfawr yn ei meddiant o hyd, a dŵr oedd hwnnw. Yr oedd anghenion Lerpwl wedi eu chwyddo a gormod o sylw wedi ei roi i'w hangenion hi yn hytrach nag i anghenion pobl Gwynedd.

Tra'n siarad o blaid y mesur, mynnodd Mr John Tilney, Tori, Wavertree, fod mwy o wastraffu dŵr ym Mhrydain Fawr nag odid unrhyw le. Yr oedd yn rhaid gwneud rhywbeth i ddileu'r gwastraff hwnnw neu fe fyddai prinder mawr yn y dyfodol. Mewn blwyddyn o leithder gwastreffid cymaint â 190-260 miliwn galwyn y dydd. Yr oedd yn hen bryd cronni a chadw'r dŵr hwnnw. Deallai ef fod Lerpwl yn awr yn barod i

D E I S E B: Pwyllgor Amddiffyn Capel Celyn.
P E T I T I O N. Capel Celyn Defence Committee.

Yr ydym ni, sydd wedi arwyddo isod, y rhai sŷn berchen neu'n dal
tir neu yn byw yng Nghwm Tryweryn gan gynnwys pentref Capel Gelyn
a'r Ardal yr effeithir arni gan Gynllun Dŵr Corfforaeth Lerpwl

Yn datgan ein gwrthwynebiad pendant i'r bwriad i foddi ein tir.
Rhoddir ein rhesymau yn llawn yn ein Protest sydd yng ngofal
Pwyllgor Amddiffyn Capel Celyn.

We, whose signatures are appended, being the Owners, or Occupiers
of land, or Inhabitants of the Tryweryn Valley, including the
Village of Capel Celyn, and the area affected by the Liverpool
Corporation Water Scheme, declare our vehement opposition to
the proposal to submerge our land. Our Protest is in charge of
Capel Celyn Defence Committee.

ENW. NAME.	CYFEIRIAD. ADDRESS.
David Roberts	Caefadog. Capel Celyn.
Eilen. A. Roberts	" "
David Edward Jones	" "
David Jones	Ty Ucha Capel Celyn
Maggie Elenior Jones	" "
John D Jones	" "
Margaret Ll. Jones.	" "
John Abel Jones	Hafod Wen Capel Celyn
Thomas Jones	" " "
John Jones	Craig rant. Capel Ce..
J G Jones	"
..... E. Jones	" "
Robert Evan Jones.	Tyrant Capel Celyn.
Mair Jones.	" "
Arthur Wynne Jones.	" " "
Emrys Lloyd Jones.	" " "
Ellen M. Jenny Jones	" " "

Rhestr o'r trigolion a arwyddodd y ddeiseb i wrthwynebu boddi'r tir gan Gorfforaeth Lerpwl.

DEISEB. Pwyllgor Amddiffyn Capel Celyn.
PETITION. Capel Celyn Defence Committee..

ENW. NAME,	CYFEIRIAD, ADDRESS.
Gareth Lloyd Jones	Tynant, Capel Celyn.
Gwenllian Jones	" " "
John Parry	Post Office, Capel C
Harriet Jones Parry	" " "
Bettian Jones Parry	" " "
Morris Roberts	Craigronwy Capel C.
Dorothy Roberts	" " "
Edward Roberts	" " "
Jane L Roberts	
Jennie Jones Rowlands	'Gelli' Capel Celyn
Gwenys M Rowlands.	" " "
Morris Rowlands.	" " "
John M Rowlands	" " "
Robert Hugh Hughes	Bryn Hyfryd Capel Celyn
Robert Parry	Glan Celyn Capel Cely
Margaret Parry,	
Gwen E. Parry	Glan Celyn, Capel Ce
Jennie Jones Jones	Tynybont Capel Celyn
Gwilym Pryson Jones.	" "
Deuon Jones	Maesdail Capel C.
Laura Winnie Jones	
David Jones	Hafod-fadog Capel Cel.
Ellen E Jones	" " " " " " "
Hywel Wyn Jones Tyucha	Tyucha
John Anthony Jones	Blaenyfan.
Laura Ann Jones.	" " "
Gwyn Anthony Jones.	" " "
Alice Mary Jones	
R.J. Roberts	Morfryn Capel Cel
David Roberts	"
Catherine Jones.	Tyucha. Capel Cel.

D E I S E B. Pwyllgor Amddiffyn Capel Celyn.

P E T I T I O N. Capel Celyn Defence Committee.

ENW. NAME.	CYFEIRIAD. ADDRESS.
James Jones Edwards	Penbryn Fawr Capel Celyn
Jane Edwards	'' ''
Elizabeth J Jones	Bochyrhaiadr, Cape
David George Jones.	Bochyrhaiadr Capel
John Wm Jones	'' '' ''
Janet Tufina Jones	'' '' ''
Mair Elenna Jones.	'' '' ''
Rhiannon Jones	Bochyrhaiadr Capel Celyn.
Trebor G. Jones.	'' '' ''
Iorah E Edwards	Penbryn Fawr Capel Celyn.
Jane W Jones	Gwerngenau Capel C.
Marian. E. Jones.	'' '' ''
E. O. Jones	'' '' ''
Ieuan Roberts	Tyn. y. cerrig
Dorothy V Roberts.	''
Margretta Williams.	Parthwyn

adael i awdurdodau yng Nghymru gael yr holl ddŵr yr oedd ei angen arnynt wedi i'r Gorfforaeth sicrhau dyblu ei chyflenwad, ond nid ychwanegodd y byddai'r awdurdodau hynny'n talu'n dda i'r Gorfforaeth. Ac er iddo sôn am wastraffu, ni soniodd y byddai llawer mwy o ddŵr, yn ôl pob tebyg, yn mynd yn syth i'r môr ar ôl creu cronfa mor enfawr.

Erbyn yr ail ddarlleniad, yr oedd yr Aelodau Seneddol Cymreig bron yn unfarn yn eu gwrthwynebiad i'r mesur, sefyllfa bur anarferol. Yr un eithriad oedd Mrs Eirene White, Aelod Sosialaidd dwyrain yr hen Sir Fflint. Cynrychiolai hi ardal a oedd yn prynu llawer o ddŵr o Lannau Merswy.

Diddorol yw cofio bod tad y wraig honno wedi bod yn Ysgrifennydd Personol i Lloyd George am amser maith ac roedd yn gysylltiedig â chychwyn Coleg Harlech. Trueni nad ystyriai hi, fel ei thad, fod gofynion Gwynedd yn bwysicach na rhai Lerpwl. Dywedodd fod ei hardal hi wedi gofyn i Lerpwl am gynnydd sylweddol yn eu cyflenwad dŵr a bod ganddi hi felly reswm cryf iawn dros gefnogi'r mesur. Dywedodd iddi glywed bod rhai ffermwyr yng Nghelyn yn bleidiol i'r mesur, ond nad oedd digon o sylw yn cael ei roi ynddo i oblygiadau Lerpwl i ddosbarthu dŵr ychwanegol i eraill. Yr oedd ei hagwedd yn un anodd ei deall. Dywedodd ei bod yn gryf o blaid y mesur, eto yr oedd yn mynd i bleidleisio yn ei erbyn y noson honno. Yr oedd y mesur yn un teilwng iawn, ond yr oedd yn hen bryd i'r Llywodraeth wynebu'r cwestiwn o gronni a dosbarthu dŵr yn gyffredinol.

Ni fyddai'n amharu ar Lerpwl, ychwanegodd, pe byddai'r cynllun yn cael ei ohirio am flwyddyn. Erbyn hynny siawns na fyddai'r pwyllgor a oedd yn archwilio'r mater wedi cael cyfle i wneud astudiaeth fanwl o'r sefyllfa yn y gogledd, a gellid gohirio astudiaeth o adnoddau ac anghenion gweddill Cymru.

Un arall o Aelodau Seneddol Lerpwl i siarad oedd Mr Norman Punnell, Tori, a gynrychiolai Kirkdale. Dywedodd ef ei fod yn llwyr gefnogi bwriad y mesur, ond yr oedd yna rai pwyntiau nad oedd yn hapus yn eu cylch. Un o'r rheini oedd termau'r iawndal a roddid i'r rhai a gollai eu cartrefi. Nid oedd rhoi gwerth eu tai a'u tir yn unig yn ddigonol. Yn hynny o beth yr oedd termau'r mesur yn rhy galed ar y bobl hyn. Yr oedd popeth yn y mesur yn amhendant.

Nid oedd gorfodaeth ar y Gorfforaeth, er enghraifft, i adeiladu tai i gartrefu'r bobl. Fel aelod o Gyngor y Ddinas, gwyddai fod y Gorfforaeth yn dymuno bod yn hael, ond dylid cynnwys yr angen am iawndal teilwng yn y mesur ei hun. Pe bai £20,000 yn cael ei dalu i bawb, fyddai'r swm hwnnw'n ddim ond mymryn o'i gymharu â'r swm o £17,000,000 y byddid yn ei wario ar y gronfa. Gyda'r gronfa newydd byddai Lerpwl yn talu £576,000 y flwyddyn am ei dŵr, gyda £141,000 o'r swm hwnnw'n mynd i awdurdodau yng Nghymru.

Y rhyfeddod yw bod y ffigurau newydd hyn wedi cael eu cyhoeddi heb i neb eu gwrthddweud. Ni soniodd Mr Punnell am y cwtogi ariannol ar radd gyfatebol a ddigwyddai, nac am y ffaith y byddid yn gwerthu llawer mwy. Mae'n rhaid bod y siaradwr wedi hudo'r gynulleidfa gyda'i addfwynder.

Mewn ymyrraeth ar ffurf cwestiwn i'r Gweinidog, gofynnodd Mr Clement Davies, Aelod Seneddol Rhyddfrydol Maldwyn, a wyddai'r Llywodraeth a fyddai'r cynllun i gronni dŵr yn Nhryweryn yn cyd-fynd â chynlluniau ar gyfer yr holl wlad? Cynllun Lerpwl ar gyfer anghenion Lerpwl oedd hwn, a gallai yn hawdd fod yn anghyson â gofynion y wlad yn gyffredinol.

Y nesaf i siarad o blaid y mesur oedd Mr Henry Brooke, y Gweinidog ei hun.

Diystyrodd gwestiwn Mr Davies. Yn hytrach rhoddodd ei safle ei hun yn yr anghydfod. Ef oedd y Gweinidog dros Faterion Cymreig, ond ef hefyd oedd yn dal y swydd o Weinidog Tai a Llywodraeth Leol. Fel rhan o'i ddyletswydd yn yr ail swydd yr oedd ganddo gyfrifoldeb i hybu a chadw golwg ar gynhyrchu a defnyddio dŵr yn Lloegr a Chymru.

Dywedodd iddo dderbyn 680 o brotestiadau yn erbyn cynllun Corfforaeth Lerpwl i foddi Capel Celyn a thir yng Nghwm Tryweryn. Daethai 95 o'r rheini oddi wrth awdurdodau lleol, a 210 oddi wrth undebau llafur, eglwysig a pholiticaidd, yn ogystal â chymdeithasau eraill. Ysgrifennodd 375 o unigolion ato hefyd. Yr oedd wedi darllen pob dim a allai am y mesur ac am fro Tryweryn. Yr oedd hefyd wedi ymweld â'r lle ac wedi siarad â bron yr holl bobl yr effeithid arnynt.

Manylodd ar gynlluniau Lerpwl a chyfeiriodd at y teimlad Cymreig cryf yn eu herbyn. Yr oedd y teimlad hwnnw'n un dwys, dilys ac eang, meddai.

Tynnodd sylw at gynnwys ei adroddiad i'r Pwyllgor Dethol pan oedd y mesur ar ei ffordd trwy Dŷ'r Arglwyddi. Yn ei sylwadau, yr oedd wedi nodi bod yna deimlad cryf yng Nghymru, a bod cynlluniau Lerpwl yn cynrychioli ymwthiad Seisnig yn erbyn cenedligrwydd a'r bywyd diwylliadol Cymreig ac y dylid eu gwrthwynebu.

Wrth gyfeirio at yr iaith Gymraeg a thraddodiadau'r ardal dywedodd Mr Brooke fod yno deimlad dwfn o berthyn i gymuned bur arbennig. Nid oedd gwerthoedd y Cymry, yn enwedig y Cymry Cymraeg, yn debyg i werthoedd Lloegr a lleoedd eraill.

Bob blwyddyn deuai mwy a mwy o dwristiaid i Gymru o Loegr, ac roedd y terfynau a ddiogelai'r hen ddull o fyw yn diflannu. Pe cwblheid y cyfannu hwn, yna byddai diwedd ar Gymru fel gwlad ar wahân, a marw fyddai'r iaith.

Yr oedd y gwrthwynebiad yng Nghymru wedi ei sylfaenu, nid ar bynciau syml fel cydbwyso'r caledi i ryw drigain o bobl â'r gwerth ychwanegol mewn trethi a sicrhau cyflenwad dŵr gwell yn afon Dyfrdwy, ond ar egwyddorion llawer dyfnach. Credai Mr Brooke fod y trigolion yn teimlo eu bod wedi cyrraedd trobwynt yn eu brwydr i ddiogelu arwahanrwydd Cymru, a chadarnhawyd y gred honno pan aeth cynllun tebyg, sef cynllun hidro-electrig gogledd Cymru, drwy'r Senedd heb unrhyw brotest.

Yr oedd yn rhaid i Gorfforaeth Lerpwl gyflawni'n ddigonol holl ofynion eu cartrefi a'u cwsmeriaid mewn ardaloedd cyfagos a ddibynnai arni am eu dŵr, ac roedd hi'n amlwg mai gogledd Cymru oedd y lle mwyaf addas. Yr oedd Lerpwl wedi archwilio chwe ardal arall (ffigur newydd eto!) ac wedi eu gwrthod i gyd. Wrth gwrs, yr oedd y chwe arall hynny'n dal ar gael ac yn addas fel ffynonellau dŵr i Gymru neu Loegr.

Yr oedd yn wir y byddai gwerth trethol Sir Feirionnydd yn sylweddol o ganlyniad i'r cynllun boddi ond gallai hefyd gadarnhau y byddai'r sir yn colli arian cyfatebol yn dilyn gostyngiad yn y grant cydraddoli.

Yr adeg honno, yr oedd yn amhosibl rhag-weld a fyddai'r dyffryn yn fwy addas fel safle i orsaf drydan niwclear na rhywle arall yn nes at yr arfordir.

Yr unig ffordd ymarferol o dynnu dŵr o'r dyffryn hwn oedd i'r dwyrain ar hyd afon Dyfrdwy. Yr oedd yn eglur bod digonedd o ddŵr dros ben y gellid ei allforio yn ardal Tryweryn. Yr oedd Cadeirydd Bwrdd Dŵr Dyfrdwy a Chlwyd wedi dweud, o'r holl law a syrthiai yng Nghymru, ni phibellid i ffwrdd i Loegr ond tua dau y cant ohono yn unig.

'Ni allaf weld,' meddai'r Gweinidog, 'ond daioni yn unig yn deillio o Ddinas Lerpwl yn cael yr hyn a ddymuna o Gwm Tryweryn.

'Ni welaf unrhyw golled economaidd i Gymru; yn hytrach, gwelaf fantais iddi yn y cynllun.

'Mae'n rhaid i mi ddweud fy mod yn cynghori'r Tŷ fod gan Gorfforaeth Lerpwl achos sydd yn teilyngu'r ystyriaeth fwyaf difrifol.'

Pan gododd Tudor Watkins, Aelod Seneddol Llafur Brycheiniog a Maesyfed, dangosodd yn eglur ei fod ef a'i gyd-Aelodau Cymreig wedi eu cythruddo'n fawr gan araith unochrog Mr Brooke. Yn ei araith i gloi achos y gwrthwynebwyr, tynnodd Mr Watkins sylw'r Tŷ at y gwahaniaeth mawr rhwng nifer y ffermydd yng Nghymru a chanddynt gyflenwad o ddŵr glân o bibellau, a'r nifer llawer uwch yn Lloegr a chanddynt gyflenwad yn eu tai.

Ateb y gweinidog oedd nad oedd rhai awdurdodau Cymreig yn ysgwyddo'u cyfrifoldeb ynglŷn â chyflawni gofynion dŵr eu pobl fel y dylent. Yr oedd digonedd o ddŵr, a llawer ohono'n rhedeg yn wastraff.

Gyda'r gosodiad hwn, cododd cri uchel o 'Ymddiswyddwch!' o lawr y Tŷ. Teimlai'r aelodau Cymreig fod Mr Brooke wedi ildio i bwysau o'r tu allan ac wedi ochri'n rhy drwm gyda'r Gorfforaeth. Yna safodd Mrs E. M. (Bessie) Braddock. Gwyddai pawb yn y Tŷ am ei gallu hi i greu mellt a tharanau, ond y tro hwn, yr oedd mor felys â mêl.

'Mae'n amlwg,' meddai, 'bod y ddadl wedi dangos bod angen cynllun dŵr cenedlaethol, ond yn y cyfamser mae'n rhaid i Gorfforaeth Lerpwl gyflawni ei chyfrifoldeb i gyfarfod ag anghenion dŵr ardaloedd gogledd Glannau Merswy, Chorley a'r ddau ddwsin o awdurdodau eraill, gan gynnwys rhai yng Nghymru. Pe bai Sir Gaerhirfryn yn cynyddu ei diwydiant, yna byddai Lerpwl yn wynebu prinder dŵr.' Gallai hi sicrhau y byddai Lerpwl yn fodlon i bobl Meirionnydd dynnu cyflenwad o ddŵr o'r afon drwy'r mesuryddion.

Sylwer ar yr haelioni yn y parodrwydd i werthu'r dŵr yn ôl i'r sir y daeth y dŵr ohoni!

Yn ei sylwadau i'r Pwyllgor Amddiffyn a'r wasg, mynnodd T. W. Jones ei fod wedi ennill cefnogaeth y Tŷ gyda'i araith ar ran bro Tryweryn, ond bod Henry Brooke, yn bur annisgwyl, wedi 'tynnu'r carped oddi tan fy nhraed, fel petai.' Mae'n sicr ei fod wedi siarad yn dda, ond a oedd, efallai, braidd yn naïf i feddwl ei fod wedi cyflawni cymaint?

Mewn pleidlais gan 223 o Aelodau, cafwyd bod 166 o blaid a 117 yn erbyn i'r mesur fynd ymlaen i gael ei drydydd darlleniad. Yr oedd y mwyafrif o 49 yn llai nag oedd llawer wedi ei ddisgwyl, ond nid oedd fawr o obaith i'r Aelodau Cymreig yn y fath frwydr unochrog.

Diwedd Taith Seneddol y Mesur

Ddechrau mis Gorffennaf 1957 yr oedd prinder dŵr pur ddifrifol yn ne-ddwyrain Cymru. Ar yr ail o'r mis, clywyd yr henadur E. T. R. Jones yn rhybuddio y byddai Caerdydd yn gorfod dioddef dogni dŵr o fewn ychydig ddyddiau os na ddeuai glaw. Yr oedd Merthyr Tudful yn yr un sefyllfa. Nid yw'n rhyfedd felly mai'r pwnc hwnnw yn hytrach na thynged bro Tryweryn a gâi sylw'r *Western Mail*.

Yn y wasg yn gyffredinol, ac yn y *Daily Post* yn arbennig, rhoddwyd lle amlwg i hanes mesur Lerpwl ar ei daith trwy Dŷ'r Cyffredin yn ystod yr ail ddarlleniad a rhoddwyd sylw hefyd i'r teimlad drwg ymysg yr Aelodau Seneddol Cymreig tuag at Henry Brooke a ochrodd gyda Lerpwl. Ond y gwrthdrawiad rhwng Tudor Watkins (Brycheiniog a Maesyfed) a'r Gweinidog ynglŷn â diffygion y cyflenwad dŵr a bibellid i gartrefi yng Nghymru, ac y mateb condemniol Mr Brooke, a gâi'r llythrennau bras yn y *Western Mail*. Yn y golofn olygyddol, hanes dilorni Molotov a Malenkov gan Khrushchev yn Rwsia oedd y testun mawr. Gorfu i Dryweryn aros tan y pumed o'r mis cyn cael sylw'r *Western Mail*.

Yn y papur dywedwyd bod Mr Brooke, yn ddiau, yn gwybod tipyn mwy am lywodraeth leol yng Nghymru na'r Aelodau Seneddol, ond cydnabuwyd bod y Gweinidog wedi bod braidd yn llym yn ei feirniadaeth o'r cynghorau.

Yn Nhŷ'r Cyffredin yr oedd brwydr Tryweryn wedi dod yn fater o bwys ac wedi codi cynnen anarferol, gyda'r mwyafrif o'r Aelodau Cymreig wedi eu siomi gan ymddygiad y Gweinidog a oedd â'r cyfrifoldeb i weithredu er lles eu hetholwyr. Yn ôl y *Guardian*, i'r Gweinidog Materion Cymreig yn anad neb yr oedd y diolch am i fesur Corfforaeth Lerpwl dderbyn ei ail ddarlleniad yn Nhŷ'r Cyffredin.

'Rhaid cyfeirio at yr arweiniad cadarn a gwlatgar a roes Mr T. W. Jones a Mr Goronwy Roberts wrth wrthwynebu'r mesur,' meddai Idris Roberts yn ei golofn yn y *Daily Post*.

I wneud y sefyllfa'n fwy anodd i'r Cymry ei deall a'i derbyn, yr oedd Mr Brooke wedi awgrymu ei fod yn ymwybodol o'r cefndir yng

Nghymru. Yr oedd neb llai nag Islwyn Ffowc Elis wedi dweud am Mr Brooke yn y *Y Ddraig Goch*, 'Hoffais bersonoliaeth Mr Brooke, dyn hynaws yr olwg yn llefaru'n llithrig, os yn ddiamrywiaeth, ac wedi gwneud ymdrech i wybod am Gymru, o leiaf cymaint ag a wyddai Major Lloyd George'. Dyna'r union argraff a adawodd Mr Brooke hefyd pan ymwelodd â Chapel Celyn, ond ni weithredodd yn unol â'r argraff o gydymdeimlad a ddangosodd bryd hynny.

Mynnai rhai Cymry iddo blygu dan ddylanwad y cymeriadau llawer cryfach o'i gwmpas yn y Llywodraeth. Yr eglurhad arall yw iddo gael ei ddarbwyllo gan ddadl y Gorfforaeth a phenderfynu bod gofynion Lerpwl yn real ac yn fwy pwysig na diogelu bro anghysbell a rhyw ychydig o deuluoedd.

Bu ei ymddygiad, fodd bynnag, yn sioc ofnadwy i'r trigolion yng Nghwm Tryweryn. Methent ddeall pam na allai'r Gweinidog weld mai er mwyn gwerthu'r dŵr yr oedd Lerpwl am gael cronfa mor fawr.

Parhaodd y dadlau a'r dwrdio. Ailadroddodd T. W. Jones sawl gwaith fod Lerpwl wedi newid eu mesur yn sylweddol, yn wir, yn sylfaenol, er pan gafodd ei drafod yn Nhŷ'r Arglwyddi ym mis Chwefror. Yr oedd angen y ddinas wedi neidio i 122 miliwn galwyn y dydd a'r rheswm am hynny oedd bod yr awdurdodau wedi sylweddoli y gallai'r gwrthwynebwyr ddadlau y byddai cronfa un rhan o dair o faint un Tryweryn yn boddhau'r galw.

Yr oedd cwynion o bob cyfeiriad yn cael eu hanelu at Henry Brooke, ac mae'n sicr i'r rhain ei wneud yn bur anghyffyrddus. Er enghraifft, anfonodd Cymdeithas Ceidwadwyr Meirionnydd lythyr at y Prif Weinidog, Harold Macmillan, ac er na chawsant fawr o ffrwyth o'u hymdrech, dywedodd ef y byddai'n tynnu sylw Mr Brooke at y pwyntiau a wnaethpwyd.

Ar 16 Gorffennaf cyfarfu Pwyllgor Dethol Tŷ'r Cyffredin i dderbyn tystiolaeth bellach ac i ymchwilio'n ddyfnach i ganlyniadau'r mesur, a'r tro hwn eto, y cyntaf i siarad ar ran y Gorfforaeth oedd Mr Geoffrey Lawrence, Q.C. Agorodd ef gyda'r frawddeg, 'Divorced from the prejudice and passion, the merits of the Liverpool Corporation Scheme are very strong'. Yna aeth ymlaen unwaith yn rhagor i ailadrodd 'y ffeithiau' ynglŷn â gofynion y Gorfforaeth, fel y gwnaethai o flaen yr Arglwyddi. Fel y gellid disgwyl erbyn hynny, Saeson, gyda Sir

Pobl yr ardal mewn priodas leol.

Roger Conant, Aelod Torïaidd Rutland yn cadeirio, oedd yn gwrando ar y dadleuon o blaid ac yn erbyn y mesur.

Ar ran Cyngor Sir Meirionnydd galwodd Mr G. R. Roughier, bargyfreithiwr y sir, ar Mr Tom Jones o Lanuwchllyn i roi darlun o'r gymdeithas yng Nghapel Celyn. Dyma dasg anodd. Prin y gallai'r gwŷr gwybodus hyn werthfawrogi sôn am eisteddfod a sain telyn. Gallent ddeall dadleuon economaidd, ond yr oedd gwerthfawrogi'r 'pethe' y tu hwnt i'w dirnadaeth.

Yn ei dystiolaeth, mynnodd Mr Jones eto y byddai boddi Capel Celyn a'r cylch yn golled ddiwylliadol drom, yn ogystal ag yn golled economaidd. Yr oedd y lle yn fyw o ddoniau a gweithgareddau diwylliadol. Yr oedd y pentref bach ei hun yn ganolfan i gymuned fyw a ymestynnai y tu allan. Yr oedd cerddoriaeth a barddoniaeth yn rhan hanfodol o fywyd y trigolion, a byddai'n anodd darganfod teulu nad oedd un aelod ohono'n ymddiddori mewn rhyw agwedd o lenyddiaeth.

Gofynnwyd i'r tyst roi amlinelliad o weithgarwch nodweddiadol y pentref, a rhoddodd Mr Jones esiamplau:

cymdeithas y bobl ifainc ar nos Lun, seiat nos Fawrth, dosbarth W.E.A. nos Fercher, dosbarth astudio'r Beibl nos Iau a dosbarth ambiwlans a chymorth cyntaf nos Wener.

Cynhelid mân eisteddfodau hefyd, a byddai'r bobl yn ymarfer yn aml ar gyfer yr Eisteddfod Genedlaethol ac Eisteddfod yr Urdd.Yn ystod y 25 mlynedd blaenorol, daethai 30 o wobrau i'r ardal o gystadlu yn yr Eisteddfod Genedlaethol. 'Dyma gymuned sy'n esiampl o'r hyn sydd orau ym mywyd diwylliadol Cymru,' meddai.

Tyst arall ar ran y Cyngor Sir oedd Mr R. D. Robinson, yr arbenigwr ar gronni dŵr. Dyma ail ymddangosiad Mr Robinson.

Gofynnodd Mr Rougier iddo a fyddai'n cyd-weld â'r honiad bod gofynion Lerpwl yn ormodol ac yn fwy o lawer nag angen y Gorfforaeth? Atebodd Mr Robinson y byddai'n cyd-weld oherwydd pwrpas y gronfa yn Nhryweryn oedd gweithredu fel atodiad i lif yr afon yn ystod cyfnodau o sychder. Hefyd, yr oedd y Gorfforaeth wedi newid eu cynllun gwreiddiol. Yr oedd cronfa Efyrnwy yn anferth o'i

Y capel a'r fynwent.

Pulpud y capel.

chymharu â chronfeydd eraill ym Mhrydain, ac yr oedd cronfa Tryweryn yn mynd i fod yn llawer mwy ei maint na honno hyd yn oed. Nid oedd angen cronfa o'r fath. Yr oedd ef ei hun wedi edrych ar 13 o fannau, a mynnai y byddai cronfa a roddai 35 miliwn galwyn y dydd yn ychwanegol yn hollol ddigonol ar gyfer angen Corfforaeth Lerpwl. Byddai cronfa ar afon Hirnant neu Gelyn yn hollol addas. Dewis Mr Robinson ei hun fyddai cael cronfa ar afon Celyn. Tybiai ef y byddai'n boddhau anghenion Lerpwl am amser maith er na fyddai'r gronfa'n ddim ond hanner maint cronfa ar afon Tryweryn. Credai hefyd na fyddai gwrthwynebiad lleol i gronfa lai ei maint ac y byddai Cyngor Sir Meirionnydd yn ymateb yn ffafriol i'r fath gynllun.

Yn ystod ei dystiolaeth ef i'r Pwyllgor Dethol ar ran Corfforaeth Lerpwl, mynnodd Mr R. G. Hetherington, arbenigwr dŵr arall, fod y Ddinas wedi edrych ar bosibiliadau eraill mor bell ag Ardal y Llynnoedd yn ogystal â Chymru.

Dywedodd Mr J. H. T. Stilgoe, peiriannydd dŵr y Gorfforaeth, fod Lerpwl bellach wedi rhoi'r gorau i'r syniad o dynnu dŵr o afon Conwy, ac yr oedd hynny'n gonsesiwn sylweddol. Tamaid i esmwytho ofnau pobl Conwy a'i thwristiaid oedd hwnnw. Gwyddai llawer am y bont a'r arfordir wrth y castell, a byddai lleihau llif yr afon yno wedi cynddeiriogi miloedd ar filoedd yn Lloegr yn ogystal ag yng Nghymru, ac ni allai Lerpwl fyth gyfiawnhau y fath wanc am ddŵr.

Gan fod gwrthwynebwyr fel Cyngor Sir Caernarfon a'r Bwrdd Nwy wedi tynnu eu gwrthwynebiad yn ôl, yr oedd y frwydr yn mynd ymlaen yn eithaf boddhaol i bobl y Gorfforaeth. Hefyd, yr oedd y rhwystrau mawr, sef y darlleniadau yn y Senedd, yn enwedig yr ail ddarlleniad ar 3 Gorffennaf yn Nhŷ'r Cyffredin, wedi eu gorchfygu.

Gobeithid yn gryf y byddai gwaith y Senedd wedi ei gyflawni cyn diwedd y mis a chyn toriad hir yr haf. Câi'r holl fater ei dynnu o sylw'r cyfryngau wedyn a disgwylid y byddai'r anghydfod a'r dicter yn graddol wanychu dros yr haf.

Ar 19 Gorffennaf 1957 yr oedd Henry Brooke yng Nghaerdydd yn annerch aelodau Cyngor Cymru a Mynwy. Ni chlywyd unrhyw ddatganiad cyhoeddus yn erbyn y Gweinidog gan y Cadeirydd, Huw T. Edwards, na sôn am ymddeol fel protest o gyfeiriad yr aelodau. Cythruddodd hynny lawer o bobl ar y pryd, ond efallai eu bod yn gobeithio y byddai'r Gweinidog yn gweithredu mewn rhyw ffordd arall i wneud rhyw fath o iawndal am siarad yn erbyn Tryweryn yn y Tŷ.

Yr oedd nifer o unigolion, ar y llaw arall, yn cydymdeimlo â Mr Brooke yn ystod ei ymweliad â'r brifddinas. Yr oedd gan bob un ei reswm, ambell un efallai yn ofni brifo teimladau gŵr a feddai ar gymaint o ddylanwad.

Er enghraifft, dyma'r hyn a ddywedodd Mr D. Clayton Russon wrth gyflwyno'r Gweinidog i'w gyd-ddiwydianwyr: 'We acclaim you as our new leader and pledge ourselves to serve you loyally. We see you as a knight in armour, coming to Wales, not to slay the dragon but to succour it and tend its wounds'.

Ar y cyfan yr oedd teimlad cryf yn erbyn y Gweinidog drwy Gymru benbaladr, a daeth nifer o bobl ifainc i wrthdystio'n gyhoeddus yn ei erbyn yng Nghaerdydd. Rhaid cofio fod hynny'n rhywbeth anarferol yn y cyfnod hwnnw.

Mae'n sicr bod Mr Brooke yn ymwybodol o'r elyniaeth tuag ato yn ystod ei ymweliad, ond daliodd at ei safiad na theimlai wrthdrawiad rhwng y ddwy ran o'i swydd, sef fel Gweinidog Tai a Llywodraeth Leol ar yr un llaw, a Gweinidog dros Faterion Cymreig ar y llaw arall.

Yn hollol annisgwyl, ar 26 Gorffennaf 1957 cafwyd datganiad yn y wasg fod y Llywodraeth i roi ystyriaeth lawn i'r awgrym y dylid penodi Cymro Cymraeg fel swyddog yn Swyddfa Caerdydd i weithredu fel dirprwy i Ysgrifennydd Parhaol y Weinyddiaeth.

A oedd Mr Henry Brooke, 'bradwr Tryweryn' i brotestwyr y stryd, wedi cael ei ddarbwyllo bod angen gweinidog ar wahân at anghenion Cymru a bod y symudiad hwn yn gam allweddol tuag at gael Gweinidog i Gymru?

Yr oedd y teimlad bod angen y fath weinidog, os nad hunanlywodraeth lwyr, yn gryfach nag y bu erioed ond yr oedd yna wrthwynebwyr. Ym marn David Llewellyn, yr Aelod Seneddol dros ogledd Caerdydd, 'callous indifference to Merseyside and excesses of Nationalism are prejudicial to the survival of Welsh'. Ond i'w wrthwynebwr, Raymond Gower o'r Barri, yr oedd unrhyw un a allai gyflwyno'r fath syniad yn hollol ddieithr i'r teimlad a'r farn gyhoeddus yng Nghymru.

Wedi wythnos o wrando a thrafod, penderfynodd y Pwyllgor Dethol a ddewiswyd i fanylu ar y mesur, fel y disgwylid, y byddai Lerpwl yn cael eu dymuniad ac yn gallu bwrw ymlaen â'u cynllun dŵr.

Yn wahanol i'r drefn arferol, fodd bynnag, ychwanegodd y Cadeir-ydd, yr uwch-Gapten Syr Roger Conant, fod y Pwyllgor yn teimlo 'fod achos cryf iawn o blaid rhoi iawndal anarferol o hael i'r rhai yr effeithid arnynt gan y mesur'. Un rheswm am hynny oedd y byddai cymaint o bobl yn dioddef am na ellid yn hawdd eu hailsefydlu mewn cymdeithas a chefndir tebyg. Yr ail reswm oedd y byddid yn gwasgaru uned a oedd yn esiampl o'r diwylliant Cymreig ar ei orau.

Byddai cymal yn y mesur hefyd yn gwarantu cyflenwad digonol o ddŵr i siroedd Meirionnydd a Dinbych. Bu peth dadlau yn dilyn hynny ynglŷn â faint o ddŵr y dylai'r ddwy sir ei gael, ond penderfynwyd maes o law mai pum miliwn galwyn y dydd fyddai'r ffigur.

Yna ychwanegodd, 'No member of the committee, unhappily, is able to claim Welsh origin, but all of us respect and admire the desire of the Welsh people to preserve their culture, language and way of life'.

Mae'n bosibl bod y dyn yn ddiffuant yn ei ddatganiad, ond i'w ddarllenwyr yng Nghymru, geiriau gwag gŵr yn seboni ac yn cyfeirio at ddagrau ffug oedd yr holl beth. A pha hawl oedd gan unrhyw lywodraeth i drefnu pwyllgor i ymdrin â mater o bwys mawr i Gymru heb fod llais un Cymro i'w glywed yn y penderfyniad? Nid yw'n rhyfedd i'r *Ddraig Goch* a'r *Welsh Nation* berswadio llawer o Gymry eu bod yn genedlaetholwyr ar ôl y fath anghyfiawnder!

31 Gorffennaf 1957 oedd dyddiad y trydydd darlleniad yn Nhŷ'r Cyffredin. Dyma'r cam olaf cyn llofnodiad y caniatâd brenhinol i'r mesur. Yn ystod y diwrnod tyngedfennol hwnnw yr oedd angen i'r mesur basio trwy bwynt adroddiadol a galwad y trydydd darlleniad i gydymffurfio â rheolau'r Tŷ.

Ymddengys i dipyn o gecru a dadlau godi ymysg yr Aelodau Cymreig ynglŷn â'r cwestiwn a ddylid hawlio dadl ffurfiol—a fyddai'n un gyfyngedig oherwydd rheolau'r Tŷ—cyn i'r pleidleisio ddigwydd. Mynnai rhan sylweddol o'r Aelodau y byddai dadl arall yn awr yn dangos cryfder cynyddol y gwrthwynebiad i'r mesur. Dadleuodd y lleill, a enillodd y dydd, na fyddai dadlau pellach yn gwneud unrhyw les i'w hachos. Gallai trafod eto hyd yn oed wanhau'r argraff ffafriol a wnaed yn ystod yr ail ddarlleniad, er colli'r dydd. Parhaodd y dadlau a'r diffyg undod tan amser y cyflwyniad.

Am saith o'r gloch nos Fercher ar ddiwrnod olaf Gorffennaf cyrhaeddodd y mesur yn ddi-wrthwynebiad. Ymlwybrodd yr Aelodau i'r rhaniad, a J. Idwal Jones a Tudor Watkins oedd i rifo gwrthwynebwyr y mesur. Ni chymerodd y cyfrif yn hir. Ar y trydydd darlleniad, pleidleisiodd 175 o blaid mesur Corfforaeth Lerpwl a 79 yn ei erbyn. Dyma yn awr fwyafrif o 96.

Yr oedd tynged pentref ac ardal Capel Celyn wedi ei selio, a'r ddedfryd o foddi wedi ei chyhoeddi. Yr oedd Corfforaeth Lerpwl wedi concro'r gwerinwyr.

O ystyried difrifoldeb y mater gerbron, mae'n anodd i rywun na ŵyr ddirgel ffyrdd Tŷ'r Cyffredin ddeall pam na pharhaodd yr Aelodau Cymreig i wrthwynebu a hyd yn oed siarad ar ffurf 'filibuster' nes i gefnogwyr yr ochr arall ddiflasu ar wrando a diflannu. Mae'n anodd credu na allasai dwsin neu ddau o Aelodau argyhoeddedig a brwdfrydig fod wedi gwneud hynny.

Yr un mwyaf hallt ei gondemniad o farn ac ymddygiad gwylaidd y mwyafrif o'i gyd-Aelodau oedd Raymond Gower. 'Dylem fod wedi ymladd y mesur i'r ffos olaf gyda geiriau yn ogystal â phleidleisiau,' meddai. 'Yr oedd yn gamgymeriad tactegol,' ychwanegodd, 'oherwydd ni fyddai cefnogwyr y mesur wedi cadw eu pobl yn y Tŷ drwy gydol y nos.'

'Trechwyd ni gan Glercod Trefydd Lloegr, 'meddai eraill. Y farn oedd bod llawer iawn o awdurdodau lleol yn Lloegr wedi dwyn pwysau ar eu Haelodau Seneddol i hybu'r mesur. Rhaid cofio hefyd fod gan Gaerhirfryn a Lerpwl lawer o bobl ddylanwadol yn y Tŷ ar y pryd.

Ymhlith y pleidleiswyr o blaid y mesur yr oedd: Henry Brooke, Gweinidog Tai, Llywodraeth Leol a Materion Cymreig; J. R. Bevins, Ysgrifennydd Seneddol iddo ac Aelod dros Toxteth, Lerpwl; Ernest Marples, Postfeistr Cyffredinol ac Aelod dros Wallasey; Kenneth Thompson, dirprwy i Mr Marples, Aelod dros Walton; Harold Macmillan, Prif Weinidog; Peter Thorneycroft, Canghellor ac Aelod Torïaidd blaenllaw dros Sir Fynwy; Edward Heath, Prif Chwip y Llywodraeth; Herbert Morrison, cyn-Weinidog Tramor, dylanwadol yn y Blaid Lafur; Harold Wilson, Aelod Llafur dylanwadol iawn o Huyton.

Ymhlith y merched a bleidleisiodd gyda'r Gorfforaeth yr oedd Barbara Castle, Dr. Edith Summerskill ac, wrth gwrs, Bessie Braddock.

Pleidleisiodd pob Aelod ond un o ardal Lerpwl o blaid achos y Gorfforaeth. Yr un na phleidleisiodd oedd John Woollam, Aelod West Derby a oedd wedi gadael y wlad am Canada cyn diwedd y tymor seneddol.

Bu'r Aelodau Cymreig hefyd yn hynod o ffyddlon i'w hochr hwythau, er bod ambell asyn cloff yn eu mysg yn ôl gohebyddion y wasg, er enghraifft, I. R. Thomas, D. J. Williams, Aneurin Bevan a D. R. Grenfell. Yn wyneb ei barodrwydd ychydig yn ddiweddarach i fod yn geffyl blaen wrth arwain dirprwyaeth i Lerpwl yn dilyn cynhadledd

Arglwydd Faer Caerdydd, mae'n anodd deall pam na roddodd Mr Grenfell ei bleidlais i wrthwynebwyr Lerpwl.

Aelodau gweddol ddi-nod oedd y rhai o Loegr a ochrodd gyda gwrthwynebwyr y mesur, ond yr oedd un o'r seddau ôl yn eithaf adnabyddus oherwydd ei fod yn ymyrryd yn aml yn nadleuon y Tŷ yn enwedig ar faterion yn ymwneud â gormes ac anghyfiawnder. Y gwladgarwr Emrys Hughes o dde Ayr yn yr Alban oedd hwnnw. Yr oedd o leiaf ddau arall hefyd a oedd yn adnabyddus oherwydd iddynt ddal swyddi pwysig yn y gorffennol. Y rhain oedd Hugh Dalton, cyn-Ganghellor, a J. Chuter Ede, cyn-Weinidog Cartref, y ddau yn y Blaid Lafur.

O ran y Rhyddfrydwyr, pleidleisiodd eu harweinydd Jo Grimmond o blaid pobl Celyn fel y gellid disgwyl, ond yn annisgwyl cafwyd cefnogaeth y cymeriad diddorol gyda'r mwstas enfawr, sef Gerald Nabarro, Aelod Torïaidd Kidderminster.

Gwyddai'r Aelodau Cymreig am y pwysau a ddygwyd ar eu partner-iaid yn San Steffan. Gwyddent y gallai nifer o ardaloedd poblog eraill fod yn chwilio am ffynonellau dŵr ychwanegol a bod yr Aelodau yn gorfod helpu. Ond Mr Brooke oedd gwrthrych saethau'r Aelodau Cymreig. Roeddynt mor flin nes i naw ohonynt gynnig y dylai gael ei geryddu yn swyddogol yn Nhŷ'r Cyffredin am ei agwedd tuag at y mesur, ac am iddo weithredu 'in flagrant disregard of the view of the Welsh people and contrary to their vital interests'.

Hefyd, galwyd ar y Llywodraeth i benodi Gweinidog rhag blaen i fod yn gyfrifol am Faterion Cymreig a dim arall.

Fel arfer, disgwylid i gynigiad swyddogol a oedd yn beirniadu ym-ddygiad gweinidog gael ei drafod ar fyrder, ond gyda chynigiad an-swyddogol fel hwn a oedd yn ymdrin â mesur preifat, a'r Tŷ ar fin codi am y toriad hir beth bynnag, nid oedd gobaith o gwbl iddo gael ei drafod.

Beth arall y gellid ei wneud i geisio arbed y cwm? Trefnu dirprwyaeth arall o ardal Tryweryn i Lerpwl i erfyn ar y Gorfforaeth i ddangos trugaredd a pheidio â bwrw ymlaen â'r cynllun, efallai? Na, er y dadlau a'r cecru ymhlith rhai o'r Aelodau Seneddol, barn y mwyafrif oedd ei bod yn rhy hwyr i wneud dim i arbed Capel Celyn a'r cylch.

Her Majesty Queen Elizabeth II

May it please your Majesty

We, the people of Capel Celyn in Cwm Tryweryn in the County of Merioneth, are taking this bold step of appealing to your Majesty, our Queen, personally because our homes are in great danger. Most of us have lived here— quietly all our lives and our families for generations before us, and we have followed the good customs of our fathers on the land and in our social life. But the Liverpool Corporation has obtained parliamentary approval for its plan to drown our valley and to remove us from our homes. ¶ We cannot bring ourselves to accept this fate and we now humbly venture to appeal to your Majesty to use your great influence on our behalf to save our homes. We also remember with pleasure that His Royal Highness the Duke of Edinburgh is Earl of Merioneth. ¶ If your Majesty would kindly use your good offices to persuade Liverpool Corporation not to use the power it has obtained, our gratitude will always follow you.

Yr apêl olaf ar i'r Frenhines rwystro'r boddi.

Fin nos, 1 Awst 1957, derbyniodd y mesur y caniatâd swyddogol, y Royal Assent gan y Frenhines. O safbwynt y Llywodraeth, yr oedd brwydr Tryweryn ar ben. Anfonodd Ysgrifenyddes y Pwyllgor Amddiffyn apêl derfynol a luniwyd gan Ifor Owen at y Frenhines, ond yn ofer.

Tro Llangefni oedd hi i groesawu'r Eisteddfod Genedlaethol yn 1957 ac yr oedd Henry Brooke wedi cael, ac wedi derbyn, gwahoddiad i ymweld â'r Ŵyl, ond erbyn dechrau Awst yr oedd yr ewyllys da a fodolai yng Nghymru tuag at y Gweinidog wedi diflannu bron yn llwyr.

'Wedi iddo dderbyn y gwahoddiad gan yr Eisteddfod, y peth nesaf a wnaeth oedd taflu ei holl bwysau y tu ôl i achos Lerpwl,' meddai'r llythyrwr David Thomas yn y *Daily Post.* Condemniodd hefyd T. W. Jones am gymeradwyo rhoi croeso Cymreig i'r Gweinidog er gwaethaf ei ymddygiad. Deallwyd ar y pryd fod Mr Brooke yn dal i fwriadu dod i Fôn. Wedi'r cyfan, yr oedd wedi datgan yn gyhoeddus ei dderbyniad gwresog i 'Llangefni's bold experiment to accommodate the over-spill of Birmingham'.

Ar y llaw arall, yr oedd sôn y byddai'r mwyafrif o'r pedwar cant o Gymry ar Wasgar a fyddai ar y llwyfan ar y dydd Mercher yn gadael eu seddau i ddangos eu llid tuag at y Gweinidog a'i agwedd anystyriol tuag at ddiwylliant Cymru. Un o'r bobl mwyaf huawdl yn erbyn y Gweinidog oedd y diweddar Mr Hywel Hughes, y miliwnydd o Fogotá, De America.

Beth fyddai ymateb aelodau Plaid Cymru tybed? Yr oeddynt hwy yn cyfarfod ym Mangor yn union cyn dyfodiad Mr Brooke i'r eisteddfod. Er bod protestio a gwrthdystio yn rhywbeth dieithr i faes yr eisteddfod bryd hynny, gallai unrhyw beth ddigwydd gyda thymheredd y genedl wedi ei gynhyrfu cymaint.

Yr oedd y si yn dal ar led fod Cyngor yr Eisteddfod Genedlaethol yn ystyried y posibilrwydd o gael Cyngor Dinesig Lerpwl i wahodd yr Ŵyl i'r ddinas. Yn wir, ysgrifennodd Mr E. Meirion Evans, Cadeirydd Cymdeithas y Cymry yn Lerpwl i'r wasg i ofyn beth oedd yr ymateb yng Nghymru i'r syniad, ac a oedd yna obaith cael cymorth i godi £18,000 tuag at y costau? Gwnaethpwyd colled o £700 pan fu'r eisteddfod yn y ddinas yn 1929.

Yn dilyn eu cyfarfod yng Nghorffennaf 1958, yr anfonodd Pwyllgor Gwaith Plaid Cymru y datganiad canlynol at Mr Brooke: 'The Tryweryn debate reveals your protestations of concern for Wales to be sheer hypocrisy. Help Wales by resigning'.

Erbyn amser yr eisteddfod yr oedd llawer iawn mwy wedi dechrau galw am ymddiswyddiad y Gweinidog, ac yn y diwedd, wedi'r dadlau a'r disgwyl, pasio trwy'r dref gan osgoi'r maes a wnaeth Mr Brooke ar y dydd Mercher.

PENNOD 21

Wedi'r Frwydr

Yn ystod Medi 1957, gydag arwyddocâd colli achos Tryweryn yn y Senedd yn graddol dreiddio i'r ymwybod yng Nghymru, gwnaed sawl apêl gan awdurdodau, mudiadau ac unigolion ar Gorfforaeth Lerpwl i ddangos tosturi yn eu hawr o fuddugoliaeth ac ailystyried eu cynlluniau dŵr. Codi cronfa lai ar afon Celyn hwyrach, a gwella briwiau'r frwydr trwy wneud hynny. Byddar fu clust y gorchfygwr.

Daeth synau gwag o gyfeiriad y Gorfforaeth yn awgrymu y byddai prif swyddogion y Ddinas yn barod i gyfarfod ag arweinyddion o Gymru i weld sut y gallai'r awdurdod fod o gymorth i'r wlad. Dywedodd Mrs Bessie Braddock hefyd, mewn awr o haelioni, neu o gywilydd, 'It is agreed that, as soon as possible there should be a nationally controlled water scheme'.

Fodd bynnag, ar 9 Medi 1957, gwnaed datganiad swyddogol gan Gorfforaeth Lerpwl nad oedd y Ddinas yn barod i ohirio na newid dim ar eu cynlluniau. Wedi'r cyfan, onid oedd y mesur wedi llwyddo ar ôl dilyn llwybr hollol ddemocrataidd?

Ym Mhenllyn, trafodwyd y sefyllfa gan y Cyngor Gwledig, a daethpwyd i'r penderfyniad y dylid gofyn i Arglwydd Faer Caerdydd alw cynhadledd yn y brifddinas i wneud un ymdrech olaf i ddarbwyllo Lerpwl. Y bwriad oedd i'r Clerc, Mr Aneurin Humphreys, drafod y mater gyda'r Henadur J. H. Morgan, yr Arglwydd Faer, a gwahodd cynrychiolwyr o bob math o gynghorau a mudiadau yn ogystal ag unigolion o sylwedd, i'r gynhadledd. Yr Arglwydd Faer fyddai'n dewis y cynrychiolwyr.

Er i'r mesur dderbyn bendith y Senedd a rhoi i Lerpwl yr hyn y gofynnwyd amdano, ychwanegodd Cyngor Penllyn y byddent yn pledio y dylai'r Cyngor Gwledig lleol fod yn gyfrifol am gronni a gwerthu'r dŵr.

O edrych yn ôl, gellir dadlau y dylai'r fath gynllun—os oedd i'w ystyried o gwbl—fod wedi ei gyflwyno yn gynt, ymhell cyn i Lerpwl ddod yn agos at ennill y frwydr. Gan mai un o brif resymau'r Gorfforaeth dros ddewis Tryweryn oedd cael digonedd o ddŵr i wneud elw yn y dyfodol, naïf oedd disgwyl i gynghorwyr unrhyw awdurdod, o gofio am ymddygiad traddodiadol awdurdodau, ollwng y fath wobr o'u gafael ar ôl brwydr mor ddygn. I'r Gorfforaeth, yr oedd awgrymu y dylai Penllyn ei hun gael yr elw yn ymylu ar haerllugrwydd!

Yn wahanol i lawer o gynghorwyr ac arweinwyr cynghorau yn ne-ddwyrain Cymru, yr oedd Arglwydd Faer Caerdydd yn ymhyfrydu yn ei Gymreictod ac yn ystyried Cymru fel gwlad yn hytrach na fel rhan atodol o Loegr. Penderfynodd ymateb i gais Cyngor Gwledig Penllyn trwy ddatgan ei barodrwydd i alw cynhadledd a gwahodd cynrych-iolwyr o bob rhan o Gymru i Gaerdydd i drafod y posibilrwydd o gyfar-fod â chynrychiolwyr o Ddinas Lerpwl. Daeth llythyr i'r Cyngor Gwledig hefyd oddi wrth Undeb Cymru Fydd yn cymeradwyo'r syniad o alw cynhadledd.

Cefnogwyd y bwriad gydag arddeliad trwy Gymru gyfan. Yn y *News of the World*, 22 Medi, yr oedd Caradog Prichard yn llawn gorfoledd, ac am i Ddinas Caerdydd roi tymor arall fel Maer i'r Henadur Morgan am ei welediad a'i arweiniad. Yn ôl y newyddiadurwr, byddai dyn fel ef yn gaffaeliad yn ystod blwyddyn Gêmau'r Gymanwlad a Gŵyl Cymru yng Nghaerdydd y flwyddyn ddilynol. Hefyd byddai cynhadledd o'r fath a fyddai'n cynnwys cynrychiolaeth o o leiaf ugain o gymdeithasau neu gynghorau, yn rhywbeth unigryw yn hanes diweddar Cymru ac yn sylfaen, efallai, i rywbeth mwy parhaol yn y dyfodol.

Disgrifiodd Huw T. Edwards, Cadeirydd Cyngor Cymru a Mynwy (cofier nad oedd Mynwy wedi ei chadarnhau yn derfynol fel rhan o Gymru bryd hynny) y gynhadledd fel 'the most momentous confer-ence in the history of the Welsh nation for a long time'.

Yr oedd gobeithion y garfan Gymreig ei chefndir a'i dyheadau yn uchel iawn. A oedd y frwydr a gollwyd yng Nghwm Tryweryn yn mynd i arwain at fesurau i arbed Cymreigrwydd y genedl?

Erbyn ein dyddiau ni mae'n hawdd gweld mai prin y gellid disgwyl fawr ddim gan siop siarad answyddogol o'r fath a oedd i'w chynnal yng Nghaerdydd. Eto, yr oedd pobl o ddaliadau gwleidyddol gwahanol yn awr yn barod i gyfarfod mewn awyrgylch adeiladol. O leiaf, dyna farn yr Arglwydd Faer. Er nad oedd gan y gynhadledd unrhyw hawliau i orfodi na cheryddu, gobeithid dangos i Brydain yn gyffredinol, ac i

Lerpwl yn neilltuol, fod y gwrthwynebiad i'w mesur cronni dŵr yn un cryf ac eang.

Yn ei eiriau agoriadol yn y gynhadledd ar 28 Hydref 1957, datgelodd yr Arglwydd Faer iddo anfon at amrywiol gymdeithasau, cynghorau, mudiadau ac unigolion ac iddo gael ymateb eithriadol o ffafriol. Fe'i siomwyd gan y ffaith na fyddai cynrychiolwyr cynghorau sir Gwynedd yno, ond cafodd ei foddhau'n fawr o weld bod cymaint o bobl yn dymuno bod yn bresennol. Mynnai y gallai fod wedi llanw'r neuadd ddwywaith neu dair, ond yr oedd yn awyddus i gadw'r cyfarfod rhag cael ei ystyried fel cwrdd protestio. Os oedd Caerdydd i weithredu fel prifddinas, yr oedd yn rhaid iddo ef, fel Arglwydd Faer, weithredu trwy roi cyfle i'r Cymry wyntyllu eu pryderon a'u dymuniadau.

Wedi traddodi ei araith, gofynnodd yr Arglwydd Faer i'r Henadur Huw T. Edwards gymryd y gadair, a gofynnodd hwnnw yn ei dro i Mr John Clement, Ysgrifennydd Cyngor Cymru a Mynwy, weithredu fel ysgrifennydd i'r gynhadledd.

Daeth deg o Aelodau Seneddol i'r gynhadledd, sef David Grenfell (Gŵyr), Y Fonesig Megan Lloyd George (Caerfyrddin), Raymond Gower (Y Barri), S. O. Davies (Merthyr), Y Parch. Llywelyn Williams (Abertyleri), George Thomas (Gogledd Caerdydd), Goronwy Roberts (Caernarfon), Arthur Pearson (Pontypridd), Tudor Watkins (Brycheiniog a Maesyfed), a T. W. Jones (Meirionnydd).

Ar wahân i air neu ddau, yn Saesneg y siaradodd pawb, ac o'r Aelodau Seneddol, dim ond tri, sef Tudor Watkins, Raymond Gower a Goronwy Roberts, a gododd i siarad. Disgwyliwyd i eraill fel y Fonesig Megan godi, ond gwrando yn unig a wnaethant, ac mae'n debyg nad oedd yr areithiau a gafwyd o safon uchel ychwaith.

Yn y gynhadledd yr oedd cynrychiolwyr o siroedd Morgannwg, Mynwy, Ceredigion, Brycheiniog a Chaerfyrddin. Sylwer nad anfonodd un sir o'r Gogledd gynrychiolydd, er i Mr Brooke, chwarae teg iddo, addo y telid costau unrhyw gynrychiolwyr gan y Llywodraeth.

O'r bwrdeistrefi sirol, nid oedd ond Caerdydd a Merthyr, tra cafwyd Llanelli, y Trallwng, Aberteifi, Caerfyrddin, y Barri, Bae Colwyn, Dinbych-y-pysgod, Castell-nedd, Cydweli, Llanbed, Caernarfon, y Bontfaen, y Fenni ynghyd â Dinas Bangor a'r Rhondda, yn dangos eu diddordeb trwy anfon cynrychiolwyr.

O'r cynghorau gwledig a lleoedd llai, cafwyd tua thrigain o gynrych-
iolwyr gyda rhai yn dod o fannau mor wasgaredig â Chaergybi a Chas-
gwent, a llawer ohonynt o ardaloedd Saesneg eu hiaith.

Yn ystod y prynhawn, datgelodd yr Arglwydd Faer iddo, ar ei liwt ei
hun, gysylltu ag Arglwydd Faer Lerpwl, a thybiai y byddai'r Gorfforaeth
yn ddigon balch i gael gair â phobl gyfrifol o Gymru er mwyn gwella'r
teimlad rhwng y Ddinas a Chymru.

Cafwyd un neu ddwy o areithiau gwresog, fel un Mr Vernon Rees o
Gyngor Gwledig Dolgellau, a alwodd am rywbeth gwell nag apelio ar
Lerpwl i dyneru eu hagwedd a newid eu cynlluniau. 'Yr hyn sydd ei
angen yw bwrdd dŵr i Gymru,' meddai. Er bod aelodau o Blaid Cymru
wedi sôn am hynny yn y gorffennol a chael fawr ddim sylw, rhoddodd
y papurau newydd gryn gyhoeddusrwydd i'r alwad yn awr am fod
llygaid yr holl wlad ar y gynhadledd.

Erbyn hyn, gwyddom fod Cymru wedi gorfod aros tan ddeddf 1973
cyn cael y bwrdd hwnnw. Trosglwyddwyd Llyn Celyn o ofal Corff-
oraeth Lerpwl i Fwrdd Dŵr Cymru yn 1974, a gellid dadlau mai dyna
un o'r camau cyntaf i gael awdurdodau Cymreig i reoli gwasanaethau
cyhoeddus y wlad.

Yn ôl yr hen ddull Cymreig o weithredu, galwodd un neu ddau o lawr
y gynhadledd am bwyllgor i ystyried gweithredu pellach ond, yn y
diwedd, etholwyd pump o'r neuadd i fynd i gyfarfod â chynrychiolwyr
y Gorfforaeth yn Lerpwl.

Y pump a ddewiswyd oedd Arglwydd Faer Caerdydd, yr Henadur
J. H. Morgan; Mr R. D. Grenfell, 'Tad' Tŷ'r Cyffredin yn Llundain; yr
Henadur Huw T. Edwards, Llywydd Cyngor Cymru a Mynwy; y
Cynghorydd Emrys Owen, Llywydd Cyngor Gwledig Penllyn; Dr. R.
Robinson, peiriannydd dŵr o Fanceinion.

Y penderfyniad a ryddhawyd i'r wasg (yn Saesneg) ar ddiwedd y dydd
oedd: 'Bod y gynhadledd hon, sy'n cynrychioli maes eang o ddidd-
ordebau Cymreig ac yn ymwybodol o'r angen i adfer y toriad a fu yn
ddiweddar yn y cysylltiadau cyfeillgar traddodiadol rhwng Lerpwl a
phobl Cymru, yn penderfynu yn unfrydol y dylai cynrychiolaeth o'r
gynhadledd geisio cael cyfarfod â chynrychiolaeth o Gorfforaeth
Lerpwl, er mwyn trafod goblygiadau cynllun Tryweryn ac ymchwilio

i'r posibilrwydd o leihau y dadleoliad, y caledi a'r anhwylustod sy'n sicr o ddeillio o gynllun Tryweryn'.

Penderfynwyd hefyd fod yr Arglwydd Faer yn cysylltu yn union-gyrchol ag Arglwydd Faer Lerpwl ynglŷn â lleoliad ac amser y cyfarfod pe derbynnid penderfyniad y gynhadledd gan y Gorfforaeth.

Yr oedd awyrgylch dymunol yn y neuadd, gyda J. B. Evans ar ran Undeb Ffermwyr Cymru yn llongyfarch yr Arglwydd Faer ar ei lwydd-iant yn uno de a gogledd.

Eglurwyd cynllun Cyngor Penllyn yn llawn yn ystod y dydd gan Mr Emrys Owen, a'r gobaith oedd y byddai'r Gorfforaeth, o sylweddoli mor amhoblogaidd oedd eu cynllun drwy Gymru benbaladr, yn edifar-hau rhywfaint ac yn ymddwyn yn anrhydeddus a thosturiol yn eu hawr o fuddugoliaeth.

'Teimlaf ei bod yn werth chweil mynd â'r cynnig yma o'r gynhadledd i Lerpwl,' meddai'r Cynghorydd Llywelyn Jenkins o Gaerdydd.

'Mae'r farn gyhoeddus yng Nghymru yn unfryd,' ychwanegodd y Cynghorydd Richard Davies ar ran Cyngor Glyn Ebwy.

Barn Raymond Gower oedd bod cefnogaeth anghyffredin wedi dod o fannau lle nad oedd y Gymraeg i'w chlywed bellach. Dangosai hynny mor unfrydol yr oedd y Cymry ynglŷn â'r achos. Nid oedd perswadio Corfforaeth Lerpwl i ollwng eu gafael ar eu henillion yn mynd i fod yn hawdd, ond ni welai ef pam na ellid llwyddo pe anfonid cynrychiolaeth gref a fyddai'n dadlau'n ddeheuig.

Yn ôl dymuniad y cynadleddwyr, cyflwynwyd y cynllun a fabwys-iadwyd i gynrychiolwyr Dinas Lerpwl ac eglurwyd pam y rhoddid pwyslais ar arbed tai a lleihau yr aflonyddu. Eglurwyd hefyd sut y byddai Cyngor Penllyn yn gweithredu fel cronnwr a gwerthwr y dŵr. Prin y gellid disgwyl newid yn agwedd y Braddocks a'u dilynwyr, ond efallai y byddai rhyw gwtogi ar y cynlluniau. Dim o'r fath! Gyda rhag-olygon i'r Gorfforaeth wneud elw mawr am flynyddoedd di-rif fe fyddai'n bechod cyflwyno'r fath wobr amheuthun i Gyngor Penllyn. Na, nid oedd yn bosibl ildio modfedd.

Ar 28 Ionawr 1958, cyhoeddwyd datganiad swyddogol gan Bwyllgor Dŵr y Gorfforaeth yn dweud iddynt wrthod yn llwyr y cynllun a gyflwynodd cynhadledd Caerdydd. Un rheswm dros wneud hynny, yn ôl Clerc y Ddinas, oedd nad Lerpwl yn unig fyddai'n elwa o'r cynllun mawr gwreiddiol ond hefyd cynghorau cyfagos.

Ddydd Llun, 14 Gorffennaf 1958, daeth 112 o gynrychiolwyr o awdurdodau lleol Cymru i'r ail gynhadledd genedlaethol ar achos Tryweryn yng Nghaerdydd, ond isel iawn oedd yr ysbryd a'r gobaith y tro hwn. Clywyd adroddiad y cynrychiolwyr a aeth i Lerpwl am fethiant eu hymgais i newid meddwl y Gorfforaeth, ac wedi peth trafod galwyd am sefydlu cyngor i arolygu adnoddau dŵr Cymru. Fel y dywedodd Hywel Heulyn Roberts, 'Dangosodd Tryweryn ein diymadferthedd cenedlaethol'.

Er gwaethaf tristwch Tryweryn, bu 1958 yn flwyddyn ddigon nodedig a hapus yng Nghymru gyda Chwaraeon y Gymanwlad yng Nghaerdydd yn symbol o'r tyfiant graddol mewn cenedlgarwch yn y wlad.

O hynny ymlaen daeth enwau nifer o unigolion i'r amlwg yn gysylltiedig â'r frwydr dros gydraddoldeb i'r iaith Gymraeg, gyda Mr a Mrs Trefor Beasley yn dangos y ffordd i eraill trwy wrthod talu eu trethi nes cael eu ffurflen rybudd yn Gymraeg—ac yn colli peth o'u heiddo o ganlyniad.

Erbyn hynny, gyda'r datblygiadau ym myd radio, yr oedd Radio Cymru yn gallu tynnu sylw'r cyhoedd at bynciau o'r fath a rhoi cyfle i'r Cymry glywed barn, a hyd yn oed gymryd rhan mewn dadleuon, yn eu hiaith eu hunain. Yr oedd popeth Cymraeg fel pe bai ar ei dyfiant. Yr oedd yr Eisteddfod Genedlaethol yn llwyddiant bob blwyddyn, mudiad yr Urdd yn llewyrchus a'r ysgolion Cymraeg ar gynnydd. Yr oedd hyd yn oed yr Aelodau Seneddol yn barod i siarad â'i gilydd ynglŷn â phosibiliadau'r Grand Committee. Gyda phedwerydd siarter y BBC yn dod i ben ym Mehefin 1962, clywyd lleisiau yn dechrau gofyn am gael sianel Gymraeg ar y teledu.

Erbyn gwanwyn 1961 yr oedd Cwmni Teledu Cymru wedi ei eni, a'r gobeithion yn uchel.

Hefyd, daeth araith enwog Saunders Lewis ar dynged yr iaith a syniadau treiddgar yr athronydd J. R. Jones yn bynciau trafod ymysg y bobl hŷn yn ogystal â'r myfyrwyr brwdfrydig yn y colegau. Er gwaethaf pesimistiaeth arferol Llywydd cyntaf Plaid Cymru, yr oedd ei ddilynydd, Gwynfor Evans, yn gallu datgan yn Ionawr 1963 'fod cyfnod

duaf Cymru yn dod i ben gyda'r wlad yn fwy gobeithiol nag y gwelodd
neb hi yn y ganrif hon'.

Teimlai arwr pobl Capel Celyn fod Cymru wedi cyrraedd ei man isaf
tua chwarter canrif ynghynt, toc ar ôl y rhyfel. 'Bryd hynny,' meddai,
'amlygiad dirmygus o blwyfoldeb ydoedd ymddiddori yn ei thynged. Yr
oedd cenedlaetholdeb yn rym hanfodol adweithiol a drygionus. Erbyn
hyn, mae'r sefyllfa wedi newid cymaint nes gwneud Syr David
Llewellyn a Iorwerth Thomas (a oedd mor elyniaethus tuag at y syniad
o ystyried Cymru yn genedl) fel creiriau o'r gorffennol tywyll.'

Diddorol a doniol yw cofio'r hyn a ysgrifennodd David Llewellyn am
Gwynfor Evans yn yr *Empire News* yn rhifyn Chwefror 1958: 'Although
he tries to be very fierce, I suspect him of being rather a dear'.

Ef oedd yr un a ofynnodd y cwestiwn yn Nhŷ'r Cyffredin a chael yr
addewid gan Major Gwilym Lloyd George, y Gweinidog Cartref, y
byddai'r Llywodraeth yn barod i ystyried Caerdydd fel prifddinas
Cymru. Mewn ysgrif yn y *Western Mail* flynyddoedd wedyn, datgelodd
David Llewellyn, a oedd yn Syr erbyn hynny, ei fod yn ymhyfrydu mai
ef oedd yr un a dderbyniodd yr ateb cadarnhaol.

Tra oedd Cymru yn llawn bwrlwm cymdeithasol a gwleidyddol,
gyda'r myfyrwyr, yn enwedig ym Mangor, yn pledio achos yr iaith, yr
oedd bro Tryweryn hefyd yn lle prysur dros ben. Mor gynnar â Mai
1959 yr oedd Gwynfor Evans wedi apelio ar Gorfforaeth Lerpwl i
geisio lleihau'r difrod cymdeithasol yng Nghwm Tryweryn trwy gyflogi
Cymry lleol a defnyddio'r miloedd o slabiau llechi a orweddai yng
nghyffiniau Blaenau Ffestiniog. Dylai hynny sicrhau parhad bodolaeth
y rheilffordd. Ateb swyddogion y Gorfforaeth oedd mai Tarmac ac nid
hwy oedd y cyflogwyr.

Yn Chwefror 1963, darllenwyd yn y papurau dyddiol fod traws-
newidydd wedi ei niweidio gan ffrwydrad. A oedd hynny'n argoel o'r
hyn y gellid ei ddisgwyl maes o law? A oedd y gwrthwynebwyr wedi
rhoi'r gorau i'w safbwynt heddychol a mabwysiadu dulliau'r I.R.A.? Yr
oedd y papurau tabloid Saesneg wrth eu bodd, gyda'r *Sunday Pictorial*
yn dangos 'pedwar terfysgwr lleol', a'u cefnau at y camera, yn
cynllunio'r ffrwydrad nesaf, yn ôl y gohebydd! Prin y gwyddai'r
pedwar ffermwr diniwed beth fyddai'r stori a âi gyda'r llun. Yna daeth
y ffeithiau i'r wyneb.

Ddydd Gwener, 15 Mawrth, gerbron Llys yr Ynadon yn y Bala, plediodd Emyr Llywelyn Jones, 22 oed o Goed-y-bryn ger Llandysul, yn euog i'r ddau gyhuddiad a ddygwyd yn ei erbyn, sef achosi ffrwydrad i drawsnewidydd trydan ar safle cronfa ddŵr Corfforaeth Lerpwl yng Nghwm Tryweryn ar 10 Chwefror 1963, ac o fod â defnyddiau ffrwydrol yn ei feddiant, yn anghyfreithlon.

Cynrychiolwyd y cyhuddedig gan W. R. P. George, y prifardd a'r cyfreithiwr adnabyddus o Gricieth. Yn y llys hefyd yr oedd cynrychiolaeth gref o Bleidwyr ac aelodau o staff a myfyrwyr Coleg Aberystwyth, ynghyd â nifer o newyddiadurwyr. Nid oedd amheuaeth ynglŷn â sail y cyhuddiad, ond sail yr amddiffyniad oedd nad ystyriai'r cyhuddedig yr hyn a wnaeth yn drosedd yn ystyr cyffredin y gair hwnnw.

Penderfynodd y llys fod yr achos i'w glywed mewn llys uwch, ond rhyddhawyd y cyhuddedig, a oedd yn fyfyriwr ar y pryd, ar fechnïaeth o £900. Talwyd £300 ganddo ef ei hun a chyflwynwyd y gweddill gan Gwenallt a Bobi Jones o'r coleg.

Pwysleisiodd y cyhuddedig ei safbwynt hefyd pan safodd ei brawf rai wythnosau yn ddiweddarach yng Nghaerfyrddin. Mynnodd iddo gyflawni'r drosedd fel protest symbolaidd yn hytrach na fel gweithred i rwystro'r gwaith ar yr argae. Apelio at gydwybod y genedl yr oedd.

Rhoddodd y barnwr yr argraff ei fod yn llawn cydymdeimlad ag amcanion 'this young man of such excellent character', ond ei benderfyniad oedd anfon y myfyriwr i'r carchar am flwyddyn ar bob un o'r ddau gyhuddiad yn ei erbyn gyda'r dedfrydau i gydredeg. Abertawe fyddai lleoliad y carchariad. Nid gweithredu ar ei ben ei hun a wnaeth Emyr Llywelyn, ond ef a ddaliwyd gan yr heddlu oherwydd iddynt olrhain hanes y modur a logwyd ganddo.

Yn niwedd haf 1962 ymwelodd dau ddyn o Sir Fynwy â Chwm Tryweryn i geisio niweidio trawsnewidydd, sef David Walters a David Pritchard. Ni fuont mor llwyddiannus ag y gobeithient ond rhyddhawyd falf a gollyngwyd galwyni lawer o olew o'r trawsnewidydd. Wedi eu dal, cafwyd y ddau yn euog yn Llys y Bala, a dirwywyd hwy ganpunt yr un; ond deallwyd ar y pryd i genedlaetholwyr dalu eu dirwy. O hynny ymlaen defnyddiwyd mwy o ddynion a chŵn i warchod offer peirianyddol Tarmac.

Cofnodir cefndir y gweithredu anghyfreithlon gan Owain Williams yn ei lyfr *Cysgod Tryweryn* a gyhoeddwyd yn 1979. Ar wahân i'r stori gyffrous, ceir dadleniad o deimladau'r awdur ac agwedd llawer o Gymry ieuainc y cyfnod hwnnw. Gŵr yn wreiddiol o Benrhyn Llŷn a oedd newydd ddychwelyd o Vancouver, Canada, oedd Owain Williams, un o'r ddau ŵr a weithredodd gydag Emyr Llywelyn. John Albert Jones, pedair ar bymtheg oed, oedd y llall. Yn ôl *Cysgod Tryweryn*, 'yr oedd y digwyddiadau ynglŷn â Thryweryn wedi golygu gofid a phwysedd dychrynllyd, ond roedd mynd i Dryweryn yn rheidrwydd'. Yr oedd Owain Williams yn ŵr priod gyda dau o blant, ac roedd ei wraig Irene yn disgwyl plentyn arall ar y pryd. Pan aned y baban datganodd yr arbenigwyr meddygol nad oedd gan y ferch fach Bethan ond ychydig o fisoedd yn unig i fyw. Erbyn hynny yr oedd Owain Williams yn y carchar. Costiodd yr holl brofiad yn ddrud iawn i'r teulu.

Er i Emyr Llywelyn wrthod datgelu pwy oedd ei gymheiriaid, a mynd am gyfnod heb fwyd fel arwydd o'i deyrngarwch tuag atynt, ni fu yn hir cyn i rwyd yr heddlu amgylchu ei gymdeithion. Cyhuddwyd Williams a Jones mewn llys ym Mlaenau Ffestiniog ac wedyn ym Mrawdlys Dolgellau o achosi ffrwydradau yn ardal Tryweryn a Gellilydan. Mr Emlyn Hooson oedd yn erlyn gyda Mr Phillip Owen, Q.C., yn cynrychioli Williams.

Dedfrydwyd Owain Williams i garchar am ddeuddeg mis. Oherwydd ei oed a'i gefndir, bu'r Barnwr Elwes yn drugarog tuag at John Albert Jones gan ei ryddhau dan yr amod ei fod i iawn-ymddwyn am dair blynedd.

Byddai ceisio croniclo hanes tyfiant cenedlgarwch ac olrhain cefndir a hanes mudiadau milwriaethus fel Meibion Glyndŵr a Cymru ein Gwlad, bychan eu haelodaeth ond gyda phosibiliadau peryglus, yn cymryd gormod o ofod. Gyda'r tyfiant mewn ymwybyddiaeth o Gymreictod, a thynged yr iaith Gymraeg yn dod yn destun o bwys, datblygodd gweinyddiaeth y gyfraith yn y llysoedd yn bwnc llosg hefyd.

Er enghraifft, pan ddaeth y Parch. Euros Bowen i roi ei dystiolaeth o flaen y barnwr a gwneud cais am dyngu'r llw yn Gymraeg, nid oedd y fath beth â Beibl Cymraeg ar gael yn y llys. Yr oedd cymalau ystrydebol Saesneg megis 'the truth, the whole truth and nothing but the truth' yn rhan hollol naturiol o weithredu'r llysoedd yng Nghymru. Ond tua mis Ebrill 1963, ysgwyddodd dinas Caerdydd ei chyfrifoldeb fel prifddinas Cymru a chael yr ynadon i gyhoeddi eu gwysiadau yn Gymraeg pan fyddai galw am hynny. Yr un a weithredodd i sicrhau hyn a sefydlu'r patrwm ar gyfer eraill oedd Mr Ioan Bowen Rees, erlynydd swyddogol y ddinas. Dyma ddylanwad un dyn cadarn y tu ôl i'r llen; trueni na fu mwy o'i fath! Mae'n sicr i gyfle ar ôl cyfle gael ei golli yn y maes hwn yn y gorffennol trwy ddifaterwch unigolion a diogi swyddogion.

Cafwyd cyfnodau o obaith ac o anobaith yn ystod y blynyddoedd rhwng dedfryd pobl Capel Celyn yn y Senedd ar ddiwrnod olaf Gorffennaf 1957 a diwrnod agoriad swyddogol y llyn newydd.

Ar yr ochr dywyll, bu ofnau am gymoedd eraill dan fygythiad y 'lladron dŵr' fel y gelwid hwy. Er enghraifft, clywyd enwau Clywedog, Cwm-twrch a Nant yr Eira, ac yn Ionawr 1963 cyhoeddwyd bod Bwrdd Dŵr Maldwyn wedi taro bargen â Dinas Birmingham. O dalu £43,000 at gostau argae newydd y Ddinas, câi'r Bwrdd ddwy filiwn a hanner o alwyni y dydd. Birmingham gâi'r gweddill wrth gwrs.

Yna, gwelwyd Teledu Cymru, gobaith y genedl, mewn argyfwng ariannol. Roedd y cwmni wedi ceisio rhedeg cyn cerdded yn ôl rhai gwybodusion. Yr oedd y cwmni bach hwn wedi gwneud cytundeb i gyflwyno deng awr o raglenni ei hun, ymrwymiad afresymol i gwmni a oedd yn brin o adnoddau ac oriau, yn enwedig o gofio nad oedd Cwmni Teledu Westland, a oedd tua phedair gwaith yn fwy, yn cynhyrchu dim ond dwy awr o raglenni ei hun mewn wythnos.

Yr oedd y gofyn hwn yn rhy drwm a chlywyd cwynion nad oedd yr I.T.A. wedi gwneud eu rhan, gydag ond ychydig o'r mastiau yn unig wedi ei hadeiladu ac yn barod i'w defnyddio ar ddiwrnod cyntaf y teledu. Nid oedd pobl mewn mannau fel Llanelli ac Abertawe, gyda llawer o Gymry Cymraeg, yn gallu cael llawer o'r rhaglenni.

Ar yr ochr obeithiol yr oedd Cymru yn byrlymu gyda chymdeithasau newydd, megis y Cwmni Opera, y Gerddorfa Ieuenctid, Undeb Amaethwyr Cymru, y Bwrdd Nwy, Urdd Cerddoriaeth Gymreig ac yn y blaen.

Ym myd gwleidyddiaeth, yr oedd y Prif Weinidog, Harold Macmillan, ar 6 Ebrill 1963 wedi gwneud datganiad mewn cyfarfod yng Nghaerdydd fod Cymru i gael ei Swyddfa yn y ddinas honno a'i

hystyried fel endid economaidd ar ei phen ei hun. Dyma gam mawr o
gyfeiriad braidd yn annisgwyl. Yr oedd Mr James Griffiths, aelod
blaenllaw o'r Blaid Lafur, wedi dweud fwy nag unwaith na ddylid rhoi
unrhyw arwahanrwydd economaidd i Gymru, ond pan ddaeth y cyfle
iddo ef ei hun gymryd yr awenau fel yr Ysgrifennydd Cymreig cyntaf,
gallodd dderbyn y cyfrifoldeb a'r anrhydedd heb unrhyw bryder na
brathiad cydwybod.

Tra oedd cynnwrf y ffrwydradau a'r protestio yn mynnu lle amlwg yn
y wasg, yr oedd cwmni Tarmac yn bwrw ymlaen yn ddi-dor â'r gwaith o
symud cerrig a graean i lawr Cwm Tryweryn at yr argae, a phan ddaeth
nifer mawr o bobl i gyfarfod cau y capel ddydd Sadwrn, 28 Medi
1963, gwelsant olygfa druenus. Yr oedd tyllau a thomennydd ym
mhobman.

Yr oedd amser y boddi'n nesáu ac yr oedd tua milltir o gledrau'r
rheilffordd i gael eu gorchuddio gan y dŵr. Yn ystod y dadlau yn 1956 a
1957, yr oedd Corfforaeth Lerpwl wedi datgan eu parodrwydd i dalu
am ailosod y cledrau uwchlaw glannau'r llyn 'pe byddai angen', ond
gwyddai pobl yr ardal mai bychan oedd y posibilrwydd o gael yr

Aelodau'r capel adeg y cyfarfod cau, ddydd Sadwrn, 28 Medi 1963.

Awdurdod Rheilffyrdd i wario a chadw yn agored lein â chyn lleied o bobl yn ei defnyddio. Yr oedd y boddi yn esgus rhagorol, a gwyddai'r Gorfforaeth y gellid addo'r lleuad heb fawr o berygl.

Yr oedd bron pob rheilffordd yng ngogledd Cymru dan fygythiad o gael ei chau, a'r cynllun ar y pryd oedd cau 140 o filltiroedd o reilffyrdd yn y rhanbarth erbyn Tachwedd 1964, gan gynnwys y ddwy gangen o Riwabon i'r Bermo ac o gyffordd y Bala, ger y bont yng nghornel ddwyreiniol y llyn, i'r dref ei hun.

Parhawyd i ddefnyddio trenau i gario llwythi i fyny ac i lawr Cwm Tryweryn ar ôl cau'r lein i'r cyhoedd. Y diwrnod olaf i deithwyr ddefnyddio'r trên o'r Bala i Flaenau Ffestiniog oedd 2 Ionawr 1960. I lawer yr oedd hi'n ddiwrnod o dristwch a chywilydd—cywilydd am i'r Awdurdod Rheilffyrdd dorri'r cysylltiad a fu rhwng y Bala a'r Blaenau er 1882.

Pan oeddwn i'n blentyn roedd yn rhaid i drigolion Capel Celyn naill ai fynd i lawr tua thair milltir i Fron-goch neu ei throedio hi ryw ddwy filltir i Arenig. Pwyswyd am arhosfa ychwanegol, ond ble y dylai'r G.W.R. ei lleoli? Bu dadlau brwd, a hyd yn oed ffraeo, rhywbeth hollol estron i bobl gyfeillgar a chytûn ardal Celyn. Cofiaf hyd heddiw y cyfarfod cyhoeddus a gynhaliwyd yn yr ysgol yng Nghelyn i drafod y mater, a ninnau'r plant lleiaf hyd yn oed yn mynnu mynd iddo. Cofiaf ŵr Tŷ'n Cerrig, o ochr y Waun, gŵr dieithr i ni, yn gwallgofi'n lân, yn cau ei ddyrnau ac yn gweiddi nerth ei ben gan ein dychryn ni'r plantos.

Annisgwyl, ond dymunol iawn i ni oedd y penderfyniad i gynnig cwt tun a phlatfform mewn dau le. Dyna'r rheswm pam fod gan Gwm Tryweryn ddwy arhosfa, sef Tyddyn Halt a Capel Celyn Halt.

Y nos Sadwrn olaf yr oedd y trên i redeg, yr oedd aelodau o Gyngor Tref Blaenau Ffestiniog wedi gwneud y siwrnai i lawr i'r Bala i gyfarfod â chynrychiolwyr Cyngor y Bala, ysgwyd llaw a dangos bathodyn eu swydd i bobl y wasg, a dychwelyd ar drên deng munud i naw. Achosodd y dathlu hwn gryn hollt ymysg cynghorwyr y Bala. Meddai'r Cynghorydd Brynmor Davies, 'Ni allwn i dderbyn gwahoddiad y Cadeirydd i ddod i'r orsaf. Mae'n gas gennyf feddwl fod y fath beth â'r trên olaf yn bod, heb sôn am deithio arno. Dylai'r trên hwn fod yn gychwyn gwasanaeth newydd yn hytrach nag yn ddiwedd cyfnod'.

Gwrthododd y Cynghorydd G. H. Evans y gwahoddiad hefyd. 'Mae
creu'r fath awyrgylch o ddathlu oddi amgylch y gwasanaeth olaf yn
hollol anaddas o sylweddoli beth fydd canlyniadau'r cau,' meddai.

Trueni na welodd Cynghorwyr Cyngor Tref y Bala bethau yn y golau
hwnnw yn 1956. Yn awr gellid gweld un o ganlyniadau'r safiad a
gymerwyd i beidio â chefnogi Pwyllgor Amddiffyn Capel Celyn.

Y ddau ddyn ar y peiriant i dynnu'r trên olaf i fyny Cwm Tryweryn
oedd Dai Davies, gyda 22 o flynyddoedd o wasanaeth, a Prysor Evans
gyda dcunaw mlynedd, y ddau o Drawsfynydd. Y gard ar y trên oedd y
cymeriad poblogaidd a'r canwr adnabyddus Moses Hartley Hughes,
sef 'Moss y Gard' i genedlaethau o deithwyr. Cynorthwywyd ef ar y
platfform gan John Edward Owen a Bob Williams.

Yn y dyddiau a fu, pan nad oedd arian, a phan oedd cyfleusterau
addysg colegol yn llawer llai nag y maent heddiw, cawsai'r G.W.R., fel
cwmnïoedd rheilffyrdd eraill, ran sylweddol o hufen gweithwyr yr
ardaloedd gwledig, a cheid gwasanaeth dibynadwy a chyfeillgar yn ddi-
feth. Yr oedd gweithio ar y lein, ac yn enwedig bod yn ddreifar trên, yn
uchelgais teilwng iawn i bob plentyn ysgol. Trueni bod oes euraid y
trenau gwledig wedi mynd heibio.

Yn ogystal â dyddiau seremonïau cau y lein a'r ysgol ddyddiol, bu
diwrnod datgorffori'r capel a chodi'r cyrff o'r fynwent yn un arbennig
o drist i drigolion Capel Celyn. Digwyddodd yr ailgladdu ar
22 Gorffennaf 1964. Daeth cannoedd o bobl i'r gwasnaeth olaf yn y
capel ar ddydd Sadwrn ddiwedd Medi 1963. Oherwydd maint y
dorf—rhai wedi teithio o bell ac wedi cyrraedd yn gynnar iawn—
methodd llawer iawn ohonom â chael lle y tu mewn i'r capel, ond yr
oedd sŵn y canu yr un mor brudd y tu allan.

Y tri a wasanaethodd yn yr oedfa ryfedd honno oedd Syr David
Hughes Parry, Llywydd Cymdeithasfa M.C. y Gogledd, y Parch. Evan
Lynch, Ysgrifennydd yr Henaduriaeth, Cynghorydd Sir ac ymladdwr
dros 'y pethe', a'r Parch. G. R. Jones, Llandderfel gynt, a fu'n pregethu
yng Nghelyn bob blwyddyn er 1921.

Fel arfer gydag achlysuron fel hyn, yr oedd tynnwr lluniau'r *Cymro*
yno hefyd, a gwelir ei gynnyrch yn rhifyn 3 Hydref 1963 o'r papur. Yn
wir, cynrychiolwyd nifer o bapurau a chylchgronau Cymraeg yno, ac

Y pentref wedi'i ddinistrio; y dŵr yn dechrau cronni.

oherwydd y diddordeb a fu yn yr ardal er y frwydr yn 1957, yr oedd tynwyr lluniau'r papurau Saesneg eang eu cylchrediad yno hefyd.

Yr oedd 1963 yn flwyddyn ddiflas i bobl yr ardal. Ar wahân i'r ymwybyddiaeth fod y diwedd yn dod, yr oedd sŵn a llwch y lorïau mawrion ar eu taith drwy'r pentref yn ddigon i ddifetha nerfau unrhyw un. Yr oedd Tarmac yn fodlon iawn ar ddatblygiad y gwaith ar yr argae. Yr oedd popeth ar gael yn lleol, yn gerrig a graean.

Un datblygiad cenedlaethol a ddaeth o ganlyniad i fuddugoliaeth y Blaid Lafur dan Harold Wilson oedd creu Bwrdd Cynllunio i Gymru, fel rhanbarthau eraill, gyda George Brown yn gyfrifol. Wedi dechrau agor y fflodiart fel hyn nid oedd taw ar y gofyn o fewn Cymru. Galwyd am goleg amaethyddol i Gymru a phrotestiwyd y dylai'r ysgolion uwchradd roi lle mwy teilwng i'r Gymraeg.

Yn Ionawr 1964 agorwyd Cronfa Glyndŵr i sefydlu grwpiau gyda'r bwriad o gael ysgolion meithrin Cymraeg, gyda Dorothy Dolben o Gapel Celyn, chwaer Ysgrifenyddes y Pwyllgor Amddiffyn, yn agor y gŵys yn y gwaith arloesol hwn. Mr a Mrs Trefor Morgan roddodd yr arian i gychwyn y gwaith, ac fel y gwelwyd yn y blynyddoedd dilynol, bu'r cam cychwynnol yn hedyn arwyddocaol iawn.

Soniwyd eisoes am gyfraniad pwysig *Y Cymro* yn cadw testunau llosg fel brwydr y boddi o flaen golygon y genedl. Dylid cofio gyda diolchgarwch am gyfraniadau'r *Faner, Y Ddraig Goch,* a'r cylchgronau eraill rhy niferus i'w cydnabod. Bu Gwilym R. Jones a Mathonwy Hughes yn ddiwyd yng ngholofnau'r *Faner* ac ni ddylid anghofio cyfraniad pobl fel Roy Lewis. Daeth ei gyfnod ef gyda'r *Ddraig Goch* i ben ym Mehefin 1963 a dilynwyd ef gan ŵr disglair a threiddgar, Dr. Tudur Jones, a fu yn y rheng flaen yn ystod y frwydr i arbed Cwm Tryweryn.

PENNOD 22

Yr Agoriad Swyddogol

Bu'r disgyniad glaw yng nghanolbarth Cymru yn eithriadol o uchel yn Rhagfyr 1964. Wrth ochr Llyn Efyrnwy, prif gronfa ddŵr yfed Lerpwl, disgynnodd 22.7 modfedd o law yn ystod y mis, a dros wyth modfedd o law eto yn ystod pythefnos cyntaf 1965. Ym mro Tryweryn disgynnodd 15.2 modfedd yn Rhagfyr a 7.17 modfedd ddechrau'r mis dilynol. Bu'r cyfnod hwnnw gyda'r gwlypaf erioed.

Ar 3 Ionawr 1965 adroddodd y *Sunday Times* fod ei ohebydd wedi ymweld â Thryweryn ac wedi darganfod y gronfa newydd yn hanner llawn. Soniwyd am y capel coffa yr oedd Corfforaeth Lerpwl yn mynd i'w adeiladu fel rhan o'u dyletswydd i wella'r briwiau ar ôl yr ymryson a fu yn gysylltiedig â'u mesur i foddi'r ardal. Yr oedd agwedd Lerpwl yn un dra charedig yn ôl y gohebydd.

Ceisiodd y papurau Saesneg a Chorfforaeth Lerpwl greu'r argraff fod popeth yn dda a bod y brodorion yn ymhyfrydu yn y llyn a oedd yn tyfu. Mae'n rhaid bod rhywun wedi siarad â phobl y wasg, ond mae'n anodd credu bod bodlonrwydd yn bodoli gyda thai'r ardal yn cael eu malurio un ar ôl y llall a'u cerrig yn cael eu cludo i atgyfnerthu'r argae.

Dywedodd un gohebydd iddo gyfarfod â David Roberts, sef Cadeirydd y Pwyllgor Amddiffyn yn 1957, a oedd wedi dod i fyny o'r Bala i weld tyfiant y llyn. Ni fynegodd hwnnw unrhyw lawenydd. Siaradodd gŵr y *Sunday Times* hefyd â Morris Roberts, Craig-yr-Onwy, a Thomas Jones, Hafodwen, a thynnodd lun camera o Deiniol bach yn marcio lefel y llyn gyda'i ffon fesur.

Yna cyfarfu â Mr a Mrs Will Jones. 'She feels little resentment now against the English, Liverpool or men working on the dam. She's excited to hear a new motel may be built there,' meddai gŵr y wasg. Ychwanegodd y papur ei bod yn anodd credu bod teimladau wedi eu cynhyrfu cymaint yn 1963 pan garcharwyd dau genedlaetholwr am ddifrodi cyfarpar ger yr argae.

Yr oedd Corfforaeth Lerpwl hefyd wedi parhau i fwydo'r wasg â 'ffeithiau' a allai greu awyrgylch ffafriol. Er enghraifft, cychwynnwyd si y byddai'r gronfa newydd yn cael ei hagor yn yr hydref, gyda'r Frenhines, o bawb, yn dod i lonni calon ac anrhydeddu'r brodorion a'r awdurdodau lleol â'i phresenoldeb.

Yn ffortunus i bawb, ni wireddwyd y si hwnnw. Yn wir, gwnaed cais ar ôl cais i Lerpwl iddynt ddileu unrhyw seremoni ac agor y falfiau dŵr heb dwrw na moliant. Ysgrifennwyd at y Gweinidog Gwladol hefyd, ond fel y dywedodd Goronwy Roberts, a oedd wedi gweithio law yn llaw â T. W. Jones yn y Senedd ar gwestiwn Tryweryn yn 1957, nid oedd gan y Swyddfa newydd yng Nghaerdydd yr hawl i ymyrryd. Ar y llaw arall gallodd Mr Roberts rag-weld dyfodol gwell. 'Bydd budd-iannau Cymru mewn perthynas â'i dyfroedd yn awr yn ddiogel,' meddai. Ond yr oedd gweirgloddiau Cwm Tryweryn wedi colli'r dydd eisoes.

Dywedwyd bod y Tryweryn Reservoir yn mynd i gael enw newydd, sef Llyn Celyn, ac yr oedd y Gorfforaeth wedi hysbysebu am, ac wedi penodi arolygwr ar gyflog o £1,115-£1,290 y flwyddyn erbyn haf 1965. Yr oedd dirprwy, clerc a staff wedi eu penodi hefyd.

Yr oedd swyddogion Corfforaeth Lerpwl, gyda gormodedd o ddŵr dan eu rheolaeth, wedi trefnu i ogledd-orllewin Sir Amwythig allu prynu faint a fynnent o ddŵr yn ychwanegol at y chwarter miliwn galwyn a gaent eisoes. Yn ôl yr Henadur S. D. G. Campbell o'r sir, 'Mr Stilgoe said the question of cost of additional supplies had not been discussed'. Dyna'r union beth yr oedd Lerpwl wedi ei rag-weld a'i ddymuno. Nid dyna'r amser i godi'r mater o dâl. Gellid trafod y fath fater diflas ar ôl yr agoriad swyddogol.

Yr oedd y Gorfforaeth dipyn yn bryderus wrth i ddyddiad seremoni'r agor nesáu. Yr oedd digon o wylwyr gyda chŵn i sicrhau na fyddai digwyddiadau 1963 yn cael eu hailadrodd, ond pa ymateb fyddai i'r seremoni? Yn wyneb y protestio cyson, rhoddwyd y gorau i'r syniad o gael un o'r Teulu Brenhinol neu aelod blaenllaw o'r Llywodraeth i ymddangos fel gwestai anrhydeddus. Yn lle hynny penderfynwyd galw ar yr Henadur Frank Cain, Cadeirydd Pwyllgor Dŵr y Gorfforaeth, i berfformio'r ddefod o bwyso'r botwm i ollwng y dŵr.

O Lerpwl ar y diwrnod pwysig deuai mintai gref o bobl flaenllaw y Gorfforaeth, megis yr Henadur David Cowley, yr Arglwydd Faer; James Houghton, y Prif Gwnstabl; yr Henadur H. Macdonald Steward;

yr Henadur Harold Lees; J. H. T. Stilgoe, y peiriannydd dŵr, a'r Henadur W. H. Sefton.

Gwahoddodd y Gorfforaeth nifer o wŷr eraill amlwg y ddinas, gan gynnwys y ddau archesgob, yn ogystal ag esgobion Llanelwy a Minevia, ond ni ddaeth yr uchelwyr hynny i'r seremoni.

Bu'r mater o dderbyn a gwrthod gwahoddiadau yn bwnc llosg ymysg trigolion Penllyn. Dadleuai rhai fod Lerpwl wedi dod â gwaith i gannoedd o'r ardal am dros chwe blynedd ac wedi ymddwyn yn rhesymol a chyfeillgar ar ôl y gweithredu llechwraidd dechreuol.

Mynnai rheithor y Bala, a dderbyniodd ei wahoddiad ac a ofynnodd fendith ar fwyd y dathlu, nad oedd y gwrthwynebiad a ddangosid y tu allan i'r babell yn cynrychioli'r teimlad lleol ynglŷn â'r llyn, ond yr oedd cyfrifoldeb ar Lerpwl i wneud rhywbeth i gynorthwyo ardal y Bala fel iawndal am y gweithredu gormesol yn y pumdegau.

Ymysg y gwahoddiadau a anfonwyd o Lerpwl yr oedd un i Gyngor Gwledig Penllyn (neu'r Cyfarfod Dosbarth fel y'i gelwid bryd hynny). Trafodwyd y mater gan y Cyngor a phenderfynwyd na ddylid, ar unrhyw gyfrif, anfon rhywun i'r seremoni. Ond daeth i sylw'r Parch. Euros Bowen, ac i eraill o aelodau'r Cyngor, fod Mr David Lloyd Davies, eu Cadeirydd, yn awyddus i fynychu'r dathliad. Yr oedd y syniad yn wrthun i'r hen aelodau a oedd wedi brwydro i wrthwynebu'r boddi.

Pan ddeallodd y Cadeirydd na fyddai aelodau ei Gyngor yn barod i ganiatáu iddo fynd fel eu cynrychiolydd, trefnodd i'r gwahoddiadau gael eu dychwelyd i Lerpwl ac iddo ef a'i wraig dderbyn gwahoddiad fel unigolion preifat.

Daeth yr anghydfod rhwng y Cadeirydd a'i Gyngor Gwledig yn destun penawdau'r papurau newydd, ond er gwaethaf dicter y bardd a'i osgordd ar y Cyngor, i ben yr argae yr aeth Mr Davies gan gymryd dau o staff y Cyngor gydag ef, sef Mr Jones y tirfesurydd a Mr Williams yr arolygwr iechyd.

Gŵr arall y bu peth dadlau yn ei gylch am iddo dderbyn gwahoddiad i'r seremoni oedd y Cynghorydd Tom Jones o Lanuwchllyn. Yr oedd ef wedi cynrychioli pobl ardal Tryweryn yn erbyn Lerpwl a hyd yn oed wedi ymddangos o flaen Pwyllgor Dethol yn San Steffan. Ond fe fu ganddo gysylltiadau clòs â'r Gorfforaeth wedi hynny, a gwnaeth lawer o waith fel canolwr a phrisiwr tir a thai. Teimlai ef yn hollol gyfforddus er gwaethaf dicter ei feirniaid; credai ef, gan fod yn rhaid i rywun wneud y gwaith, onid gwell oedd cael dyn lleol a wyddai am y lle a'r bobl?

Yr oedd T. W. Jones, yr Aelod Seneddol a D. W. Jones-Williams, Clerc Cyngor Sir Meirionnydd, hefyd yn bresennol er gwaethaf eu safiad cadarn a'u geiriau cas am y Gorfforaeth yn y gorffennol.

Yr oedd presenoldeb pobl o'r statws hwn yn hyfrydwch mawr i swyddogion Corfforaeth Lerpwl oherwydd rhoddai barchusrwydd a chynhesrwydd i'r seremoni. Mae'n eithaf tebyg bod rhai o swyddogion y Ddinas yn unigolion digon dymunol a chyfeillgar, ond i feirniaid y gwesteion Cymreig, yr oedd eu presenoldeb yn profi pa mor arwynebol oedd eu gwrthwynebiad i'r boddi yn y lle cyntaf.

Ymysg eraill o'r sir a ddaeth i wobrwyo Lerpwl â'u presenoldeb oedd R. G. Roberts, Cadeirydd Cyngor Tref y Bala, yr Henadur T. E. Jenkins, E. Jones, M. J. Page (tirfesurydd y sir), yr Henadur E. P. Roberts, y Cynghorydd Caradog Roberts, y Cynghorydd R. G. Semple a'r Henadur D. Tudor o Drawsfynydd. Gyda'r rhain yr oedd arbenigwyr a fu'n gysylltiedig â'r gwaith, pobl fel T. Aspinall, prif drydanwr, W. H. Andrews, prif beiriannydd y cynllun, a'r Dr. H. H. Crann.

Deallwyd bod y Cyrnol K. J. Price, O.B.E., D.S.O., o'r Rhiwlas, prif berchennog y tir a brynwyd, a'r unig un a dderbyniodd swm mawr o arian, wedi cael gwahoddiad hefyd, ond ni welwyd ef ymysg y gwesteion yn y babell ar yr argae. Mae'n bosibl iddo synhwyro'r elyniaeth o fewn yr ardal tuag at y seremoni.

Un gwahoddiad arall a gyfeiriwyd tua'r Bala oedd yr un i Fryn Celyn ger Llyn Tegid 'to allow by-gones be by-gones'. Dyma gartref newydd David Roberts, Cadeirydd y Pwyllgor Amddiffyn yn y pumdegau. Cafodd David Roberts fyw i fedru gwrthod y gwahoddiad. Bu farw ar 11 Hydref 1965 yn 73 mlwydd oed a chladdwyd ef ym mynwent Llanycil ar 14 Hydref.

> Da wladwr duwiol ydoedd
> A gŵr i Dduw o'r gwraidd oedd.

Gwestai o sylwedd na sylwyd arno ymysg y gwahoddedigion swyddogol oedd yr is-Gyrnol W. Jones Williams, Prif Gwnstabl

Cerrig beddau Cadeirydd ac Ysgrifenyddes y Pwyllgor Amddiffyn ochr yn ochr ym mynwent Llanycil.

Gwynedd, ond yr oedd ef yno yn ddigon sicr. Gydag ef yr oedd tua hanner cant o blismyn ar gyfer cadw trefn, diogelu'r gwesteion, ac yn enwedig i gadw golwg ar dri dyn ifanc mewn lifrai a alwyd gan y papurau dyddiol Saesneg a oedd yno'n drwch yn 'F.W.A. uniforms'.

Dyma rai o aelodau Byddin Rhyddid Cymru y perthynai Owain Williams a'i gymheiriaid iddi. Yr oedd aelodau'r wasg Saesneg wrth eu bodd gyda'r tri hyn ac ymddangosai'r 'milwyr' fel pe baent yn gwerthfawrogi'r sylw hefyd. Prif nodwedd y wisg oedd y cap meddal gwyrdd a batrymwyd ar gap yr arweinydd enwog o Guba, sef Fidel Castro. Yr oedd i'r cap streipen goch o'r corun i'r talcen gyda bathodyn y 'fyddin', sef yr eryr, ar ei chanol.

Tri gŵr ifanc o Sir Aberteifi oedd gwisgwyr y capiau. Eu henwau oedd Dafydd Elwyn Williams, deunaw oed o Aberystwyth, Owen Wyn Jones, ugain oed, o Lanbedr Pont Steffan a Julian Caio-Evans, ffermwr wyth ar hugain oed, hefyd o Lanbedr. Oherwydd ei ddatganiadau a'i allu i dynnu sylw, cafodd y trydydd dyn gryn gyhoeddusrwydd ar ôl hynny. Ofnai'r Saeson mai'r 'fyddin' hon fyddai I.R.A. Cymru.

Mae'n debyg mai bwriad y tri oedd cynnal gwrthdystiad trawiadol a symbolaidd o flaen cynrychiolwyr y wasg trwy losgi'r Union Jack, ond dygwyd y faner oddi arnynt gan yr heddlu.

Plaid Cymru a drefnodd y brotest gerllaw'r argae, ond daeth llawer o bobl heb unrhyw ymlyniad gwleidyddol yno i ddangos eu hochr. Yr oedd arweinyddion y Blaid wedi gofyn i'w dilynwyr ymgynnull wrth yr argae am hanner awr wedi deg y bore, ac erbyn yr amser hwnnw, yr oedd tua 250 wedi cyrraedd. Chwyddodd y rhif i fwy na dwywaith hynny yn ystod y ddwy awr nesaf.

Yn ôl y *Daily Express* y diwrnod canlynol, 'At the official opening yesterday, the anger of the Welsh erupted and a hostile crowd of nearly a thousand hailed stones at the platform'. Gormodiaith oedd hynny, ond yr oedd y dorf ar ben yr argae yn un fawr a dicllon. Chwifiwyd Draig Goch fawr o amgylch y ceir cyntaf, ac o weld y faner neu'r dyrfa, trodd ceir y gwesteion dilynol a'u gosgordd, a chymryd yr hen ffordd i waelod yr argae.

Ifor Owen ac Elfed Roberts oedd yn rheoli'r dorf trwy alw cyfarwyddiadau ar gorn siarad ond oherwydd y sŵn, aeth y broblem o gadw trefn yn fwy na gallu dyrnaid o arweinyddion.

Y tri arweinydd ar ddydd yr agoriad swyddogol—Elwyn Roberts, Gwynfor Evans, D. J. Williams. (Llun: Casgliad Geoff Charles, Ll.G.C.)

Yr oedd y protestwyr wedi eu cynhyrfu, ac apeliodd Prif Gwnstabl Gwynedd ar yr Henadur Gwynfor Evans ac Elwyn Roberts i geisio tawelu tymer y dorf. Ceisiodd y ddau arweinydd wneud hynny, ond yr oedd y dicter a oedd wedi bod yn marw-losgi er 1957 wedi cael ei ailgynnau, a gellid amgyffred yr atgasedd tuag at y Gorfforaeth yn yr awyrgylch. Gellid gweld hefyd fod yr Arglwydd Faer yn crynu gan ofn.

Yr oedd yr Henadur Gwynfor Evans wedi bwriadu cyflwyno llythyr i'r Henadur William Sefton, Arweinydd Cyngor Dinas Lerpwl, yn ailadrodd y cais i Gymru gael rheolaeth ar ei hadnoddau. Pwysleisiwyd yr angen hefyd ar i Lerpwl dalu yn deg am y dŵr. Ond bu'n rhaid cyflwyno'r llythyr i'r Arglwydd Faer gan na ellid gweld yr Henadur Sefton ymysg y gwesteion. Un o frawddegau cryfaf y llythyr oedd: 'Tryweryn reflects a situation that we are determined to change'.

Fel y gŵyr pawb erbyn hyn, fe ddaeth newid a chrewyd Bwrdd Dŵr Cymreig o fewn naw mlynedd, ond ni chyflawnwyd pethau felly heb ymdrechion pobl ymroddgar fel yr Henadur Gwynfor Evans.

I rai pobl, fel Gordon Jones o Lawr y Betws, a ysgrifennodd lythyr i'r *Seren*, yr oedd ymddygiad y Pleidwyr ar ddiwrnod yr agoriad swyddogol yn ffiaidd ac yn creu drwgdeimlad rhwng y Cymry a'u 'English neighbours'. Ychwanegodd ei fod yn flin iawn fod athrawon ysgol wedi eu gweld wrth yr argae yn lle bod wrth eu desgiau. Yn ei farn ef, yr oedd peth fel hynny yn gywilyddus ac yn dod ag anfri ar yr ardal.

I eraill a fu wrth yr argae y diwrnod hwnnw, yr oedd y gwrthdystiad wedi bod yn llwyddiant diamheuol ac wedi dangos i gynghorwyr Dinas Lerpwl y teimlad cryf yn erbyn ymddygiad y Gorfforaeth. 'Roedd y brotest yn llwyddiant rhyfeddol,' meddai'r heddychwr annwyl Dr. D. J. Williams, Abergwaun. Ond yr oedd tipyn o anniddigrwydd yn yr awyrgylch.

Gwahoddodd yr Arglwydd Faer yr Henadur Gwynfor Evans i ddod i mewn i'r babell er mwyn i swyddogion a gwesteion y Gorfforaeth estyn croeso iddo a chynnig cymodi, ond gwrthod yn bendant a wnaeth.

Deallwyd ar y diwrnod i'r brotest gael ei threfnu gan Elwyn Roberts ac R. J. Evans o Swyddfa'r Blaid ym Mangor, ond cynorthwywyd hwy yn fawr gan bwyllgor o aelodau cylch y Bala o Blaid Cymru. Ymysg y rhain yr oedd Emrys Davies, prifathro Ysgol Gynradd Fron-goch ac Ifor Owen, prifathro Ysgol Llanuwchllyn, dau ddyn a weithiodd yn ddygn iawn yn eu ffyrdd eu hunain dros yr iaith Gymraeg. Cofir am Emrys Davies am ei ymdrechion a'i ymgiprys gyda'r gyfraith i gael dogfennau moduron ac ati yn Gymraeg. Bu cyfraniad Ifor Owen i Gymru yn un hynod a phwysig. Cymerai manylu ar ei weithgarwch rai tudalennau. Fodd bynnag, dymunir yma gydnabod ei barodrwydd i ni ddefnyddio ei fap o ardal Celyn a rydd fanylion am gynlluniau Lerpwl. Ar y pwyllgor lleol hefyd yr oedd R. J. Rowlands, Dewi Bowen, John Jones, O. T. Jones, Bryn Edwards, Arthur Thomas ac Ieuan Jenkins, ynghyd â'r merched selog Buddug Medi, Buddug James, Menna Jones a Martha Roberts, Gwelwyd yr enwau uchod mewn papur lleol; mae'n bosibl bod eraill wedi cymryd rhan hefyd.

Darparwyd dros fil o bosteri ar gyfer diwrnod yr agoriad swyddogol, a rhoddwyd nifer ar sgrinau gwynt ceir yr ymwelwyr. Gwthiodd y dyrfa ymlaen, gyda rhai pobl ifainc, yn enwedig merched, yn ceisio gorwedd yn llwybr y ceir. Apeliodd yr Henadur Gwynfor Evans ar ei ddilynwyr i adael i'r moduron gyrraedd pen eu taith ond yr oedd tymer y bobl wedi codi. Ar un adeg ymddangosai'r sefyllfa'n un beryglus, ond cadwodd y plismyn eu pennau a'u hiwmor, ac ni chafwyd y difrod garw a ofnai'r ymwelwyr o Lerpwl. Deallwyd wedyn i erial un car modur gael ei dorri, i rai cerrig mân gael eu taflu, ac i ran o'r babell fawr syrthio oherwydd ymyrraeth â'r rhaffau, ond ni niweidiwyd neb. Y peth mwyaf ofnadwy oedd y sŵn, y gweiddi a'r canu.

Oherwydd uchder y sŵn ni pharhaodd y seremoni agoriadol yn fwy na thua thri munud. Rywfodd, torrwyd gwifren a gyplysai'r meicroffonau yn y babell, ac oherwydd y twrw tanllyd oddi allan, ni fedrai'r gwahoddedigion glywed gair o araith yr Arglwydd Faer yn cynnig croeso'r Gorfforaeth i'r gwesteion. Deallwyd i'r Henadur Cain geisio dechrau ei araith drwy sôn am y croeso a gawsai beth amser ynghynt ym Mhorthcawl pan ganodd y Cymry 'We'll keep a welcome in the hillside' iddo. 'Ni ddisgwyliais gael croeso fel hyn, yma,' ychwanegodd. 'Ni wnaethom ddim i fod â chywilydd ohono. Cyflwynasom ein hachos i bobl Cymru ac i'r Senedd, a rhoddwyd awdurdod i ni fynd ymlaen â'r gwaith. Gweithredwyd yn hollol ddemocrataidd'. Yna rhoddodd y gorau i'r ymdrech; cân arall oedd i'w chlywed y diwrnod hwnnw.

Ar ran y Pwyllgor Dŵr, cyflwynodd yr Arglwydd Faer ddiodlestr arian i'r Cadeirydd a chloc teithio i Mrs Cain i goffáu seremoni agor cronfa ddŵr newydd y Gorfforaeth.

Tra oedd y gwahoddedigion o'r Bala a'r cylch yn teimlo'n flin ac yn cywilyddio oherwydd anghwrteisi'r dorf i'w 'English friends' yr oedd y protestwyr yn unfryd eu bod wedi mynegi'r hyn a deimlid ym mhob cwr o'r wlad. Byddai bron bob papur newydd ym Mhrydain yn adrodd y stori y bore wedyn. Ar ddiwedd y dydd dywedodd arweinydd Plaid Cymru, a fu'n ysbrydoliaeth i'r gwrthwynebwyr, 'Teimlaf y bu'n fore llwyddiannus. Ni ddigwyddodd dim byd tramgwyddus iawn, ond dangoswyd yn eglur fod teimlad dwfn yn parhau yng Nghymru ynglŷn â'r sefyllfa a adlewyrchir yn Nhryweryn'.

Mewn byrbryd swyddogol ar ôl yr agoriad, ymddangosodd yr Henadur William H. Sefton, Arweinydd y Blaid Lafur ar Gyngor Dinas Lerpwl, i roi gair i wŷr y wasg. Hawliodd ei fod yn hanner Cymro ac nad oedd, yn ei olwg ef, unrhyw wahaniaeth rhwng pobl Cymru a'u problemau a'r bobl a drigai ym Mill Street, Lerpwl. Yr hyn yr oeddynt wedi ei weld y diwrnod hwnnw oedd, nid gwrthdystiad yn erbyn Lerpwl, ond amlygiad o'r teimlad yng Nghymru fod popeth yn cael ei gymryd oddi arni. Mae'n wir i hynny ddigwydd gyda glo y de, ond digwyddodd yr un peth yn siroedd Caerhirfryn ac Efrog. Ni allai trigolion Prydain Fawr fforddio ystyried cadw ffiniau rhwng Lloegr a Chymru. Yr oedd boddi Cwm Tryweryn yn angenrheidrwydd. Y bore hwnnw yr oedd wedi gweld lorïau llaeth o Gymru yn teithio tua Lerpwl, a dangosai hynny pa mor ddibynnol yr oedd Cymru a'i ddinas ef ar ei gilydd.

Cydnabu iddo dderbyn llythyr oddi wrth Gwynfor Evans yn pwysleisio y dylai Lerpwl—os oedd y Gorfforaeth yn ddiffuant yn ei dymuniad i gymodi—o leiaf dalu am yr hyn yr oedd wedi ei atafaelu.

'Fy mwriad i, a bwriad pobl Glannau Merswy i gyd, yw talu'r ddyled sydd arnom i Gymru. Pe cyflwynai rhyw gorff cyfrifol o Gymru gynigiadau ynglŷn â sut y gallwn ni roi cymorth i ogledd Cymru i orchfygu'r esgeulustra a ddioddefwyd yn y gorffennol, yna byddem yn dra bodlon i eistedd o amgylch y bwrdd a thrafod y posibiliadau. Nid oes arnom eisiau digio neb. Dymunwn estyn llaw mewn cyfeillgarwch ac edrychaf

ymlaen at gyfarfod Mr Gwynfor Evans. Cyfle oedd y seremoni hon i
asio cyfeillgarwch rhwng Lerpwl a Chymru,' meddai.

Yr oedd y geiriau hyn yn ddelfrydol ar gyfer seremoni gyhoeddus fel
hon lle'r oedd atgasedd tyrfa fawr wedi ei ddangos mewn modd
anarferol; ond pwy oedd yr arweinydd awdurdodol hwn a allai hawlio
siarad ar ran, ac addo pethau mawr yn enw miliynau o bobl ar Lannau
Merswy nad oedd ganddo unrhyw gysylltiad â nhw? Yr oedd yn amlwg
mai rhethreg neu ymateb teimladol i ddigwyddiadau'r dydd oedd peth
fel hyn.

Ni allai'r bobl a oedd wedi delio â Chorfforaeth Lerpwl gredu y
byddai unrhyw ganlyniadau bendithiol o bwys yn deillio o'r addewid-
ion a wnaed ar y diwrnod eithriadol hwn, ond ni adawyd i'r peth lithro
o'r cof gan arweinwyr Plaid Cymru.

Ym mis Tachwedd 1965 cyfarfu'r Henadur Sefton â'r Henadur
Gwynfor Evans ac Elwyn Roberts yn Lerpwl, ac ailadroddodd yr
hanner Cymro, fel y galwai ef ei hun eto, fod Lerpwl yn dal yn awyddus
i dalu ei ddyled i Gymru. Gwnaed datganiadau eang eu natur hefyd. Er
enghraifft, galwyd am ddatganoli rhanbarthol effeithiol—geiriau
gwych eto ond pur wag eu gobeithion. A oedd y dyn yn sylweddoli cyf-
yngiadau ei ddylanwad a'i allu i weithredu?

Y cwestiwn taer oedd, a oedd gobaith cael arian neu iawndal am y
dŵr? Fel y dywedodd Elwyn Roberts ar y pryd, pe bai Lerpwl ond yn
talu tair ceiniog yn unig am bob mil o alwyni, byddai hynny'n dod â
£600,000 y flwyddyn i Feirionnydd. Na, nid oedd y fath beth yn
ymarferol erbyn hyn!

I gymhlethu, neu efallai symleiddio, pethau, cyhoeddwyd yr un mis
fod y Llywodraeth yn bwriadu 'cenedlaetholi' dŵr Prydain gyfan, ond
nid oedd Bwrdd Dŵr Cymreig yn y cynlluniau ar y pryd.

Fel y soniwyd eisoes, yr oedd yn 1973 cyn y pasiwyd y ddeddf i ddod â
dŵr yn wasanaeth cyhoeddus, ond cafodd Cymru ei Bwrdd Dŵr ei hun
maes o law, a daeth Llyn Celyn dan ei reolaeth yn 1974.

Yr un diwrnod â'r seremoni agoriadol gwelwyd ar wyneb-ddalen y
Western Mail y pennawd 'Cyngor Etholedig i Gymru'. Mewn
llythrennau bras gwelwyd mai darogan a wnâi'r papur yr hyn a welid
pe bai'r Blaid Lafur yn llwyddiannus yn yr etholiad a ddisgwylid yn
1966.

Cyfeiriwyd eisoes at y pwyllgor a sefydlwyd i ystyried statws cyfreith-iol yr iaith Gymraeg. Yr un wythnos ag y disgrifiwyd seremoni agor-iadol Llyn Celyn, cyhoeddodd *Y Cymro* fod yr adroddiad wedi ei gyhoeddi. Gwnaed sawl pwynt pwysig gan yr adroddiad hwnnw, ac er iddo siomi llawer o genedlaetholwyr gobeithiol, sylweddolai eraill na ellid disgwyl gormod ar y pryd. Ar y cyfan yr oedd yr awyrgylch yng Nghymru yn bur obeithiol a phobl ieuainc y wlad yn cyrchu tua Chaer-dydd yn hytrach nag i Lerpwl neu Lundain. Eto, cyndyn oedd y gwahanol awdurdodau i roi lle mwy pendant i'r Gymraeg, a chyn hir, wedi i bob ymdrech i newid y sefyllfa fethu, gwelwyd dechrau gweith-redu'n uniongyrchol gan Gymdeithas yr Iaith. Yn ôl *Y Cymro* ni chafodd y protestwyr fawr o groeso gan drigolion Dolgellau a Llanbedr Pont Steffan ond ymlaen yr aeth y frwydr a daeth enwau fel Ffred Ffransis yn gyfarwydd i Gymru gyfan.

Yn rhifyn 28 Rhagfyr 1965 o'r *Cymro*, gwelwyd y sylwadau isod ar y flwyddyn a aeth heibio:

Cofir 1965 am storm a buddugoliaeth ryfedd Capel Celyn a phrotestiadau di-drais Cymdeithas yr Iaith Gymraeg.

Nid ers amser Owain Glyndŵr y gwelwyd y Celtiaid breuddwydiol yn mynegi eu Cymreictod mor bendant.

Swm y cyfan yw i 1965 fod yn flwyddyn o dwf sylweddol yn y deffroad cenedlaethol yng Nghymru.

Buddugoliaeth?

O ddychwelyd i'r henfro ac edrych i'r de-orllewin o'r briffordd i gyf-eiriad yr Arenig Fawr dros y dŵr a orchuddia safle'r hen bentref bach, amhosibl yw i un a fagwyd yn y fro feddwl yn nhermau unrhyw fuddug-oliaeth.

O ran ei arwynebedd mae Llyn Celyn tua thri chwarter maint Llyn Tegid, ond credir ei fod yn dal tua phedair gwaith cymaint o ddŵr. Ymddengys fod y tair prif gronfa, sef llynnoedd Celyn, Brenig ac Alwen—gyda Llyn Tegid fel rhyw gronfa atodol—yn cael eu rheoli gan gyfrifiadur, gyda llif afon Dyfrdwy yn cael ei gynyddu neu ei gwtogi ar sail yr wybodaeth a ddaw i mewn bob hanner awr o'r pedair cronfa.

Diddorol yw deall hefyd fod y peiriannau yng nghrombil argae Llyn Celyn yn cynhyrchu 5 m.w. o drydan i'r Grid Cenedlaethol fel bonws.

Rhag ofn na chlywodd y darllenydd lawer am Frenig ac Alwen—yn 1973 y cafodd Awdurdod Dŵr Dyfrdwy a Chlwyd ganiatâd cyfreithiol i adeiladu'r cyntaf ym mro Hiraethog. Cwblhawyd y rhan gyntaf o'r cynllun yng ngwanwyn 1979 gyda'r dŵr yn mynd, nid i Gymru yn bennaf, ond i freichiau y North West Water Authority.

Rheolir y cronfeydd i gyd yn ôl cynlluniau rheoli Dyfrdwy, ond er i gwmnïoedd dŵr Caer, Wrecsam a Dwyrain Dinbych, British Waterways ac Awdurdod Dyfrdwy a Chlwyd ymuno â Bwrdd Dŵr y Gogledd-orllewin a derbyn tua 120,000 m3/d rhyngddynt (yn ôl ffigurau'r Bwrdd Dŵr), y North West Water Authority a dderbyn y gyfran fwyaf, sef 709,000 m3/d, a hynny, yn ôl pob golwg, heb deimlad o unrhyw ddyled nac arwydd o ddiolchgarwch.

Yn 1985 y trosglwyddwyd i Fwrdd Dŵr Cymru y baban o'r cronfeydd, sef Llyn Alwen, hen ffynhonnell Penbedw cyn yr ad-drefnu.

Yn 1986 gwelwyd Bwrdd Dŵr Cymru yn defnyddio'r papurau dyddiol i hysbysebu am swyddog cyhoeddusrwydd gyda chyflog blynyddol yn cyfateb i gyfanswm cyflog tri athro ysgol. Gellir dim ond gobeithio bod hynny'n golygu y daw'r Cymry i wybod am yr hyn sydd wedi bod yn digwydd yn gysylltiedig â chasglu dŵr yn eu gwlad.

Bu cynyddu cyson mewn cronni dŵr yn y wlad. Er enghraifft, credir bod cynlluniau wedi eu gwneud i gynyddu llif y dŵr a gymerir o Lyn Efyrnwy, yn rhannol er mwyn cynyddu llif afon Hafren a reolir gan y Severn Trent Water Authority.

Hwyrach na chlywodd llawer o Gymry ychwaith am y trefniadau a wnaed ger Llangollen i gyflawni gofynion dŵr Crewe a Nantwich.

Y peth diddorol am y cronni a'r cludo dŵr yma, o gofio am argymhellion Mr Pownall yn ystod brwydr Tryweryn, yw mai Camlas Llangollen, gyda chyflenwad afon Dyfrdwy, sy'n cludo'r dŵr y deugain milltir i Hurleston i'w drin ar y raddfa o ddeng miliwn galwyn y dydd. Credir bod yna gynlluniau i ehangu'r trefniant hwn hefyd er mwyn gallu defnyddio mwy ar y Shropshire Union Canal.

Beth am broffwydoliaethau Corfforaeth Lerpwl ynglŷn â gofynion y dyfodol? A gafwyd y codiad enbyd yn y galw am ddŵr a ragwelwyd gan eu harbenigwyr adeg y frwydr yn erbyn boddi Cwm Tryweryn?

Gan fod y Gorfforaeth wedi gorfod ildio ei gafael ar y cronfeydd, nid yw cymharu ffigurau yn hawdd, os yn bosibl o gwbl, ond y ffaith yw bod afon Dyfrdwy yn awr, gyda bendith Bwrdd Dŵr Cymru yn ôl pob golwg, yn diwallu 30% o anghenion dŵr Bwrdd Dŵr Gogledd-orllewin Lloegr a bod Huntington yn trin 75 miliwn galwyn y dydd (ar gyfartaledd) ar gyfer 1¾ miliwn o bobl.

Y ddelwedd, yn gam neu yn gymwys, sydd wedi tyfu ym meddwl pobl Prydain am ddinas Lerpwl a'i chyffiniau yn yr wythdegau yw un o randir diffaith a bydrodd yn economaidd oherwydd diogi a gwanc y gweithwyr a chamreolaeth ar ran y cynghorau a'r gwŷr busnes. Gor-modiaith a symleiddiad yw'r darlun hwn wrth gwrs; eto mae'n rhyfedd pa mor fyr y parhaodd bendithion masnachol y fuddugoliaeth a enillodd y Gorfforaeth yn 1957. Ond nid yw hynny'n fawr o gysur i Gapel Celyn a ddiflannodd dan y dŵr.

Pe bai'r golled wedi dyfrhau De'r Sudan neu ddifeithwch Ethiopia fe fyddai'r aberth wedi bod yn un gwerthfawr. Ond ni ellir peidio â chredu mai crafangu cymaint o ddŵr ag y gellid cyn i'r drysau gau ar yr ymgiprys direol am ffynonellau dŵr oedd heb eu hawlio, oedd bwriad Corfforaeth Lerpwl yn 1956; ac o wneud hynny yn llwyddiannus, gellid gwneud elw dihafal o'r gwerthiant i ddiwydiant.

Er mwyn ceisio cael gwybod sut yr aeth y gwerthiant yma i ddiwyd-iant, anfonwyd llythyr yng Ngorffennaf 1986 yn gofyn i swyddogion dŵr y Ddinas sut y datblygodd y defnydd o ddŵr. Yr ateb a gafwyd— nid gan Lerpwl ond gan reolwr Bwrdd Dŵr y Gogledd-orllewin oedd —'industrial usage (measured supply), has indeed fallen over the last few years'.

Y casgliad anochel felly yw bod digonedd o ddŵr ar gael heddiw, ac y gallasai cronfeydd fel Alwen a Brenig, gyda chronfeydd bychain atodol ar ochrau Dyfrdwy, fel yr awgrymwyd gan aelodau'r Pwyllgor Amddiffyn yn 1957, fod wedi boddhau anghenion Lerpwl a'r cylch yn llwyr.

Gellid dadlau ar sawl egwyddor fod boddi Cwm Tryweryn yn hollol ddianghenraid, a bod methiant y Pwyllgor Amddiffyn wedi bod yn ergyd greulon i ymdrech Cymru i warchod ei hetifeddiaeth. Ar y llaw arall, roedd y frwydr yn garreg filltir bwysig yn hanes y genedl yn y ganrif hon trwy symbylu'r teimlad o Gymreictod a hybu dyfodiad cyrff fel y Bwrdd Dŵr y galwyd amdano yn ystod yr ymryson yn 1957. Gyda'r dylanwadau economaidd yn gwasgu a'r Saeson yn dylifo i gefn gwlad, gwael yw rhagolygon yr iaith Gymraeg. A fydd pentrefi Cymreig eu hanfod a Chymraeg eu hiaith, tebyg i Gapel Celyn gynt, yn bod mewn deng mlynedd ar hugain eto? Amhosibl yw meddwl am bum plwyf Penllyn heb yr hen iaith, ond bob blwyddyn daw cylch y Bala yn fwy a mwy poblogaidd gydag ymwelwyr.

Gyda threigl y blynyddoedd, a Llyn Celyn yn edrych mor naturiol ei le a hyfryd ei olwg, prin bod y teithwyr wrth ruthro heibio yn eu moduron yn meddwl am eiliad am y gorffennol a'r ymryson a fu cyn i'r boddi ddigwydd.

Gobeithir y bydd y gyfrol hon yn ysgogi o leiaf un neu ddau o'r ymwelwyr o Gymru i oedi am ychydig wrth y llyn neu i droi i mewn i'r capel coffa, a threulio ennyd neu ddwy mewn myfyrdod a sylweddoli y bu cymuned ddiwylliedig glòs yn byw lle gorwedd y dŵr a bod cyrff rhai o'r meirwon yn dal o dan goncrid y fynwent.

COFEB CAPEL CELYN
1820 - 1964